모든 교재 정보와 다양한 이벤트가 가득!
EBS 교재사이트 book.ebs.co.kr

본 교재는 EBS 교재사이트에서
eBook으로도 구입하실 수 있습니다.

30일 수학 상

기획 및 개발	집필 및 검토	검토
이소민	배수경(경기도교육청)	박성복
최다인	안혜성(백석초)	임상현
이은영(개발총괄위원)	오현주(서울한강초)	정 란

발행일 2018. 12. 10. **8쇄 인쇄일** 2024. 2. 16.
신고번호 제2017-000193호 **펴낸곳** 한국교육방송공사 경기도 고양시 일산동구 한류월드로 281
표지디자인 ㈜무닉 **인쇄** ㈜타라티피에스 **편집** ㈜동국문화
인쇄 과정 중 잘못된 교재는 구입하신 곳에서 교환하여 드립니다. 신규 사업 및 교재 광고 문의 pub@ebs.co.kr

정답과 풀이는 EBS 중학사이트(mid.ebs.co.kr)에서 다운로드 받으실 수 있습니다.

EBS 중학사이트에서 본 교재의 문항별 해설 강의 검색 서비스를 제공하고 있습니다.

교재 내용 문의 교재 및 강의 내용 문의는 EBS 중학사이트(mid.ebs.co.kr)의 교재 Q&A 서비스 활용하시기 바랍니다.
교재 정오표 공지 발행 이후 발견된 정오 사항을 EBS 중학사이트 정오표 코너에서 알려 드립니다. 교재 검색 → 교재 선택 → 정오표
교재 정정 신청 공지된 정오 내용 외에 발견된 정오 사항이 있다면 EBS 중학사이트를 통해 알려 주세요. 교재 검색 → 교재 선택 → 교재 Q&A

효과가 상상 이상입니다.

예전에는 아이들의 어휘 학습을 위해 학습지를 만들어 주기도 했는데,
이제는 이 교재가 있으니 어휘 학습 고민은 해결되었습니다.
아이들에게 아침 자율 활동으로 할 것을 제안하였는데,
"선생님, 더 풀어도 되나요?"라는 모습을 보면,
아이들의 기초 학습 습관 형성에도 큰 도움이 되고 있다고 생각합니다.

ㄷ초등학교 안00 선생님

어휘 공부의 힘을 느꼈습니다.

학습에 자신감이 없던 학생도 이미 배운 어휘가 수업에 나왔을 때 반가워합니다.
어휘를 먼저 학습하면서 흥미도가 높아지고
동기 부여가 되는 것을 보면서 어휘 공부의 힘을 느꼈습니다.

ㅂ학교 김00 선생님

학생들 스스로 뿌듯해해요.

처음에는 어휘 학습을 따로 한다는 것 자체가 부담스러워했지만,
공부하는 내용에 대해 이해도가 높아지는 경험을 하면서
스스로 뿌듯해하는 모습을 볼 수 있었습니다.

ㅅ초등학교 손00 선생님

앞으로도 활용할 계획입니다.

학생들에게 확인 문제의 수준이 너무 어렵지 않으면서도
교과서에 나오는 낱말의 뜻을 확실하게 배울 수 있었고,
주요 학습 내용과 관련 있는 낱말의 뜻과 용례를
정확하게 공부할 수 있어서 효과적이었습니다.

ㅅ초등학교 지00 선생님

학교 선생님들이 확인한
어휘가 문해력이다의 학습 효과!
직접 경험해 보세요

학기별 교과서 어휘 완전 학습
<어휘가 문해력이다>
— 예비 초등 ~ 중학 3학년 —

30일 수학 상

EBS
30일 수학
상

CONTENTS

01 소인수분해

02 정수와 유리수

03 문자와 식

CONTENTS

04 일차방정식

05 좌표평면과 그래프

STRUCTURE 30일 수학이란

"30일만에 초·중 수학의 맥을 잡다."

예 정수와 유리수의 맥

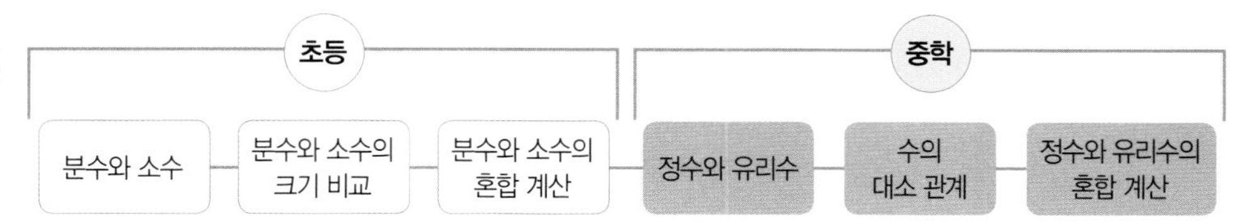

초등학교 때 분수와 소수 계산을 못했어도 이제 잘할 수 있다.

중학교에서 배우는 수학은 초등의 내용을 기초로 하고 있습니다. 그래서 초등의 수학 개념에 대한 이해가 부족하면 중학교 수학을 제대로 공부할 수 없습니다. 그러나 '30일 수학'은 초등학교 때 분수와 소수의 혼합 계산을 못했어도 중학교 때의 정수와 유리수의 혼합 계산을 잘할 수 있게 해 줍니다.

취약점을 파악하여 선택적으로 학습한다.

수학을 공부하면서 어려웠던 단원을 생각해 보고, 그 단원에 맞는 주제를 선택하여 그 주제부터 공부해 봅시다. 예를 들어 정수와 유리수 단원을 공부하면서 어려웠다면 초등학교 때의 분수와 소수의 사칙계산 개념 이해가 부족한 것일 수 있습니다. 이때 '30일 수학'의 '02 정수와 유리수'를 선택하여 학습한다면 정수와 유리수에 대한 모든 것을 알 수 있습니다.

방학 특강, 방과 후 수업 등 특강용 교재로 활용한다.

소인수분해 특강, 정수와 유리수 특강, 문자와 식 특강 등 영역별로 특강을 통해 바탕부터 확실히 기본기를 다질 수 있습니다. 방학이나 방과 후 수업 등 보충 특강용 교재로 활용하면 부족한 수학 개념을 단기간에 보충할 수 있습니다.

초등학교 때 수학을 못했어도 30일만에 수학의 맥을 잡다.

'30일 수학'은 주제별로 초등부터 중학교 1학년까지의 수학 개념을 하나의 맥으로 연결시켜주는 개념 유형 문제집입니다. 중학교 1학년 교과서에 수록된 기본적인 수학 문제에 요구되는 초등 수학 개념을 되짚어 보고 유형 유제를 통해 원리를 연습하여 주제별로 개념을 마스터 할 수 있습니다. 초등학교 때 수학을 못했어도 30일만에 수학의 맥을 잡아 봅시다. 그동안 수학의 기초가 부족해서, 어떻게 공부해야 할 지 몰라서 답답했다면 이제부터 '30일 수학'과 함께 수학을 다시 시작해 봅시다.

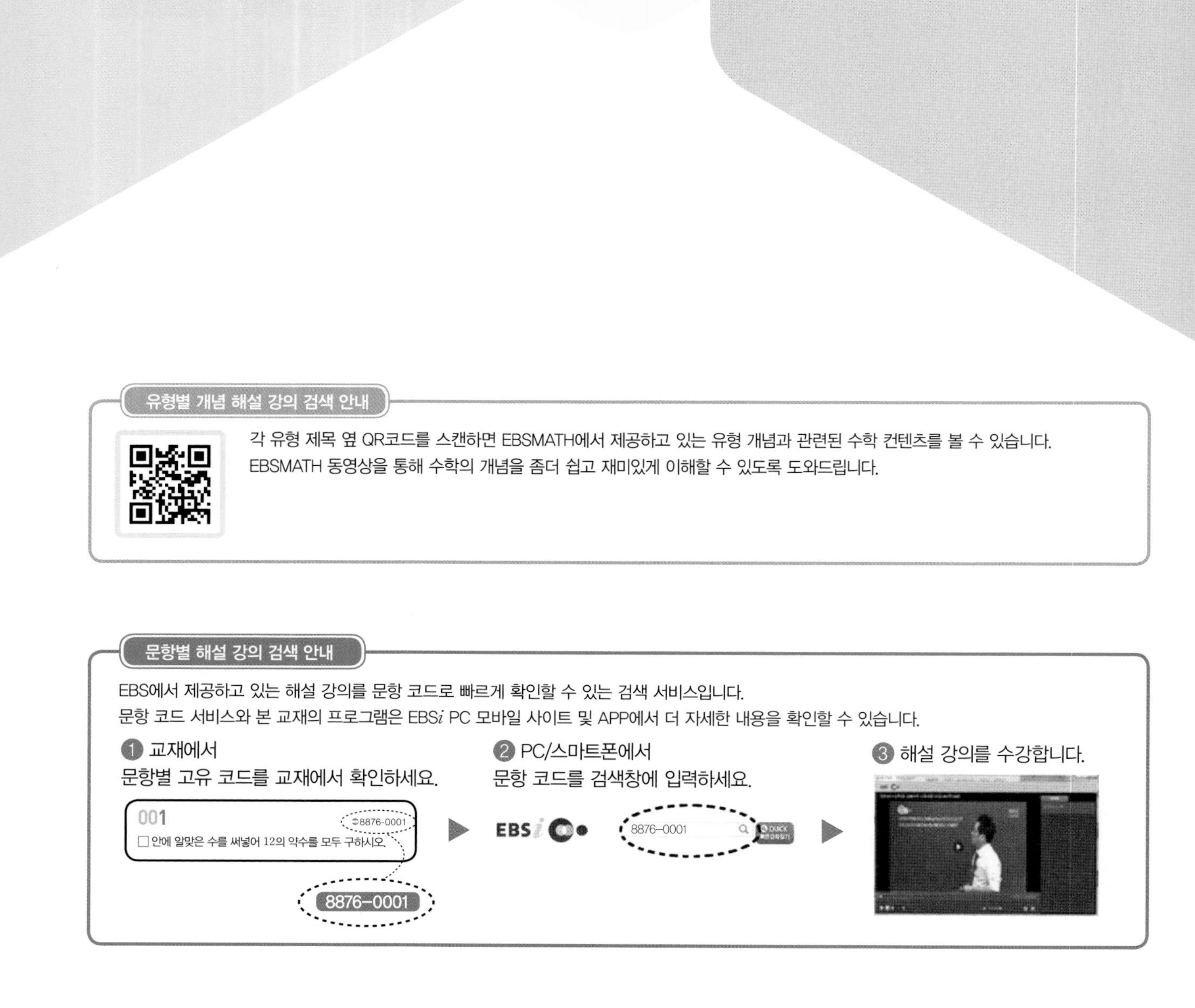

유형별 개념 해설 강의 검색 안내

각 유형 제목 옆 QR코드를 스캔하면 EBSMATH에서 제공하고 있는 유형 개념과 관련된 수학 컨텐츠를 볼 수 있습니다.
EBSMATH 동영상을 통해 수학의 개념을 좀더 쉽고 재미있게 이해할 수 있도록 도와드립니다.

문항별 해설 강의 검색 안내

EBS에서 제공하고 있는 해설 강의를 문항 코드로 빠르게 확인할 수 있는 검색 서비스입니다.
문항 코드 서비스와 본 교재의 프로그램은 EBS*i* PC 모바일 사이트 및 APP에서 더 자세한 내용을 확인할 수 있습니다.

① 교재에서
문항별 고유 코드를 교재에서 확인하세요.

② PC/스마트폰에서
문항 코드를 검색창에 입력하세요.

③ 해설 강의를 수강합니다.

01

소인수분해

유형 01-1 약수 알아보기

(1) **어떤 수의 약수:** 그 수를 나누어떨어지게 하는 수

6을 1, 2, 3, 6으로 나누면 나누어떨어진다.
→ 6의 약수

(2) **약수 구하는 방법**

| 방법 1 | 나누어떨어지는 수를 찾아 약수 구하기

$8 \div 1 = 8$　　$8 \div 2 = 4$　　$8 \div 3 = 2 \cdots 2$

$8 \div 4 = 2$　　$8 \div 5 = 1 \cdots 3$　　$8 \div 6 = 1 \cdots 2$

$8 \div 7 = 1 \cdots 1$　　$8 \div 8 = 1$

→ 8의 약수: 1, 2, 4, 8

| 방법 2 | 곱셈식을 이용하여 약수 구하기

$1 \times 8 = 8$

$2 \times 4 = 8$

→ 8의 약수 : 1, 2, 4, 8

참고 • ■를 ▲로 나누었을 때 나누어떨어지면 ▲는 ■의 약수이다.
• 어떤 수의 약수에는 1과 어떤 수 자신이 항상 포함된다.

001

☑8876-0001

□ 안에 알맞은 수를 써넣어 12의 약수를 모두 구하시오.

$12 \div \square = 12$　　$12 \div \square = 6$　　$12 \div \square = 4$

$12 \div \square = 3$　　$12 \div \square = 2$　　$12 \div \square = 1$

002

□ 안에 알맞은 수를 써넣어 15의 약수를 모두 구하시오.

$\square \times 15 = 15$　　$3 \times \square = 15$

003

☑8876-0002

다음 수의 약수를 모두 구하시오.

(1) 20

(2) 36

004

9는 어떤 수의 약수입니다. 어떤 수가 될 수 있는 수를 모두 찾아 쓰시오.

1　3　9　12　18　24　32　45

005

☑8876-0003

다음은 어떤 수의 약수를 모두 늘어놓은 것이다. □ 안에 알맞은 수를 구하시오.

1　12　8　4　6　2　3　□

006

☑8876-0004

구슬 28개를 몇 개의 주머니에 남김없이 똑같이 나누어 담으려고 한다. 주머니에 나누어 담을 수 있는 경우는 모두 몇 가지인지 구하시오. (단, 구슬 28개를 주머니 한 개에 모두 담지 않는다.)

유형 01-2 배수 알아보기

어떤 수의 배수: 어떤 수를 1배, 2배, 3배, 4배, … 한 수

- 4를 1배 한 수 ⇨ $4\times1=4$ → 4의 배수 중 가장 작은 수이다.
- 4를 2배 한 수 ⇨ $4\times2=8$
- 4를 3배 한 수 ⇨ $4\times3=12$
- 4를 4배 한 수 ⇨ $4\times4=16$

➡ 4를 1배, 2배, 3배, 4배, … 한 수인 4, 8, 12, 16, …은 4의 배수이다.

참고
- ★의 배수에는 ★이 항상 포함되고 가장 작은 수는 ★이다.
- 어떤 수의 배수는 셀 수 없이 많다.

예 ③의 배수: ③, 6, 9, 12, 15, 18, 21, …

■가 ▲의 약수이면
▲의 배수는 모두 ■의 배수이다.
예 6의 배수: 6, 12, 18, 24, 30, …
3의 배수: 3, 6, 9, 12, 15, 18, …
→ 6의 배수는 모두 3의 배수이다. (3: 6의 약수)

007

□ 안에 알맞은 수를 써넣으시오.

$7\times1=$□, $7\times2=$□, $7\times3=$□, …
➡ 7의 배수: □, □, □, …

008

9의 배수 중에서 50보다 작은 수를 모두 구하시오.

009

수 배열표를 보고 4의 배수에는 △표, 8의 배수에는 ○표 하시오.

48	49	50	51	52	53
54	55	56	57	58	59
60	61	62	63	64	65
66	67	68	69	70	71
72	73	74	75	76	77

010

☑8876-0005

지후네 반 학생들은 출석번호 1번부터 30번까지 모두 30명이다. 오늘은 출석번호가 6의 배수인 학생들이 급식 당번을 하는 날일 때, 급식 당번 학생들의 출석 번호를 모두 쓰시오.

011

☑8876-0006

지원이는 한 상자에 초콜릿이 17개씩 들어 있는 초콜릿 상자를 여러 상자 가지고 있다. 지원이가 100명의 친구들에게 초콜릿을 모두 1개씩 나누어 주려면 최소한 몇 상자의 초콜릿이 필요한지 구하시오.

012

☑8876-0007

다음 조건을 모두 만족하는 수를 구하시오.

- 5의 배수이다.
- 7의 배수이다.
- 30보다 크고 60보다 작다.

유형 01-3 약수와 배수의 관계

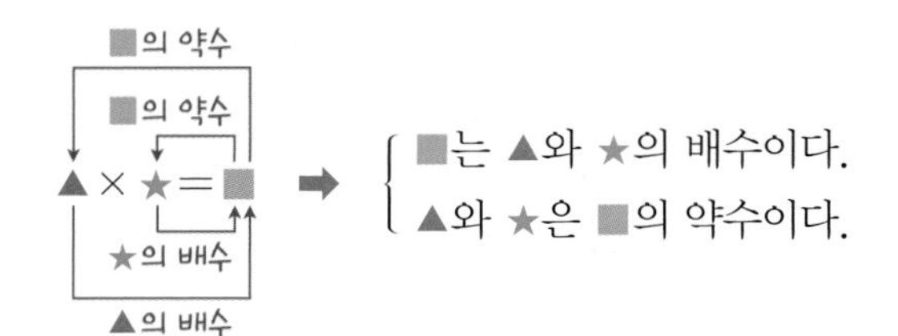

예 $48=1\times 48$ $48=2\times 24$ $48=3\times 16$
$48=4\times 12$ $48=6\times 8$
➡ 48은 1, 2, 3, 4, 6, 8, 12, 16, 24, 48의 배수이다.
➡ 1, 2, 3, 4, 6, 8, 12, 16, 24, 48은 48의 약수이다.

013

☑8876-0008

□ 안에 알맞은 말을 써넣으시오.

$14=2\times 7$ ➡ 2는 14의 □입니다. / 14는 2의 □입니다.

014

주어진 수는 모두 어떤 수의 약수입니다. 어떤 수를 구하시오.

1	2	4	13	26	52

015

왼쪽의 수가 오른쪽의 수의 배수일 때, □ 안에 들어갈 수 있는 수를 모두 구하시오.

(27, □)

016

☑8876-0009

18의 배수 중에서 가장 큰 두 자리 수를 구하시오.

017

10의 약수이거나 배수의 관계인 수를 모두 고르시오.

5	9	10	12	16	20	25

018

☑8876-0010

다음 식을 보고 알 수 없는 것은?

$30=6\times 5$ $30=2\times 15$

① 6은 30의 약수이다.
② 30은 15의 배수이다.
③ 30은 5로 나누어떨어진다.
④ 30의 약수는 6과 5뿐이다.
⑤ 5와 30은 서로 약수와 배수의 관계에 있다.

유형 01-4 배수 판별법

(1) **2의 배수:** 짝수인 수
└→ 일의 자리 숫자가 0, 2, 4, 6, 8인 수
예 32 ➡ 일의 자리 숫자가 짝수이다.

(3) **4의 배수:** 끝의 두 자리 수가 00이거나 4의 배수인 수
예 724 ➡ 끝의 두 자리 수 24가 4의 배수이다.

(5) **6의 배수:** 각 자리 숫자의 합이 3의 배수이면서 짝수인 수
예 132 ➡ $1+3+2=6$ (3의 배수이면서 짝수이다.)

(2) **3(9)의 배수:** 각 자리 숫자 합이 3(9)의 배수인 수
예 123 ➡ $1+2+3=6$ (3의 배수이다.)

(4) **5의 배수:** 일의 자리 숫자가 0이거나 5인 수
예 55 ➡ 일의 자리 숫자가 5이다.

019
☑8876-0011

다음 중 4의 배수이면서 5의 배수인 수에 ○표 하시오.

135 136 137 138 139 140 141 142

020

6의 배수에 ○표 하시오.

105 172 196 216

021
☑8876-0012

다음 네 자리 수가 가장 작은 4의 배수가 되도록 □ 안에 알맞은 수를 구하시오.

62□2

022
☑8876-0013

다음 과일 중에 3대의 트럭에 똑같이 나누어 실을 수 있는 과일을 구하시오.

배	복숭아	사과
4214	4281	4355

023
☑8876-0014

다음 네 자리 수가 6의 배수가 되도록 하려고 한다. □ 안에 알맞은 수를 모두 구하시오.

64□6

024
☑8876-0015

다음 수 카드를 한 번씩만 사용하여 만들 수 있는 세 자리 수 중에서 가장 큰 9의 배수를 구하시오.

유형 01-5 소수와 합성수

(1) **소수:** 1보다 큰 자연수 중에서 1과 자기 자신만을 약수로 가지는 수
　└→ 모든 소수는 약수의 개수가 2개이다.

예 2, 3, 5, 7, 11, 13, …
　└→ 소수 중 유일한 짝수

(2) **합성수:** 1보다 큰 자연수 중에서 소수가 아닌 수, 즉 약수가 3개 이상인 수

예 4, 6, 8, 9, 10, 12, …

참고 1은 소수도 아니고 합성수도 아니다.

자연수는 1, 소수, 합성수로 이루어져 있다.

자연수 ─ 1 / 소수 / 합성수

| 에라토스테네스의 체 | 1에서 50까지의 자연수 중 소수를 모두 찾는 방법

❶ 1은 소수가 아니므로 지운다.
❷ 2는 남기고 2의 배수를 모두 지운다.
❸ 3은 남기고 3의 배수를 모두 지운다.
❹ 5는 남기고 5의 배수를 모두 지운다.
❺ 이와 같은 방법으로 남은 자연수 중에서 처음 수는 남기고 그 수의 배수를 모두 지운다.

1	2	3	4	5	6	7	8	9	10
11	12	13	14	15	16	17	18	19	20
21	22	23	24	25	26	27	28	29	30
31	32	33	34	35	36	37	38	39	40
41	42	43	44	45	46	47	48	49	50

이렇게 하여 마지막 남은 자연수 2, 3, 5, 7, 11, 13, 17, 19, 23, 29, 31, 37, 41, 43, 47은 모두 소수이다.

025

다음 표의 빈칸에 주어진 수가 소수이면 '소'를, 합성수이면 '합'을 써넣으시오.

2	3	4	5	6	7	8

026

☑8876-0016

1부터 20까지의 자연수를 약수의 개수에 따라 분류하시오.

약수의 개수가 1개인 수	
약수의 개수가 2개인 수	 ➡ 이 수들을 ☐라고 한다.
약수의 개수가 3개 이상인 수	 ➡ 이 수들을 ☐라고 한다.

027

☑8876-0017

다음 보기 중 옳은 것을 모두 고르시오.

보기
ㄱ. 53은 소수이다.
ㄴ. 5의 배수 중 소수는 1개뿐이다.
ㄷ. 모든 합성수는 짝수이다.
ㄹ. 모든 소수는 약수의 개수가 홀수개이다.

028

☑8876-0018

다음 중 옳지 않은 것은?

① 1은 소수도 아니고 합성수도 아니다.
② 가장 작은 소수는 2이다.
③ 짝수 중 소수는 하나뿐이다.
④ 7의 배수 중 소수는 1개이다.
⑤ 24의 약수 중 소수는 3개이다.

유형 01-6 거듭제곱

(1) **거듭제곱:** 같은 수나 문자를 여러 번 곱한 것을 간단히 나타낸 것

예 $2\times2=2^2$, $2\times2\times2=2^3$, $2\times2\times2\times2=2^4$, $3\times3\times5\times5\times5=3^2\times5^3$

$\frac{1}{2}\times\frac{1}{2}=\left(\frac{1}{2}\right)^2$, $\frac{1}{5\times5}=\frac{1}{5^2}$

참고 2^2을 '2의 제곱', 2^3을 '2의 세제곱', 2^4을 '2의 네제곱'으로 읽고 이를 통틀어 '2의 거듭제곱'이라고 한다.

(2) **밑:** 거듭제곱에서 곱한 수나 문자

(3) **지수:** 거듭제곱에서 곱한 수나 문자의 개수

참고 지수 1은 생략할 수 있다.

예 $2^1=2$, $3^1=3$, $\cdots$

$5\times5\times5=5^3$ → 지수 (곱한 횟수)
→ 밑 (곱하는 수)

029

다음 수의 밑과 지수를 각각 쓰시오.

(1) 5^4 ➡ 밑: ______, 지수: ______

(2) 7^3 ➡ 밑: ______, 지수: ______

(3) 10^2 ➡ 밑: ______, 지수: ______

(4) 13 ➡ 밑: ______, 지수: ______

030

다음을 거듭제곱으로 나타내시오.

(1) $3\times3\times3\times3$

(2) $2\times5\times5\times5$

(3) $2\times2\times3\times3\times3\times7$

(4) $\frac{1}{4}\times\frac{1}{4}$

031

☑8876-0019

다음 중 옳은 것을 모두 고르면? (정답 2개)

① $2\times2\times2=3^2$
② $\frac{1}{3}\times\frac{1}{3}=\left(\frac{1}{3}\right)^3$
③ $5+5+5+5=5^4$
④ $6\times6\times6=6^3$
⑤ $3\times3\times3\times8\times8=3^3\times8^2$

032

☑8876-0020

자연수 a, b, c에 대하여 $2\times3\times3\times3\times7\times7=2^a\times3^b\times7^c$일 때, $a+b-c$의 값을 구하시오.

033

☑8876-0021

$2^5=a$, $3^b=81$을 만족시키는 자연수 a, b에 대하여 $a\div b$의 값을 구하시오.

유형 01-7 소인수분해

(1) **인수:** 자연수 a, b, c에 대하여 $a=b\times c$일 때, b, c를 a의 인수라 한다.
└→ 수에서 인수와 약수는 같은 뜻이다.

(2) **소인수:** 인수 중에서 소수인 것

예 $12=1\times12=2\times6=3\times4$이므로

➡ 12의 인수: 1, 2, 3, 4, 6, 12

➡ 12의 소인수: 2, 3

(3) **소인수분해:** 1보다 큰 자연수를 그 수의 소인수들만의 곱으로 나타내는 것

(4) **소인수분해하는 방법** → 일반적으로 소인수분해한 결과는 크기가 작은 소인수부터 차례대로 쓴다.

24를 소인수분해하면

| 방법 1 |

여러 수의 곱으로 나타낸다.

$24=2\times12$
$=2\times2\times6$
$=2\times2\times2\times3$
$=2^3\times3$

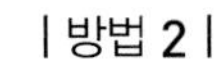
| 방법 2 |

가지의 끝이 소수가 될 때까지 나눈다.

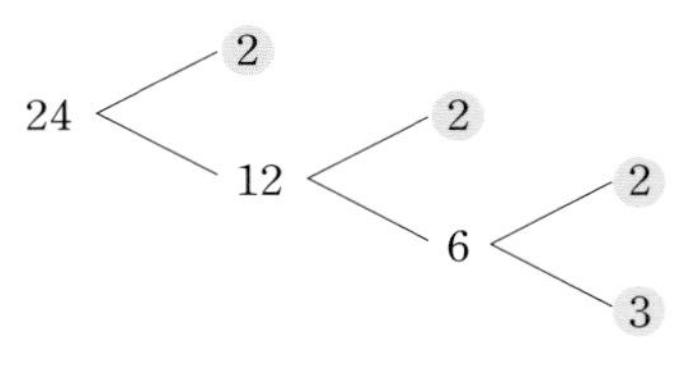

➡ $24=2\times2\times2\times3=2^3\times3$

| 방법 3 |

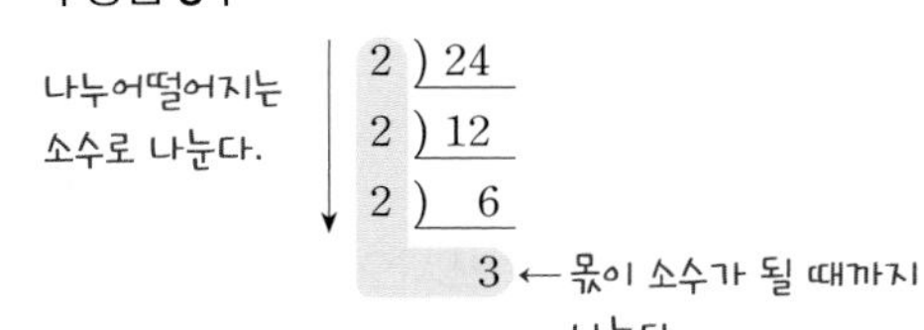

➡ $24=2\times2\times2\times3=2^3\times3$
└→ 같은 소인수는 거듭제곱으로 나타낸다.

034

☑8876-0022

63과 36을 소인수분해하는 과정이다. □ 안에 알맞은 수를 써넣으시오.

(1)

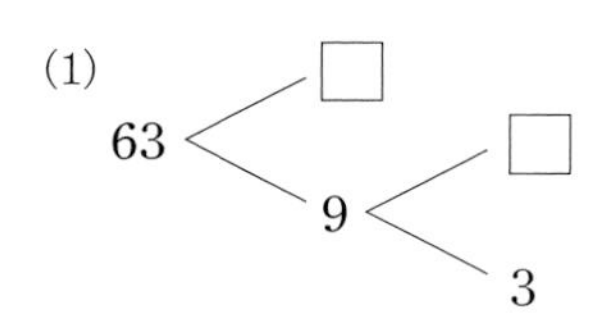

➡ $63=3^{\square}\times\square$

(2)

36 → □, 18 → □, 9 → □, □

➡ $36=2^{\square}\times\square^{\square}$

035

☑8876-0023

다음 □ 안에 알맞은 수를 써넣어 소인수분해하고 소인수를 모두 구하시오.

(1)
□) 52
□) 26
13

52 ➡ 소인수분해: ____________

➡ 소인수: ____________

(2)
□) 150
3) 75
□) □
5

150 ➡ 소인수분해: ____________

➡ 소인수: ____________

036

☑8876-0024

다음 중 소인수분해한 것으로 옳지 않은 것은?

① $20=2^2\times5$ ② $66=2\times3\times11$
③ $84=2\times6\times7$ ④ $108=2^2\times3^3$
⑤ $198=2\times3^2\times11$

037

다음 중 80의 소인수인 것을 모두 고르면? (정답 2개)

① 1 ② 2 ③ 3
④ 5 ⑤ 7

038

☑8876-0025

다음 수의 소인수를 모두 구하시오.

(1) 15

(2) 24

(3) 32

(4) 56

039

다음 중 소인수가 나머지 넷과 다른 하나는?

① 30 ② 90 ③ 150
④ 160 ⑤ 450

040

다음 중 90과 소인수가 같은 것은?

① 20 ② 33 ③ 42
④ 120 ⑤ 242

041

☑8876-0026

540의 모든 소인수의 합은?

① 5 ② 8 ③ 10
④ 12 ⑤ 16

042

☑8876-0027

200을 소인수분해하면 $2^a\times5^b$일 때, 자연수 a, b에 대하여 $a\times b$의 값을 구하시오.

유형 01-8 소인수분해를 이용하여 약수 구하기

자연수 A가 $A=a^m \times b^n$ (a, b는 서로 다른 소수, m, n은 자연수)으로 소인수분해되는 경우

(1) **A의 약수:** a^m의 약수와 b^n의 약수를 곱해서 구한다.

➡ (a^m의 약수) × (b^n의 약수)

↳ $1, a, a^2, \cdots, a^m$: $(m+1)$개

↳ $1, b, b^2, \cdots, b^n$: $(n+1)$개

(2) **A의 약수의 개수:** $(m+1) \times (n+1)$개

소인수의 지수에 각각 1을 더한다.

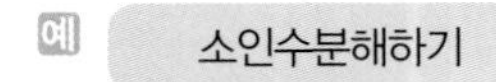
예 소인수분해하기

75를 소인수분해하면 $75=3\times5^2$

⇩

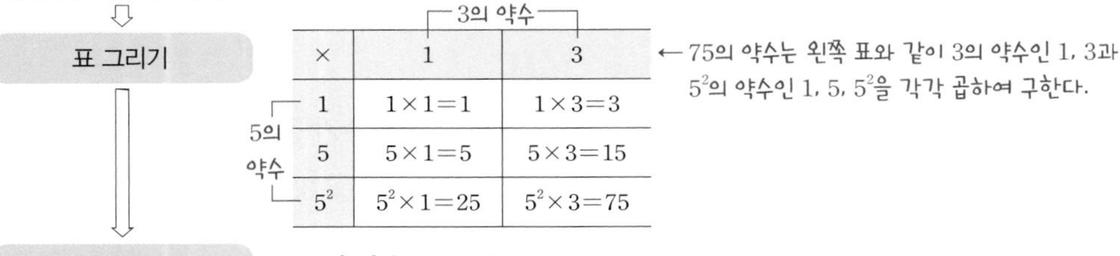
표 그리기

3의 약수

×	1	3
1	$1\times1=1$	$1\times3=3$
5	$5\times1=5$	$5\times3=15$
5^2	$5^2\times1=25$	$5^2\times3=75$

5의 약수

← 75의 약수는 왼쪽 표와 같이 3의 약수인 1, 3과 5^2의 약수인 1, 5, 5^2을 각각 곱하여 구한다.

⇩

약수 구하기

75의 약수: 1, 3, 5, 15, 25, 75

⇩

약수의 개수 구하기

75의 약수의 개수는 $(1+1)\times(2+1)=6$(개)

(→ 소인수 3의 지수, → 소인수 5의 지수)

043

36의 약수와 약수의 개수를 다음 표를 이용하여 구하려고 한다. 물음에 답하시오.

$36=2^2\times3^2$

×	1	2	2^2
1			
3			
3^2			

(1) 표의 빈칸에 알맞은 수를 써넣으시오.

(2) 36의 약수를 모두 구하시오.

(3) 36의 약수의 개수를 모두 구하시오.

044

☑8876-0028

100의 약수와 약수의 개수를 다음 표를 이용하여 구하려고 한다. 물음에 답하시오.

×	1	2	2^2
1			
5			
5^2			

(1) 100을 소인수분해하시오.

(2) 주어진 표의 빈칸을 채우고 이를 이용하여 100의 약수를 모두 구하시오.

(3) 100의 약수의 개수를 구하시오.

045

☑8876-0029

다음 중 $2^3\times3^2$의 약수가 아닌 것은?

① 3　② 2×3　③ 2×3^2
④ $2^2\times3^2$　⑤ $2^3\times3^3$

046

☑8876-0030

다음 중 54의 약수인 것을 모두 고르면? (정답 2개)

① 2^2　② 3^2　③ 2×3^2
④ $2^2\times3$　⑤ $2^2\times3^2$

047

다음 중에서 72의 약수가 아닌 것을 모두 고르시오.

3^2,　$2^3\times3$,　3^3,　$2^2\times3^2$,　$2^4\times3$

048

다음 수의 약수의 개수를 구하시오.

(1) 5^6

(2) $3^4\times7$

(3) $2^3\times3\times7^2$

049

☑8876-0031

다음 수의 약수의 개수를 구하시오.

(1) 56

(2) 88

(3) 200

050

☑8876-0032

다음 중 약수의 개수가 가장 많은 것은?

① 28　② 30　③ 36
④ 64　⑤ 125

051

☑8876-0033

$3^n\times5^2$의 약수의 개수가 18개일 때, 자연수 n의 값을 구하시오.

052

☑8876-0034

자연수 $2^2\times\square$의 약수의 개수가 12개일 때, 다음 중 $\square$ 안에 들어갈 수 없는 수는?

① 3^3　② 3×5　③ 18
④ 24　⑤ 25

01 소인수분해

유형 01-9 공약수와 최대공약수

(1) **공약수:** 두 개 이상의 자연수의 공통인 약수

(2) **최대공약수:** 두 수의 공약수 중에서 가장 큰 수

(3) **최대공약수의 성질:** 두 개 이상의 자연수의 공약수는 그 수들의 최대공약수의 약수이다.

예 12와 16의 공약수와 최대공약수

12의 약수: 1, 2, 3, 4, 6, 12
16의 약수: 1, 2, 4, 8, 16
➡ 공약수: 1, 2, 4 ➡ 최대공약수: 4
(공약수 → 최대공약수의 약수이다.) (4 → 공약수 중에서 가장 큰 수)

참고 최대공약수는 간단히 G.C.D (Greatest Common Divisor)로 나타내기도 한다.

(4) **서로소:** 최대공약수가 1인 두 자연수 → 두 자연수가 서로소이면 두 수의 공약수는 1뿐이다.

예 5와 8은 최대공약수가 1이므로 서로소이다.

참고 (1) 1은 모든 자연수와 서로소이다. (2) 서로 다른 두 소수는 항상 서로소이다.

053
☑8876-0035

두 수 8과 20에 대하여 다음을 구하시오.

(1) 8의 약수

(2) 20의 약수

(3) 8과 20의 공약수

(4) 8과 20의 최대공약수

054
☑8876-0036

다음 두 수의 최대공약수를 구하시오.

(1) 5, 10

(2) 12, 27

(3) 13, 26

(4) 18, 30

055

어떤 두 수의 최대공약수가 75일 때, 이 두 수의 공약수의 개수를 구하시오.

056
☑8876-0037

두 자연수 A, B의 최대공약수가 6일 때, A, B의 공약수를 모두 구하시오.

057
☑8876-0038

다음 중 두 수가 서로소인 것에는 ○표를, 서로소가 아닌 것에는 ×표를 하시오.

(1) 3, 5 ( )   (2) 8, 20 ( )

(3) 9, 15 ( )   (4) 12, 17 ( )

유형 01-10 최대공약수를 구하는 방법

(1) 최대공약수 구하기

| 방법 1 | 소인수분해 이용하기

① 각 수를 소인수분해한다.

② 공통인 소인수를 모두 곱한다.

이때 지수가 같으면 그대로, 다르면 지수가 작은 것을 택하여 곱한다.

$36 = 2^2 \times 3^2$

$84 = 2^2 \times 3 \times 7$

(최대공약수)$= 2^2 \times 3 = 12$

지수가 같으면 그대로 / 지수가 다르면 작은 쪽

| 방법 2 | 나눗셈 이용하기

① 1이 아닌 공약수로 각 수를 나눈다.

② 몫이 서로소가 될 때까지 계속 나눈다.

③ 나누어 준 공약수를 모두 곱한다.

1이 아닌 공약수로 나눈다. → 2) 36 84

2) 18 42

3) 9 21

3 7 ← 서로소

(최대공약수)$=2\times2\times3=12$

참고 $36=2^2\times3^2$과 $84=2^2\times3\times7$의 공약수 $1, 2, 3, 2^2, 2\times3, 2^2\times3$은 최대공약수 $2^2\times3$의 약수이다.
이와 같이 두 자연수의 공약수는 그 수들의 최대공약수의 약수이다.

(2) 세 수의 최대공약수 구하기

| 방법 1 | 소인수분해 이용하기

$12 = 2^2 \times 3^1$

$72 = 2^3 \times 3^2$

$90 = 2^1 \times 3^2 \times 5$

(최대공약수)$= 2^1 \times 3^1 = 6$

| 방법 2 | 나눗셈 이용하기

2) 12 72 90

3) 6 36 45

2 12 15 → 세 수의 공약수가 1뿐이면 멈춘다.

(최대공약수)$=2\times3=6$

주의 | 방법 2 | 로 세 수의 최대공약수를 구할 때에는 반드시 모든 수를 동시에 나눌 수 있는 수로만 나누어야 한다.

058

다음 수들의 최대공약수를 소인수의 곱으로 나타내시오.

(1) $2^2\times3^2$
2×3^2
(최대공약수)= ____________

(2) $2^2\times3\times5$
$2^2\times5^2\times7$
(최대공약수)= ____________

(3) $2\times3^2\times5^2$
$2^3\times3\times5^3$
$2^2\times3\times5^2\times7$
(최대공약수)= ____________

059

다음 수들의 최대공약수를 나눗셈을 이용하여 구하시오.

(1)) 27 45

(2)) 40 60

(3)) 24 56 88

060

☑8876-0039

두 수 $2^3\times3^a\times7^3$, $2\times3^4\times7^b$의 최대공약수가 $2\times3^2\times7^2$일 때, 자연수 a, b에 대하여 $a\times b$의 값은?

① 2 ② 3 ③ 4
④ 6 ⑤ 8

유형 01-11 최대공약수의 활용

주어진 문장에 '가능한 한 많은', '가능한 한 큰', '가장 큰', '최대한' 등의 표현이 있는 경우 대부분 최대공약수를 이용하여 문제를 해결한다.

예 사과 24개, 배 30개를 가능한 한 많은 학생들에게 똑같이 나누어 줄 때, 최대 몇 명의 학생에게 나누어 줄 수 있는지 구하시오.

① 사과 24개를 나누어 줄 수 있는 학생 수
➡ 1명, 2명, 3명, 4명, 6명, 8명, 12명, 24명 → 24의 약수

② 배 30개를 나누어 줄 수 있는 학생 수
➡ 1명, 2명, 3명, 5명, 6명, 10명, 15명, 30명 → 30의 약수

③ 사과와 배를 똑같이 나누어 줄 수 있는 학생 수
➡ 1명, 2명, 3명, 6명 → 24와 30의 공약수

④ 나누어 줄 수 있는 최대 학생 수
➡ 6명 → 24와 30의 최대공약수

061

☑8876-0040

공책 36권과 지우개 60개를 가능한 한 많은 학생들에게 남김없이 똑같이 나누어 주려고 할 때, 최대 몇 명의 학생에게 나누어 줄 수 있는지 구하시오.

062

가로의 길이가 120 cm, 세로의 길이가 88 cm인 직사각형 모양의 게시판이 있다. 이 게시판에 가능한 한 큰 정사각형 모양의 카드를 겹치지 않게 빈틈없이 붙일 때, 필요한 카드의 수를 구하려고 한다. □ 안에 알맞은 수를 써넣으시오.

(1) 게시판에 가능한 한 큰 카드를 붙이려고 하므로 카드의 한 변의 길이는 120과 88의 최대공약수인 □ cm이다.

(2) 필요한 카드의 수는
가로: 120÷□=□(장)
세로: 88÷□=□(장)
이므로 모두 □장이다.

063

어떤 자연수로 65를 나누면 5가 남고, 40을 나누면 4가 남는다. 이와 같은 자연수 중 가장 큰 수를 구하려고 한다. □ 안에 알맞은 수를 써넣으시오.

(1) 어떤 자연수로 65를 나누면 5가 남는다.
➡ 어떤 자연수로 (65−□)을(를) 나누면 나누어떨어진다.

(2) 어떤 자연수로 40을 나누면 4가 남는다.
➡ 어떤 자연수로 (40−□)을(를) 나누면 나누어떨어진다.

(3) 이와 같은 자연수 중 가장 큰 수는 □과 □의 최대공약수인 □이다.

064

☑8876-0041

어떤 자연수로 56을 나누면 2가 남고, 86을 나누면 4가 부족하다고 한다. 이와 같은 자연수 중 가장 큰 수를 구하시오.

유형 01-12 공배수와 최소공배수

(1) **공배수:** 두 개 이상의 자연수의 공통인 배수
(2) **최소공배수:** 공배수 중 가장 작은 수
(3) **최소공배수의 성질:** 두 개 이상의 자연수의 공배수는 최소공배수의 배수이다.

예 4의 배수: 4, 8, 12, 16, 20, 24, ⋯
6의 배수: 6, 12, 18, 24, 30, ⋯
➡ 공배수: 12, 24, 36, ⋯ ➡ 최소공배수: 12
(공배수 → 최소공배수의 배수)

참고 • 서로소인 두 자연수의 최소공배수는 두 수의 곱과 같다.
예 3과 5는 서로소이므로 3과 5의 최소공배수는 $3\times5=15$이다.
• 최소공배수는 간단히 L.C.M (Least Common Multiple)으로 나타내기도 한다.

065

두 수 8과 12에 대하여 다음을 구하시오.

(1) 8의 배수

(2) 12의 배수

(3) 8과 12의 공배수

(4) 8과 12의 최소공배수

066

☑8876-0042

두 수 10과 15에 대하여 다음을 구하시오.

(1) 10의 배수

(2) 15의 배수

(3) 10과 15의 공배수

(4) 10과 15의 최소공배수

(5) 10과 15의 최소공배수의 배수

067

☑8876-0043

두 자연수 A, B의 최소공배수가 28일 때, 다음 중 두 수 A, B의 공배수인 것을 모두 고르시오.

7 12 28 32 48 56 64 72 84 96

068

두 자연수의 최소공배수가 18일 때, 다음 중 이 두 자연수의 공배수가 아닌 것을 모두 고르면? (정답 2개)

① 27 ② 36 ③ 45
④ 54 ⑤ 90

069

☑8876-0044

두 자연수 A, B의 최소공배수가 16일 때, 이 두 수 A, B의 공배수 중 두 자리의 자연수는 모두 몇 개인지 구하시오.

유형 01-13 최소공배수를 구하는 방법

(1) 최소공배수 구하기

| 방법 1 | 소인수분해 이용하기

① 각 수를 소인수분해한다.

② 공통인 소인수와 공통이 아닌 소인수를 모두 곱한다.
이때 지수가 같으면 그대로, 다르면 지수가 큰 것을 택하여 곱한다.

$$36 = 2^2 \times 3^2$$
$$60 = 2^2 \times 3 \times 5$$
$$(\text{최소공배수}) = 2^2 \times 3^2 \times 5 = 180$$

지수가 같으면 그대로 / 지수가 다르면 큰 쪽

| 방법 2 | 나눗셈 이용하기

① 1이 아닌 공약수로 각 수를 나눈다.

② 몫이 서로소가 될 때까지 계속 나눈다.

③ 나누어 준 공약수와 마지막 몫을 모두 곱한다.

```
2 ) 36  60
2 ) 18  30
3 )  9  15
     3   5  ← 서로소
```

$(\text{최소공배수}) = 2 \times 2 \times 3 \times 3 \times 5 = 180$

참고 36과 60의 공배수 180, 360, 540, …은 최소공배수 180의 배수이다. 이와 같이 두 자연수의 공배수는 그 수들의 최소공배수의 배수이다.

(2) 세 수의 최소공배수 구하기

| 방법 1 | 소인수분해 이용하기

$$16 = 2^4$$
$$24 = 2^3 \times 3$$
$$30 = 2 \times 3 \times 5$$
$$(\text{최소공배수}) = 2^4 \times 3 \times 5 = 240$$

| 방법 2 | 나눗셈 이용하기

```
2 ) 16  24  30
2 )  8  12  15
2 )  4   6  15
3 )  2   3  15
     2   1   5
```

세 수 중 두 수만 공약수가 있으면 두 수의 공약수로 나누고 남은 한 수는 그대로 내려 쓴다.

$(\text{최소공배수}) = 2 \times 2 \times 2 \times 3 \times 2 \times 1 \times 5 = 240$

주의 | 방법 2 | 로 세 수의 최소공배수를 구할 때에는

① 세 수의 공약수가 없으면 두 수의 공약수로 나눈다. 이때 공약수가 없는 수는 그대로 아래로 내려 쓴다.

② 어느 두 수도 서로소가 될 때까지 나눈다.

070

다음 수들의 최소공배수를 소인수의 곱으로 나타내시오.

(1)
$2^3 \times 3$
$2^2 \times 3^2$
(최소공배수)=

(2)
$2^2 \times 5$
$2^2 \times 5 \times 7$
(최소공배수)=

(3)
2×3
$2^2 \times 3^2 \times 5$
$2^3 \times 3 \times 5^2$
(최소공배수)=

071

다음 수들의 최소공배수를 나눗셈을 이용하여 구하시오.

(1)) 12 16

(2)) 20 30 55

072

☑8876-0045

두 수 $2^a \times 3 \times 5^3$, $2 \times 3^b \times 5 \times c$의 최소공배수가 $2^3 \times 3^2 \times 5^3 \times 7$일 때, 자연수 a, b, c에 대하여 $a-b+c$의 값을 구하시오. (단, c는 소수)

유형 01-14 최소공배수의 활용

주어진 문장에 '가능한 한 작은', '가장 작은', '최소한', '되도록 작게', '처음으로 다시' 등의 표현이 있는 경우 대부분 최소공배수를 이용하여 문제를 해결한다.

예 어느 버스 정류장에서 A버스는 6분 간격으로, B버스는 10분 간격으로 출발한다.
두 버스가 오전 8시에 동시에 출발한 후, 처음으로 다시 동시에 출발하는 시각을 구해 보자.

① A버스의 출발 시각: 6분 간격
➡ 8시 6분, 8시 12분, 8시 18분, 8시 24분, 8시 30분, ⋯ → 6의 배수

② B버스의 출발 시각: 10분 간격
➡ 8시 10분, 8시 20분, 8시 30분, ⋯ → 10의 배수

③ 두 버스가 동시에 출발하는 시각
➡ 8시 30분, 9시, ⋯ → 6과 10의 공배수: 30, 60, 90, ⋯

④ 두 버스가 오전 8시 이후 처음으로 다시 동시에 출발하는 시각
➡ 오전 8시 30분 → 6과 10의 최소공배수

073

☑8876-0046

오빠와 동생이 트랙을 한 바퀴 도는 데 각각 42초, 63초가 걸린다. 이와 같은 속력으로 출발점을 동시에 출발하여 같은 방향으로 트랙을 돌 때, 오빠와 동생이 처음으로 출발점에서 다시 만나게 될 때까지 걸리는 시간은 몇 초인지 구하시오.

074

☑8876-0047

가로의 길이가 16 cm, 세로의 길이가 20 cm, 높이가 8 cm인 직육면체 모양의 벽돌을 오른쪽 그림과 같이 일정한 방향으로 빈틈없이 쌓아서 가능한 한 작은 정육면체 모양을 만들려고 할 때, 정육면체의 한 모서리의 길이를 구하시오.

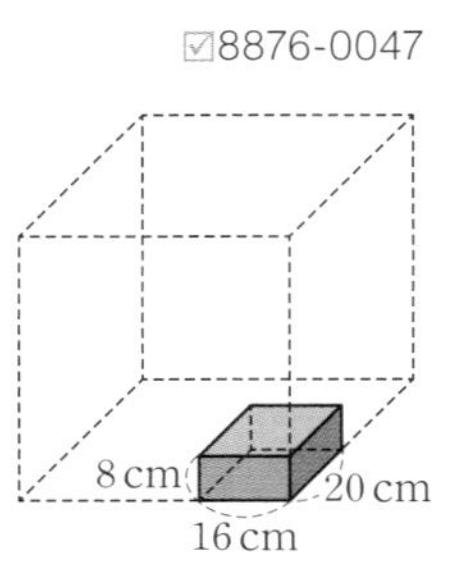

075

세 자연수 3, 5, 6 중 어느 것으로 나누어도 1이 남는 두 자리의 자연수 중 가장 작은 수를 구하려고 한다. 다음 □ 안에 알맞은 수를 써넣으시오.

(1) 3으로 나눈 나머지가 1인 수: (3의 배수)+□
5로 나눈 나머지가 1인 수: (5의 배수)+□
6으로 나눈 나머지가 1인 수: (6의 배수)+□
➡ 3, 5, 6 중 어느 것으로 나누어도 1이 남는 자연수는 (3, 5, 6의 공배수)+□이다.

(2) 3, 5, 6의 최소공배수는 □이므로 3, 5, 6 중 어느 것으로 나누어도 1이 남는 두 자리의 자연수 중 가장 작은 수는 □이다.

076

☑8876-0048

서로 맞물려 도는 두 톱니바퀴 A, B가 있다. 톱니바퀴 A의 톱니는 20개, 톱니바퀴 B의 톱니는 18개일 때, 두 톱니바퀴가 회전하기 시작하여 같은 톱니에서 처음으로 다시 맞물리려면 각각 몇 바퀴 회전한 후인지 구하시오.

유형 01-15 최대공약수와 최소공배수의 관계

$12=2\times6$, $18=3\times6$에서 (2, 3: 서로소)

12와 18의 최대공약수는 6, 최소공배수는 36이므로 다음이 성립한다.

(1) $36=2\times3\times6$ (36: 최소공배수, 6: 최대공약수)

(2) $12\times18=6\times36$ (12×18: (두 수의 곱), 6×36: (최대공약수)×(최소공배수))

두 자연수 A, B의 최대공약수가 G, 최소공배수가 L일 때,
$A=a\times G$, $B=b\times G$ (a, b는 서로소)라 하면 다음이 성립한다.

(1) $L=a\times b\times G$

(2) $A\times B=(a\times G)\times(b\times G)=G\times(\underbrace{a\times b\times G}_{L})=G\times L$

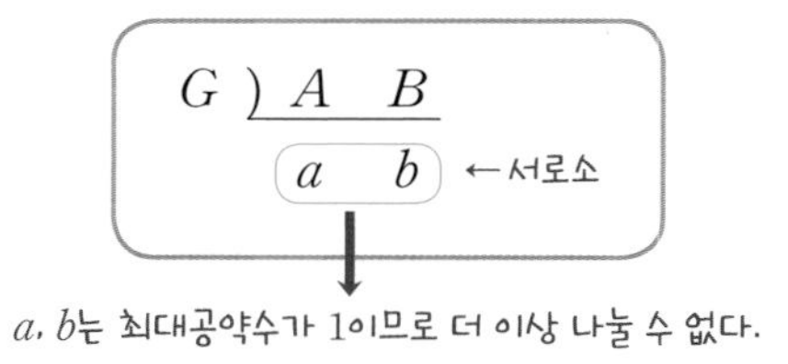

➡ (두 자연수의 곱)=(최대공약수)×(최소공배수)

077

두 자연수 A, 15의 최대공약수가 3, 최소공배수가 45일 때, □ 안에 알맞은 수를 써넣고, A의 값을 구하시오.

$3\,)\,A\quad15$
$\;\;\;\square\quad5$ ➡ (최소공배수)$=3\times\square\times5=45$

078

☑8876-0049

두 자연수 42, A의 최대공약수가 7, 최소공배수가 210일 때, A의 값은?

① 30 ② 35 ③ 48 ④ 70 ⑤ 95

079

☑8876-0050

두 자연수 A, B의 최대공약수가 6, 최소공배수가 90일 때, $A\times B$의 값을 구하시오.

080

☑8876-0051

두 자연수의 곱이 450이고 최소공배수가 150일 때, 두 자연수의 최대공약수를 구하시오.

081

두 자연수 A, B에 대하여 A, B의 곱이 1750이고 최대공약수가 5일 때, $A+B$의 값을 구하시오. (단, $A<B$)

082

☑8876-0052

두 자연수 A, B에 대하여 A, B의 최대공약수가 14, 최소공배수가 56일 때, $B-A$의 값을 구하시오. (단, $A<B$)

02

정수와 유리수

유형 02-1 크기가 같은 분수

(1) **크기가 같은 분수**

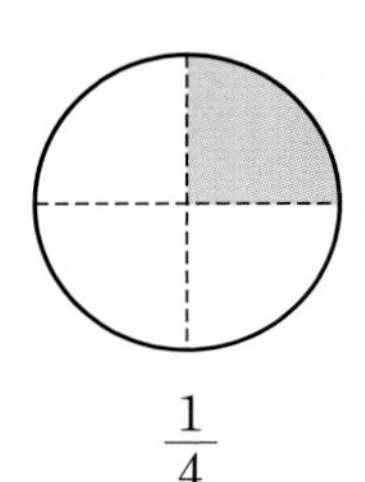
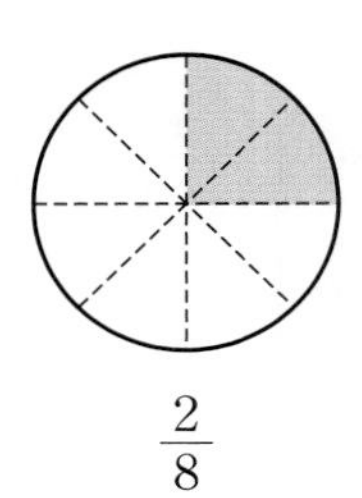
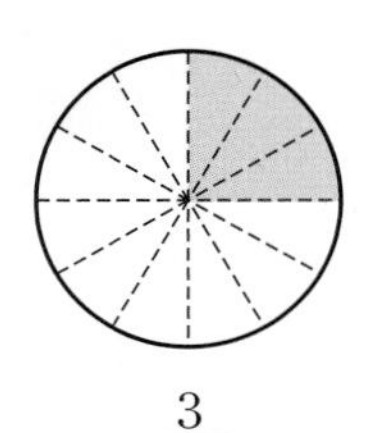

→ 도형에 분수만큼 색칠하면 색칠된 부분의 크기가 같다. 이러한 분수들을 크기가 같은 분수라고 한다.

$\frac{1}{4}$ $\frac{2}{8}$ $\frac{3}{12}$ $\frac{4}{16}$

(2) **크기가 같은 분수 만들기**

① 분모와 분자에 각각 0이 아닌 같은 수를 곱한다.

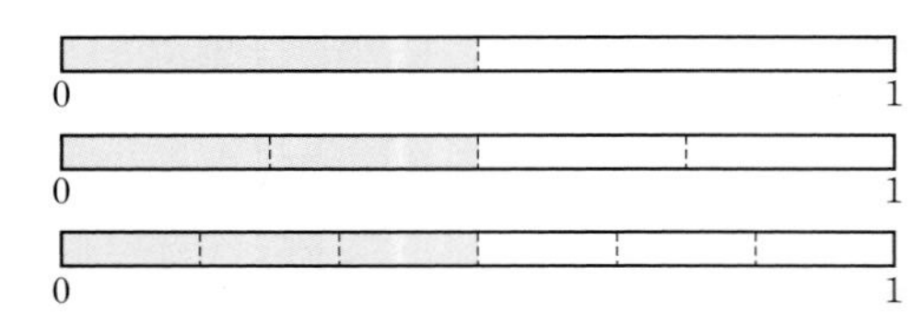

$\frac{1}{2}=\frac{1\times2}{2\times2}=\frac{1\times3}{2\times3}=\cdots$

⇨ $\frac{1}{2}=\frac{2}{4}=\frac{3}{6}=\cdots$

② 분모와 분자를 각각 0이 아닌 같은 수로 나눈다.
→분모와 분자의 공약수로 나누어야 한다.

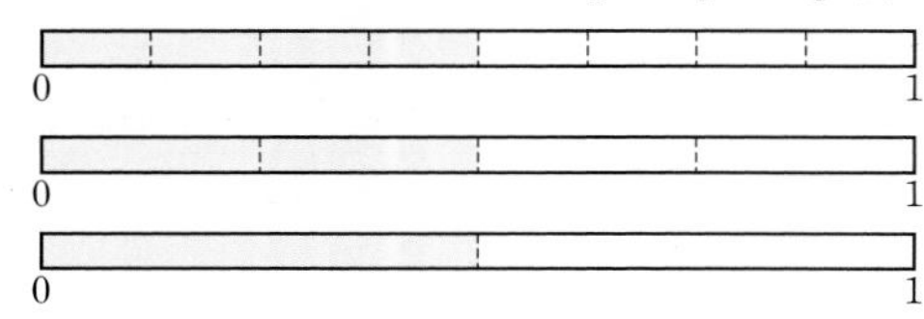

$\frac{4}{8}=\frac{4\div2}{8\div2}=\frac{4\div4}{8\div4}=\cdots$

⇨ $\frac{4}{8}=\frac{2}{4}=\frac{1}{2}=\cdots$

대분수는 자연수 부분은 그대로 두고, 진분수 부분만 분모와 분자에 0이 아닌 같은 수를 곱하거나 분모와 분자를 0이 아닌 같은 수로 나눈다.

예 $2\frac{1}{3}=2\frac{1\times2}{3\times2}=2\frac{2}{6}$

$3\frac{6}{8}=3\frac{6\div2}{8\div2}=3\frac{3}{4}$

001

☑8876-0053

□ 안에 알맞은 수를 써넣으시오.

(1) $\frac{5}{6}=\frac{5\times2}{6\times\square}=\frac{\square}{\square}$

(2) $\frac{12}{33}=\frac{12\div3}{33\div\square}=\frac{\square}{\square}$

002

수직선에 $\frac{12}{16}$와 같은 곳에 점을 찍고 분수로 나타내시오.

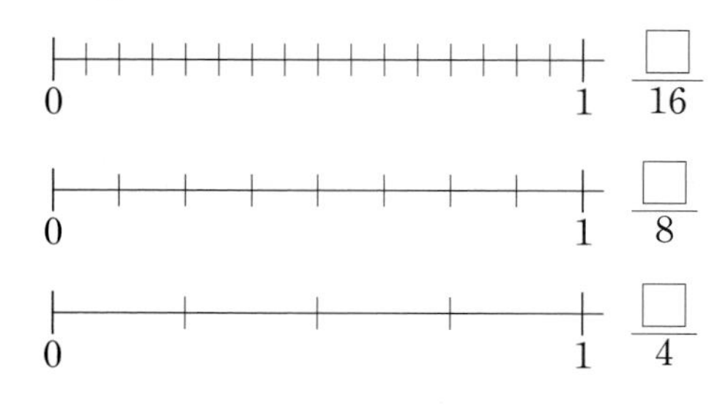

003

크기가 같은 분수를 찾아 선으로 이으시오.

$\frac{3}{18}$ •	• $\frac{1}{6}$
$\frac{20}{32}$ •	• $\frac{3}{7}$
$\frac{18}{42}$ •	• $\frac{5}{8}$

004

☑8876-0054

$\frac{5}{9}$와 크기가 같은 분수 중에서 분모가 두 자리 수인 분수는 모두 몇 개인지 구하시오.

유형 02-2 약분

(1) **약분:** 분모와 분자를 그들의 공약수로 나누어 간단히 하는 것을 약분한다고 한다.

→ 분수의 분모와 분자를 1로 나누면 자기 자신이 되므로 약분할 때에는 1을 제외한 공약수로 분모와 분자를 나눈다.

예 $\frac{8}{12}$ 약분하기

12와 8의 공약수

$\frac{8}{12}=\frac{8\div2}{12\div2}=\frac{4}{6}$ $\frac{8}{12}=\frac{8\div4}{12\div4}=\frac{2}{3}$

(2) **기약분수:** 분모와 분자의 공약수가 1뿐인 분수

예 $\frac{1}{2}, \frac{2}{3}, \frac{3}{5}, \frac{7}{8}, \cdots$

(3) **기약분수로 나타내기** → 분모와 분자의 공약수로 더 이상 약분이 되지 않을 때까지 나누기

분모와 분자를 그들의 최대공약수로 나눈다.

예 $\frac{24}{32}$를 기약분수로 나타내기

24와 32의 최대공약수: 8 ➡ $\frac{24}{32}=\frac{24\div8}{32\div8}=\frac{3}{4}$

005

$\frac{12}{20}$를 약분하려고 한다. 물음에 답하시오.

(1) 12와 20의 공약수를 모두 구하시오.

(2) $\frac{12}{20}$를 약분하는 과정이다. □ 안에 알맞은 수를 써넣으시오.

$\frac{12}{20}=\frac{12\div\square}{20\div2}=\frac{\square}{\square}$

$\frac{12}{20}=\frac{12\div4}{20\div\square}=\frac{\square}{\square}$

006

☑8876-0055

$\frac{24}{36}$를 분모와 분자의 최대공약수로 나누어 기약분수로 나타내는 과정이다. □ 안에 알맞은 수를 써넣으시오.

24와 36의 최대공약수: □

⇨ $\frac{24}{36}=\frac{24\div\square}{36\div\square}=\frac{\square}{\square}$

007

$\frac{32}{56}$를 약분하여 나타낼 수 있는 분수를 모두 구하시오.

008

☑8876-0056

다음 분수를 기약분수로 나타내시오.

(1) $\frac{16}{72}$

(2) $\frac{27}{36}$

009

☑8876-0057

어떤 분수의 분모에 3을 더하고 분자에서 5를 뺀 다음 6으로 약분하였더니 $\frac{7}{10}$이 되었다. 어떤 분수를 구하시오.

유형 02-3 통분

(1) **통분:** 분수의 분모를 같게 하는 것을 통분한다고 하고, 통분한 분모를 공통분모라고 한다.

(2) **통분하는 방법**

$\frac{3}{4}$과 $\frac{1}{6}$을 통분하기

| 방법 1 | 분모가 같은 분수를 찾아서 통분하기

$$\frac{3}{4}=\frac{6}{8}=\frac{9}{12}=\frac{12}{16}=\frac{15}{20}=\frac{18}{24}\cdots$$

$$\frac{1}{6}=\frac{2}{12}=\frac{3}{18}=\frac{4}{24}=\frac{5}{30}=\frac{6}{36}\cdots$$

$$\left(\frac{3}{4}, \frac{1}{6}\right) \Rightarrow \left(\frac{9}{12}, \frac{2}{12}\right), \left(\frac{18}{24}, \frac{4}{24}\right), \cdots$$

| 방법 2 | 분모의 곱을 공통분모로 하여 통분하기

$$\left(\frac{3}{4}, \frac{1}{6}\right) \Rightarrow \left(\frac{3\times6}{4\times6}, \frac{1\times4}{6\times4}\right) \Rightarrow \left(\frac{18}{24}, \frac{4}{24}\right)$$

| 방법 3 | 분모의 최소공배수를 공통분모로 하여 통분하기

4와 6의 최소공배수: 12

$$\left(\frac{3}{4}, \frac{1}{6}\right) \Rightarrow \left(\frac{3\times3}{4\times3}, \frac{1\times2}{6\times2}\right) \Rightarrow \left(\frac{9}{12}, \frac{2}{12}\right)$$

	분모의 곱으로 통분	분모의 최소공배수로 통분
장점	공통분모를 찾기 쉬움	분모와 분자의 수가 작음
단점	분모와 분자의 수가 큼	최소공배수를 구해야 함

010

$\left(\frac{2}{3}, \frac{5}{6}\right)$를 두 분모의 곱을 공통분모로 하여 통분하시오.

$$\left(\frac{2}{3}, \frac{5}{6}\right) \Rightarrow \left(\frac{2\times\square}{3\times6}, \frac{5\times\square}{6\times\square}\right) \Rightarrow \left(\frac{\square}{\square}, \frac{\square}{\square}\right)$$

011

$\left(\frac{5}{8}, \frac{7}{20}\right)$을 두 분모의 최소공배수를 공통분모로 하여 통분하시오.

$$\left(\frac{5\times\square}{8\times\square}, \frac{7\times2}{20\times\square}\right) \Rightarrow \left(\frac{\square}{\square}, \frac{\square}{\square}\right)$$

012

☑8876-0058

$\frac{11}{12}$과 $\frac{7}{18}$을 통분하려고 한다. 공통분모가 될 수 있는 수는?

① 30 ② 48 ③ 72
④ 86 ⑤ 104

013

분모의 곱을 공통분모로하여 $\frac{3}{4}$과 $\frac{11}{30}$을 통분하시오.

014

☑8876-0059

분모의 최소공배수를 공통분모로 하여 통분하였을 때 통분한 두 분수의 분자의 차를 구하시오.

$$\left(\frac{3}{16}, \frac{17}{20}\right)$$

015

☑8876-0060

분모의 곱을 공통분모로 하여 통분한 것이다. ㉠에 알맞은 분수를 구하시오.

$$\left(㉠, \frac{7}{9}\right) \Rightarrow \left(\frac{45}{72}, \frac{56}{72}\right)$$

유형 02-4 분모가 같은 분수의 덧셈과 뺄셈

(1) **분모가 같은 진분수의 덧셈과 뺄셈:** 분모는 그대로 쓰고, 분자끼리 더하거나 뺀다.

① $\frac{2}{5}+\frac{1}{5}=\frac{2+1}{5}=\frac{3}{5}$

② $\frac{6}{7}-\frac{2}{7}=\frac{6-2}{7}=\frac{4}{7}$

$\frac{▲}{●}+\frac{★}{●}=\frac{▲+★}{●}$

$\frac{▲}{●}-\frac{★}{●}=\frac{▲-★}{●}$

(2) **분모가 같은 대분수의 덧셈과 뺄셈**

| 방법 1 | 자연수는 자연수끼리, 분수는 분수끼리 더하거나 뺀다.

① $2\frac{2}{4}+1\frac{3}{4}=(2+1)+\left(\frac{2}{4}+\frac{3}{4}\right)=3+\frac{5}{4}=3+1\frac{1}{4}=4\frac{1}{4}$

② $2\frac{3}{5}-1\frac{1}{5}=(2-1)+\left(\frac{3}{5}-\frac{1}{5}\right)=1+\frac{2}{5}=1\frac{2}{5}$

$■\frac{▲}{●}+◆\frac{★}{●}=(■+◆)\frac{▲+★}{●}$

$■\frac{▲}{●}-◆\frac{★}{●}=(■-◆)\frac{▲-★}{●}$

| 방법 2 | 대분수를 가분수로 바꾸고 분모는 그대로 쓰고, 분자끼리 더하거나 뺀다.

① $2\frac{2}{4}+1\frac{3}{4}=\frac{10}{4}+\frac{7}{4}=\frac{10+7}{4}=\frac{17}{4}=4\frac{1}{4}$

② $2\frac{3}{5}-1\frac{1}{5}=\frac{13}{5}-\frac{6}{5}=\frac{13-6}{5}=\frac{7}{5}=1\frac{2}{5}$

016

다음을 계산하시오.

(1) $\frac{7}{8}+\frac{3}{8}$

(2) $3\frac{7}{15}-1\frac{4}{15}$

017

다음 중 계산 결과가 가장 큰 덧셈식은?

① $2\frac{5}{8}+2\frac{7}{8}$　② $3\frac{1}{8}+1\frac{3}{8}$

③ $1\frac{7}{8}+3\frac{7}{8}$　④ $2\frac{1}{8}+3\frac{1}{8}$

⑤ $2\frac{5}{8}+2\frac{3}{8}$

018

☑8876-0061

㉠－㉡은 얼마인가?

$5\frac{2}{7}-1\frac{5}{7}=$㉠　$3\frac{1}{7}-1\frac{6}{7}=$㉡

① $\frac{1}{7}$　② 1　③ $1\frac{2}{7}$

④ 2　⑤ $2\frac{2}{7}$

019

☑8876-0062

어느 정삼각형의 한 변의 길이가 $6\frac{4}{5}$ cm일 때, 이 정삼각형의 세 변의 길이의 합은 몇 cm인지 구하시오.

020

☑8876-0063

어떤 수에서 $4\frac{5}{8}$를 빼야 할 것을 잘못하여 더했더니 $9\frac{7}{8}$이 되었다. 바르게 계산한 값은 얼마인지 구하시오.

유형 02-5 (자연수) − (분수)

(1) **자연수와 진분수의 뺄셈:** 자연수에서 1만큼을 가분수로 만들어 분수끼리 뺄셈을 한다.

예 $2-\frac{1}{3}=1\frac{3}{3}-\frac{1}{3}=1+\left(\frac{3}{3}-\frac{1}{3}\right)=1+\frac{2}{3}=1\frac{2}{3}$

└→ $2=1+1=1+\frac{3}{3}=1\frac{3}{3}$

참고 모두 가분수로 나타내어 계산할 수도 있다.

$2-\frac{1}{3}=\frac{6}{3}-\frac{1}{3}=\frac{5}{3}=1\frac{2}{3}$

(2) **자연수와 대분수의 뺄셈**

| 방법 1 | 자연수에서 1만큼 가분수로 만들어 계산하기 ➡ 자연수는 자연수끼리, 분수는 분수끼리 뺄셈한다.

$4-2\frac{2}{3}=3\frac{3}{3}-2\frac{2}{3}=(3-2)+\left(\frac{3}{3}-\frac{2}{3}\right)=1\frac{1}{3}$

자연수에서 1만큼 가분수로 바꾼다.

| 방법 2 | 자연수와 대분수를 모두 가분수로 바꾸어 계산하기 ➡ 분자끼리 빼고, 결과가 가분수이면 대분수로 바꾸어 나타낸다.

$4-2\frac{2}{3}=\frac{12}{3}-\frac{8}{3}=\frac{12-8}{3}=\frac{4}{3}=1\frac{1}{3}$

└→ 4를 분모가 3인 가분수로 나타내기 $4=\frac{4}{1}=\frac{8}{2}=\frac{12}{3}=\frac{16}{4}=\cdots$

021

□ 안에 알맞은 수를 써넣으시오.

(1) $4-\frac{6}{7}=3\frac{\square}{7}-\frac{6}{7}$

$=3+\frac{\square-6}{7}=3\frac{\square}{7}$

(2) $5-2\frac{1}{4}=\frac{\square}{4}-\frac{9}{4}$

$=\frac{\square-9}{4}=\frac{\square}{4}=\square\frac{\square}{4}$

022

빈칸에 알맞은 분수를 써넣으시오.

6	$-2\frac{8}{11}$	=	
	$-\frac{4}{9}$	=	
	$-3\frac{7}{12}$	=	

023

☑8876-0064

다음 중 계산한 값이 9에 가장 가까운 식은?

① $9-\frac{11}{7}$　② $9-4\frac{1}{7}$　③ $9-3\frac{6}{7}$

④ $9-\frac{6}{7}$　⑤ $9-1\frac{1}{7}$

024

☑8876-0065

성찬의 몸무게는 25 kg이고, 은주의 몸무게는 성찬보다 $2\frac{2}{5}$ kg 더 가볍다. 은주의 몸무게는 몇 kg인지 구하시오.

025

☑8876-0066

1부터 9까지의 자연수 중에서 □ 안에 들어갈 수 있는 수를 모두 구하시오.

$$8-2\frac{\square}{8}>5$$

유형 02-6 분모가 다른 분수의 덧셈과 뺄셈

(1) 분모가 다른 진분수의 덧셈과 뺄셈

① 분모를 통분한다.

② 통분한 분모는 그대로 두고, 분자끼리 더하거나 뺀다.

③ 계산한 결과가 가분수이면 대분수로 고치고, 약분이 되면 약분하여 기약분수로 나타낸다.

예 $\frac{4}{7}+\frac{2}{3}=\frac{4\times3}{7\times3}+\frac{2\times7}{3\times7}=\frac{12}{21}+\frac{14}{21}=\frac{26}{21}=1\frac{5}{21}$

$\frac{4}{9}-\frac{1}{6}=\frac{4\times2}{9\times2}-\frac{1\times3}{6\times3}=\frac{8}{18}-\frac{3}{18}=\frac{5}{18}$

참고 두 분수를 통분할 때에는 두 분모의 곱으로 통분하거나, 두 분모의 최소공배수로 통분한다.

(2) 분모가 다른 대분수의 덧셈과 뺄셈

① 분모를 통분한다.

② 자연수는 자연수끼리, 분수는 분수끼리 더하거나 뺀다.

③ 계산한 결과가 가분수이면 대분수로 고치고, 약분이 되면 약분하여 기약분수로 나타낸다.

예 $3\frac{5}{6}+2\frac{7}{9}=(3+2)+\left(\frac{5\times3}{6\times3}+\frac{7\times2}{9\times2}\right)=(3+2)+\left(\frac{15}{18}+\frac{14}{18}\right)=5+\frac{29}{18}=5+1\frac{11}{18}=6\frac{11}{18}$

$5\frac{4}{5}-2\frac{3}{4}=(5-2)+\left(\frac{4\times4}{5\times4}-\frac{3\times5}{4\times5}\right)=(5-2)+\left(\frac{16}{20}-\frac{15}{20}\right)=3+\frac{1}{20}=3\frac{1}{20}$

026

□ 안에 알맞은 수를 써넣으시오.

(1) $\frac{9}{10}-\frac{2}{3}=\frac{9\times\square}{10\times3}-\frac{2\times\square}{3\times10}$

$=\frac{\square}{30}-\frac{\square}{30}=\square$

(2) $4\frac{1}{5}+1\frac{2}{7}=(4+1)+\left(\frac{1\times\square}{5\times\square}+\frac{2\times\square}{7\times\square}\right)$

$=(4+1)+\left(\frac{\square}{35}+\frac{\square}{35}\right)=\square\frac{\square}{35}$

027

☑8876-0067

빈칸에 알맞은 수를 써넣으시오.

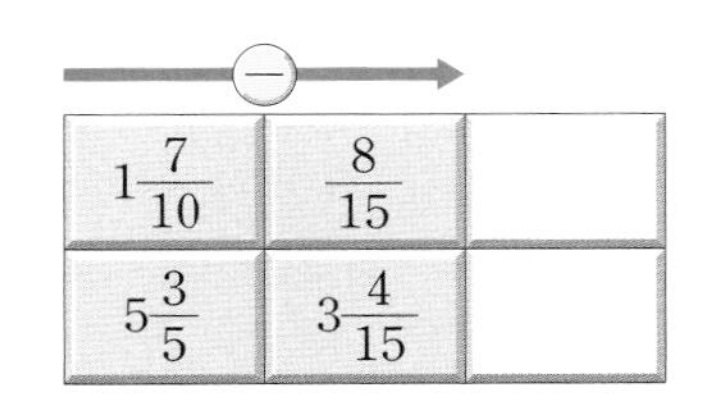

028

계산 결과가 작은 것부터 차례대로 나열하시오.

ㄱ. $\frac{3}{5}+\frac{2}{3}$ ㄴ. $\frac{2}{9}+\frac{11}{6}$ ㄷ. $\frac{7}{10}+\frac{5}{6}$

029

☑8876-0068

㉡에 알맞은 수를 구하시오.

$1\frac{3}{8}-\frac{1}{2}=㉠$ $㉠+㉡=4\frac{5}{12}$

030

☑8876-0069

㉡에서 ㉢까지의 거리는 몇 km인지 구하시오.

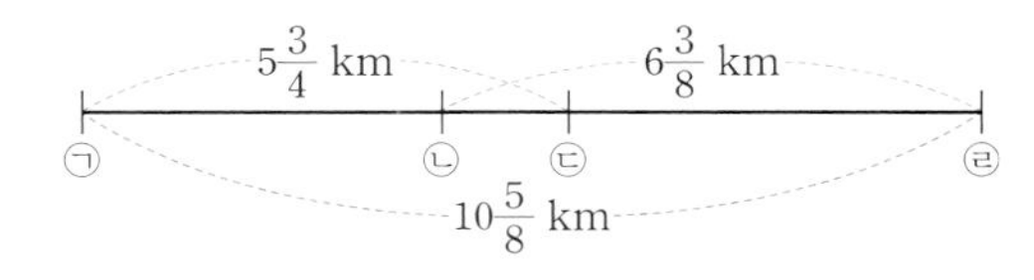

유형 02-7 (분수)×(자연수), (자연수)×(분수)

(1) 곱을 구한 후 약분하여 계산한다.

예 $\frac{3}{8}\times 12=\frac{3\times 12}{8}=\frac{\overset{9}{\cancel{36}}}{\underset{2}{\cancel{8}}}=\frac{9}{2}=4\frac{1}{2}$

주의 분모와 자연수를 곱하거나 분자와 자연수를 약분하지 않도록 한다.

$\frac{3}{8}\times 12=\frac{3}{8\times 12}$ (×)　　$\frac{\overset{1}{\cancel{3}}}{8}\times \underset{4}{\cancel{12}}$ (×)

(2) 대분수는 가분수로 고쳐서 계산한다.

예 $6\times 1\frac{3}{4}=\overset{3}{\cancel{6}}\times\frac{7}{\underset{2}{\cancel{4}}}=\frac{21}{2}=10\frac{1}{2}$

주의 대분수 상태에서 약분하지 않도록 한다.

$1\frac{1}{\underset{3}{\cancel{6}}}\times \underset{5}{\cancel{10}}$ (×)

031

☑8876-0070

$\frac{4}{5}\times 3$과 같은 값을 모두 고르면? (정답 2개)

① $\frac{4\times 3}{5\times 3}$　② $\frac{4}{5\times 3}$　③ $\frac{4\times 3}{5}$

④ $\frac{4+3}{5}$　⑤ $\frac{4}{5}+\frac{4}{5}+\frac{4}{5}$

032

다음을 계산하시오.

(1) $\frac{11}{27}\times 18$

(2) $12\times\frac{5}{18}$

(3) $16\times 1\frac{5}{24}$

(4) $4\frac{3}{14}\times 7$

033

□ 안에 알맞은 수를 써넣으시오.

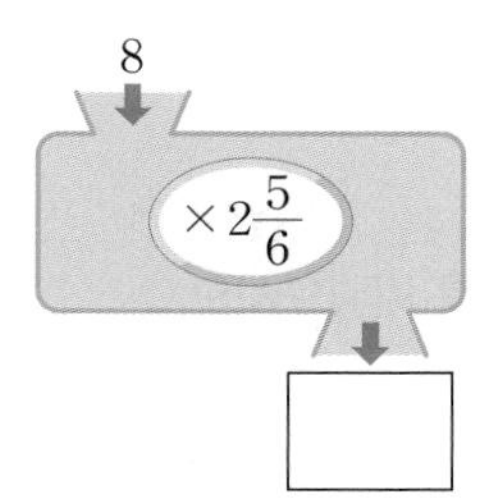

034

계산 결과가 더 큰 것의 기호를 쓰시오.

㉠ $6\times\frac{1}{3}$	㉡ $2\times\frac{3}{8}$

035

☑8876-0071

사람 몸무게의 $\frac{7}{10}$은 물이라고 한다. 도윤이의 몸무게가 42 kg일 때 도윤이의 몸무게 중에서 물이 차지하는 무게는 몇 kg인가?

① $14\frac{2}{5}$ kg ② $14\frac{3}{5}$ kg ③ $29\frac{2}{5}$ kg
④ $29\frac{3}{5}$ kg ⑤ $32\frac{7}{10}$ kg

036

☑8876-0072

준규네 가족은 하루에 우유를 $\frac{3}{5}$ L씩 마신다. 준규네 가족이 일주일 동안 마시는 우유의 양은 모두 몇 L인가?

① $4\frac{1}{5}$ L ② $4\frac{4}{5}$ L ③ $5\frac{3}{5}$ L
④ $5\frac{4}{5}$ L ⑤ $7\frac{4}{5}$ L

037

☑8876-0073

가로의 길이가 $2\frac{1}{7}$ m이고 세로의 길이가 3 m인 직사각형의 넓이는 몇 m^2인지 구하시오.

038

☑8876-0074

설탕 5 kg 중 $\frac{3}{10}$을 사용했다면 사용한 설탕의 양은 몇 kg인지 구하시오.

039

☑8876-0075

어느 공연장의 입장료는 20000원이다. 할인 시간대에는 전체 입장료의 $\frac{3}{4}$만 내면 된다고 한다. 할인 시간대의 입장권 1장의 값은 얼마인지 구하시오.

040

□ 안에 알맞은 수를 구하시오.

$$\square \div 2 = 2\frac{5}{8}$$

유형 02-8 분수끼리의 곱셈

(1) **(단위분수)×(단위분수):** 분자는 그대로 1로 두고 분모끼리 곱한다.

└→분자가 1인 분수

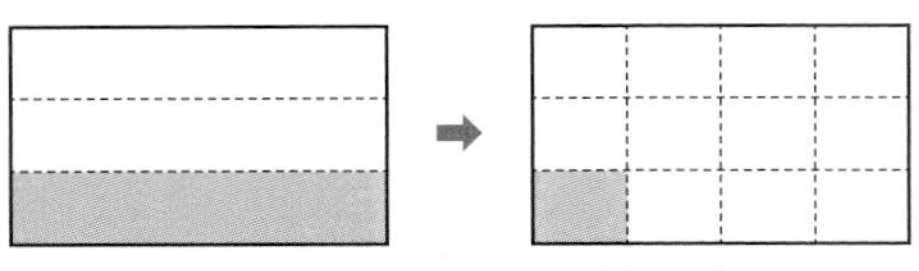

$$\frac{1}{3}\times\frac{1}{4}=\frac{1}{3\times4}=\frac{1}{12}$$ → 항상 1이다.

$\frac{1}{■}\times\frac{1}{▲}=\frac{1}{■\times▲}$

참고 단위분수와 같이 1보다 작은 분수를 곱하면 원래의 수보다 작아진다. **예** $\frac{1}{3}>\frac{1}{3}\times\frac{1}{4}$

(2) **(분수)×(분수)**

대분수는 가분수로 고쳐서 약분한 후 분모는 분모끼리, 분자는 분자끼리 곱한다.

예 $2\frac{3}{4}\times1\frac{1}{3}=\frac{11}{\cancel{4}_1}\times\frac{\cancel{4}^1}{3}=\frac{11}{3}=3\frac{2}{3}$

주의 ① 약분을 할 때 분모끼리 또는 분자끼리 약분하지 않도록 한다.

$\frac{5}{\cancel{8}_2}\times\frac{3}{\cancel{4}_1}$ (×), $\frac{\cancel{3}^1}{7}\times\frac{\cancel{9}^3}{11}$ (×)

② 대분수 상태에서 약분하지 않도록 한다.

$2\frac{\cancel{3}^1}{\cancel{4}_2}\times3\frac{\cancel{2}^1}{\cancel{9}_3}$ (×)

(3) **세 분수의 곱셈**

약분을 먼저 하고 계산한다.

예 $\frac{3}{4}\times\frac{1}{6}\times\frac{4}{5}=\frac{\cancel{3}^1}{\cancel{4}_1}\times\frac{1}{\cancel{6}_2}\times\frac{\cancel{4}^1}{5}=\frac{1}{10}$

참고 대분수가 있는 세 분수의 곱셈은 반드시 가분수로 고친 후 계산한다.

$1\frac{1}{2}\times\frac{5}{6}\times\frac{1}{5}=\frac{\cancel{3}^1}{2}\times\frac{\cancel{5}^1}{\cancel{6}_2}\times\frac{1}{\cancel{5}_1}=\frac{1}{4}$

041

다음을 계산하시오.

(1) $\frac{3}{4}\times\frac{5}{6}$

(2) $1\frac{2}{3}\times1\frac{7}{8}$

042

빈칸에 알맞은 수를 써넣으시오.

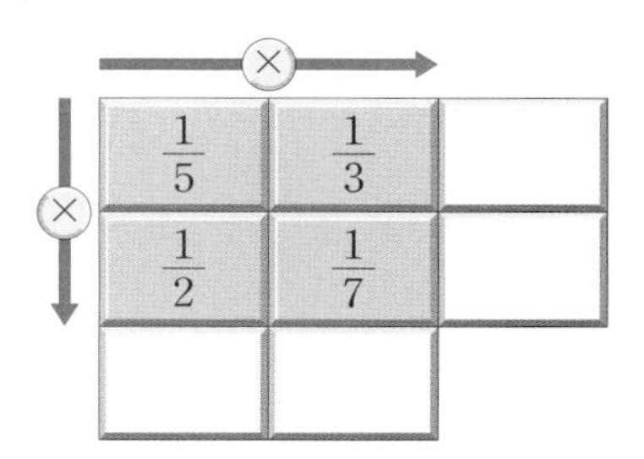

043
☑8876-0076

곱한 값이 가장 작은 것은?

① $\frac{1}{2}\times\frac{1}{3}$ ② $\frac{1}{3}\times\frac{1}{8}$ ③ $\frac{1}{4}\times\frac{1}{4}$
④ $\frac{1}{5}\times\frac{1}{3}$ ⑤ $\frac{1}{6}\times\frac{1}{2}$

044
☑8876-0077

계산 결과가 더 큰 것의 기호를 쓰시오.

ㄱ. $1\frac{2}{5}\times1\frac{2}{3}$ ㄴ. $2\frac{2}{9}\times1\frac{9}{16}$

045

㉠×㉡×5의 값을 구하시오.

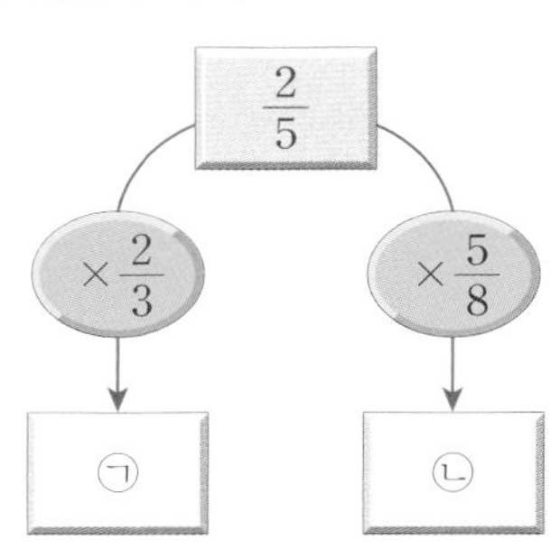

046
☑8876-0078

ㄱ과 ㄴ 사이에 있는 자연수는 모두 몇 개인가?

ㄱ. $1\frac{1}{3}\times4\frac{1}{5}$ ㄴ. $4\frac{2}{3}\times2\frac{1}{7}$

① 1개 ② 2개 ③ 3개
④ 4개 ⑤ 5개

047
☑8876-0079

3, 4, 6 3장의 수 카드를 한 번씩만 사용하여 만들 수 있는 가장 큰 대분수와 가장 작은 대분수의 곱을 구하시오.

048
☑8876-0080

한 변의 길이가 $1\frac{1}{2}$ cm인 정사각형 모양의 타일 16장을 벽에 겹치지 않게 이어 붙였다. 타일이 붙은 부분의 넓이는 몇 cm^2인가?

① 20 cm^2 ② 24 cm^2 ③ 32 cm^2
④ 36 cm^2 ⑤ 48 cm^2

유형 02-9 (자연수)÷(자연수), (분수)÷(자연수), (자연수)÷(단위분수)

(1) **(자연수)÷(자연수)**

① 2÷3의 계산

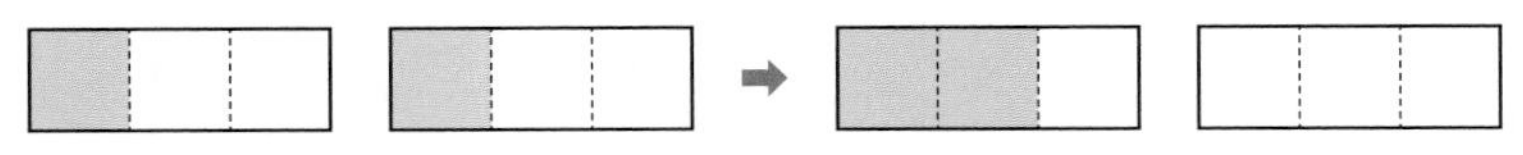

■÷▲=■×$\frac{1}{▲}$

➡ 2÷3은 $\frac{1}{3}$이 2개이므로 $\frac{2}{3}$이다.

② 5÷2의 계산

$5\div2=5\times\frac{1}{2}=\frac{5}{2}=2\frac{1}{2}$ → 가분수는 대분수로 고친다.

(2) **(분수)÷(자연수)**

① $1\frac{1}{2}\div3=\frac{3}{2}\times\frac{1}{3}=\frac{\overset{1}{\cancel{3}}}{\underset{2}{\cancel{6}}}=\frac{1}{2}$ → 대분수는 가분수로 고쳐 계산 후 마지막에 약분

② $1\frac{1}{2}\div3=\frac{\overset{1}{\cancel{3}}}{2}\times\frac{1}{\underset{1}{\cancel{3}}}=\frac{1}{2}$ → 대분수는 가분수로 고쳐 계산 중간 과정에서 약분

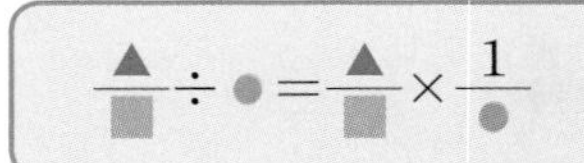

(3) **(자연수)÷(단위분수)**

$2\div\frac{1}{5}$의 계산

1에서 $\frac{1}{5}$을 5번 덜어낼 수 있다. ➡ $1\div\frac{1}{5}=5$

2에서 $\frac{1}{5}$을 10번 덜어낼 수 있다. ➡ $2\div\frac{1}{5}=2\times\left(1\div\frac{1}{5}\right)=2\times5=10$

$2\div\frac{1}{5}=2\times5$로 바꾸어 계산할 수 있다.

049

그림을 보고 □ 안에 알맞은 수를 써넣으시오.

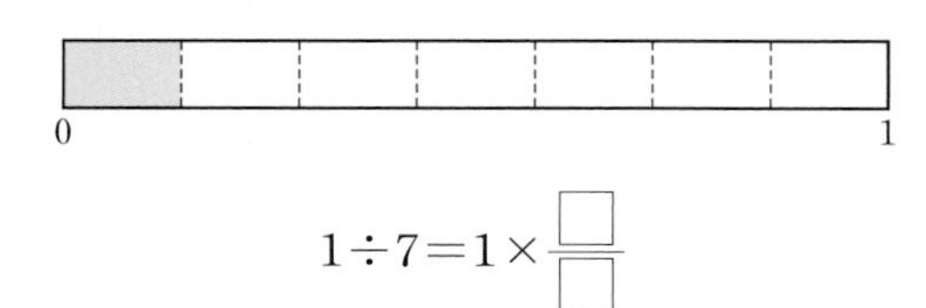

$1\div7=1\times\frac{\square}{\square}$

050

계산이 잘못된 곳을 찾아 바르게 계산하고 몫을 기약분수로 나타내시오.

$\frac{3}{10}\div8=\frac{3}{\underset{5}{\cancel{10}}}\times\overset{4}{\cancel{8}}=\frac{12}{5}=2\frac{2}{5}$

$\frac{3}{10}\div8=$ ____________________

051

다음을 계산하시오.

(1) $4 \div 7$

(2) $1\frac{1}{4} \div 10$

(3) $7 \div \frac{1}{9}$

052

☑8876-0081

어떤 수에 3을 곱하였더니 $\frac{5}{6}$가 되었다. 어떤 수를 5로 나눈 몫을 기약분수로 나타내시오.

053

☑8876-0082

계산 결과가 큰 것부터 차례로 나열하시오.

ㄱ. $2\frac{2}{3} \div 4$　　ㄴ. $6\frac{3}{4} \div 12$　　ㄷ. $3\frac{1}{8} \div 5$

054

☑8876-0083

길이가 $4\frac{4}{9}$ cm인 테이프를 그림과 같이 똑같이 5도막으로 나누어 색칠한 부분만큼 사용하였다. 사용한 부분의 길이는 몇 cm인가?

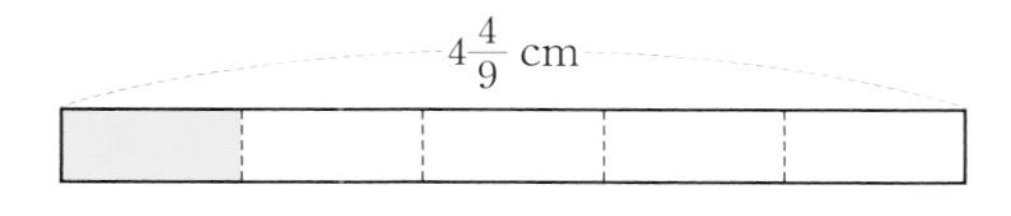

① $\frac{8}{9}$ cm　② $1\frac{7}{9}$ cm　③ $2\frac{2}{3}$ cm

④ $3\frac{2}{3}$ cm　⑤ $3\frac{7}{9}$ cm

055

☑8876-0084

오른쪽 직사각형 ㄱㄴㄷㄹ의 넓이가 $\frac{37}{4}$ cm²일 때 색칠한 마름모의 넓이는 몇 cm²인가?

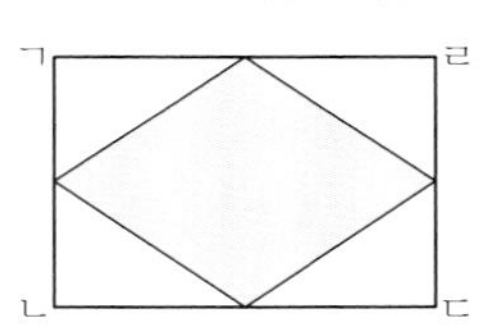

① $3\frac{5}{8}$ cm²　② $4\frac{1}{8}$ cm²　③ $4\frac{3}{8}$ cm²

④ $4\frac{5}{8}$ cm²　⑤ $5\frac{3}{8}$ cm²

056

☑8876-0085

1에서 9까지의 자연수 중에서 □ 안에 들어갈 수 있는 수를 모두 구하시오.

$$\frac{5}{6} \div 5 < \frac{1}{\square} < \frac{2}{3} \div 2$$

유형 02-10 진분수의 나눗셈

(1) 분모가 같은 진분수끼리의 나눗셈

| 방법 1 | 분자끼리 나눗셈으로 계산

$\frac{4}{9} \div \frac{2}{9} = 4 \div 2 = 2$

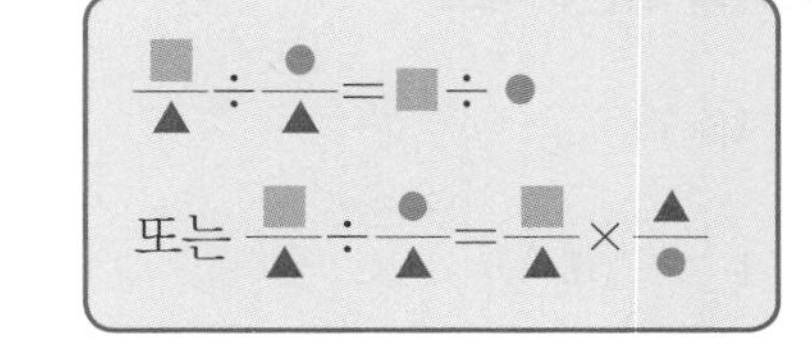

| 방법 2 | 나누는 수의 분모와 분자를 바꾸어 분수의 곱셈으로 계산

↳ 분모와 분자를 바꾸어 쓴 분수를 역수라고 한다.

$\frac{4}{9} \div \frac{2}{9} = 4 \div 2 = \frac{4}{2} = \frac{4 \times 9}{2 \times 9} = \frac{4 \times 9}{9 \times 2} = \frac{4}{9} \times \frac{9}{2} = 2$

$\frac{9}{2}$의 역수를 곱한다.

(2) 분모가 다른 진분수끼리의 나눗셈

| 방법 1 | 통분하여 분모가 같은 진분수끼리의 나눗셈으로 계산

$\frac{3}{8} \div \frac{4}{5} = \frac{3 \times 5}{8 \times 5} \div \frac{4 \times 8}{5 \times 8} = \frac{15}{40} \div \frac{32}{40} = 15 \div 32 = \frac{15}{32}$

↳ 통분하기 ↳ 분모가 같은 진분수끼리의 나눗셈

참고 두 분수를 통분할 때에는 두 분모의 곱 또는 두 분모의 최소공배수를 공통분모로 하여 통분한다.

| 방법 2 | 나누는 수의 분모와 분자를 바꾸어 분수의 곱셈으로 계산

$\frac{3}{8} \div \frac{4}{5} = \frac{3}{8} \times \frac{5}{4} = \frac{15}{32}$

↳ $\frac{5}{4}$는 $\frac{4}{5}$의 역수이다.

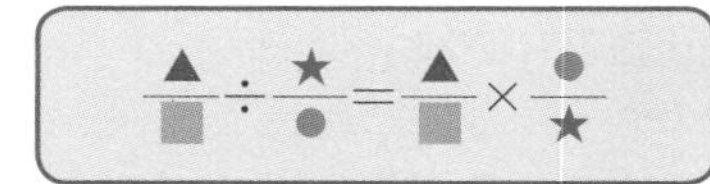

참고 $\frac{3}{8} \div \frac{4}{5}$를 곱셈으로 바꾸어 계산해도 되는 이유는 다음과 같다.

$\frac{3}{8} \div \frac{4}{5} = \frac{3 \times 5}{8 \times 5} \div \frac{4 \times 8}{5 \times 8} = (3 \times 5) \div (4 \times 8) = \frac{3 \times 5}{4 \times 8}$

그런데 $\frac{3 \times 5}{4 \times 8}$는 $\frac{3 \times 5}{8 \times 4}$, 즉 $\frac{3}{8} \times \frac{5}{4}$와 같다. ⇨ $\frac{3}{8} \div \frac{4}{5} = \frac{3}{8} \times \frac{5}{4} = \frac{15}{32}$

057

그림을 보고 □ 안에 알맞은 수를 써넣으시오.

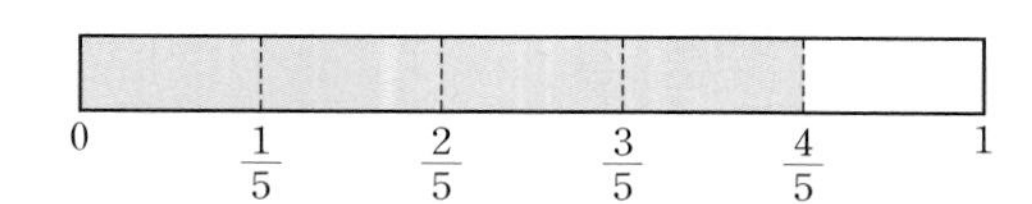

(1) $\frac{4}{5}$에서 $\frac{1}{5}$을 □번 덜어 낼 수 있다.

(2) $\frac{4}{5} \div \frac{1}{5} = \square \div 1 = \square$

(3) $\frac{4}{5} \div \frac{1}{5} = \frac{4}{5} \times \square = \square$

058

다음을 계산하시오.

(1) $\frac{6}{7} \div \frac{2}{7}$

(2) $\frac{9}{11} \div \frac{3}{11}$

(3) $\frac{3}{8} \div \frac{2}{8}$

(4) $\frac{3}{13} \div \frac{7}{26}$

059

☑8876-0086

빈칸에 알맞은 수를 써넣으시오.

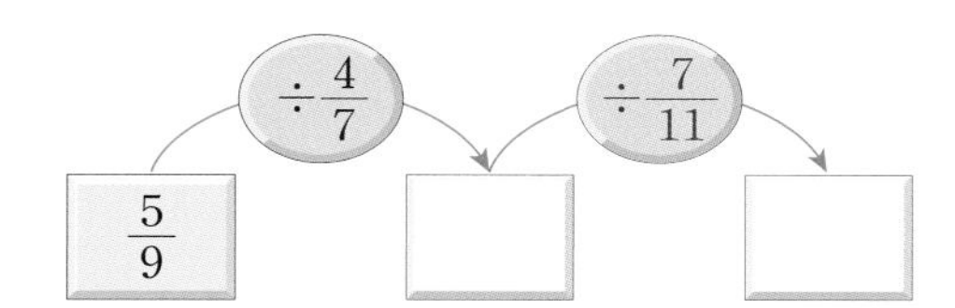

060

계산 결과가 가장 큰 것에 ○표, 가장 작은 것에 △표 하시오.

$\frac{2}{3}\div\frac{1}{3}$	$\frac{3}{7}\div\frac{1}{7}$	$\frac{5}{9}\div\frac{1}{9}$
(　　　)	(　　　)	(　　　)

061

☑8876-0087

시언이는 선물을 포장하기 위하여 넓이가 $\frac{42}{49}\ \mathrm{m}^2$인 직사각형 모양의 포장지를 샀다. 이 포장지의 가로의 길이가 $\frac{21}{49}\ \mathrm{m}$일 때, 세로의 길이는 몇 m인지 구하시오.

062

☑8876-0088

$\frac{5}{11}$에 어떤 수를 곱하였더니 $\frac{40}{77}$이 되었다. 어떤 수를 구하시오.

063

☑8876-0089

□ 안에 들어갈 수 있는 자연수는 모두 몇 개인지 구하시오.

$$\frac{7}{18}\div\frac{14}{15}<\frac{\square}{12}<\frac{13}{16}\div\frac{3}{4}$$

064

☑8876-0090

들이가 $\frac{4}{5}\ \mathrm{L}$인 물통에 물이 가득 들어 있다. 이 물통의 물을 덜어서 다른 그릇에 모두 옮기려면 들이가 $\frac{2}{11}\ \mathrm{L}$인 컵으로 적어도 몇 번 덜어 내야 하는지 구하시오.

유형 02-11 (자연수)÷(분수), 대분수의 나눗셈

(1) **(자연수)÷(분수)**

나누는 수의 분모와 분자를 바꾸어 분수의 곱셈으로 계산한다.

$$2\div\frac{4}{9}=2\times\frac{9}{4}=\frac{\overset{9}{\cancel{18}}}{\underset{2}{\cancel{4}}}=\frac{9}{2}=4\frac{1}{2}$$

$$■\div\frac{★}{▲}=■\times\frac{▲}{★}$$

참고 $2\div\frac{4}{9}$를 곱셈으로 바꾸어 계산해도 되는 이유는 다음과 같다.

$$2\div\frac{4}{9}=\frac{2\times9}{9}\div\frac{4}{9}=(2\times9)\div4=\frac{2\times9}{4}$$

그런데 $\frac{2\times9}{4}$는 $\frac{2\times9}{1\times4}$, 즉 $\frac{2}{1}\times\frac{9}{4}$와 같다. ⇨ $2\div\frac{4}{9}=2\times\frac{9}{4}$

(2) **대분수의 나눗셈**

대분수를 가분수로 고친 후 분수의 곱셈으로 고쳐 계산한다.

$$1\frac{1}{2}\div2\frac{1}{4}=\frac{3}{2}\div\frac{9}{4}=\frac{3}{2}\times\frac{4}{9}=\frac{\overset{2}{\cancel{12}}}{\underset{3}{\cancel{18}}}=\frac{2}{3}$$

대분수 → 가분수 / 분수의 곱셈

참고 계산 중간 과정에서 약분을 하면 계산 과정이 간단해지기 때문에 편리하다.

$$1\frac{1}{2}\div2\frac{1}{4}=\frac{3}{2}\div\frac{9}{4}=\frac{\overset{1}{\cancel{3}}}{\underset{1}{\cancel{2}}}\times\frac{\overset{2}{\cancel{4}}}{\underset{3}{\cancel{9}}}=\frac{2}{3}$$

대분수 → 가분수

주의 약분을 할 때에는 대분수 상태에서 약분하지 않도록 주의한다.

$$5\frac{5}{4}\div\frac{5}{8}=5\frac{\overset{1}{\cancel{5}}}{\underset{1}{\cancel{4}}}\times\frac{\overset{2}{\cancel{8}}}{\underset{1}{\cancel{5}}}=5\times2=10\ (\times)$$

065

다음을 계산하시오.

(1) $6\div\frac{4}{7}$

(2) $3\frac{1}{4}\div1\frac{1}{2}$

(3) $1\frac{1}{3}\div\frac{6}{7}$

066

☑8876-0091

계산 결과가 더 작은 것의 기호를 쓰시오.

(1) ㄱ. $15\div\frac{5}{6}$　　ㄴ. $2\div\frac{2}{3}$

(2) ㄱ. $10\div\frac{2}{5}$　　ㄴ. $1\frac{3}{4}\div\frac{7}{9}$

[67~68] 분수의 나눗셈을 잘못 계산한 것이다. 잘못 계산한 이유를 쓰고 바르게 계산하시오.

067

$$5\frac{1}{2}\div\frac{9}{10}=\frac{11}{2}\div\frac{9}{10}=\frac{11}{2}\times\frac{9}{10}=\frac{99}{20}=4\frac{19}{20}$$

이유: ______________________

____

$5\frac{1}{2}\div\frac{9}{10}=$ ______________________

____

068

$$1\frac{3}{4}\div\frac{7}{9}=1\frac{\overset{1}{\cancel{3}}}{4}\times\frac{7}{\underset{3}{\cancel{9}}}=1\frac{7}{12}$$

이유: ______________________

____

$1\frac{3}{4}\div\frac{7}{9}=$ ______________________

____

069

☑8876-0092

계산 결과가 같은 것을 모두 고르면? (정답 2개)

① $4\div\frac{2}{3}$ ② $8\div\frac{4}{7}$ ③ $10\div\frac{3}{5}$

④ $6\div\frac{2}{5}$ ⑤ $9\div\frac{3}{5}$

070

☑8876-0093

넓이가 $2\frac{2}{5}$ cm^2인 평행사변형이 있다. 이 평행사변형의 밑변의 길이가 $\frac{7}{10}$ cm일 때, 높이는 몇 cm인지 구하시오.

071

☑8876-0094

$1\frac{2}{5}$ L의 휘발유로 $8\frac{3}{10}$ km를 가는 자동차가 있다. 이 자동차는 휘발유 4 L로 몇 km를 갈 수 있는지 구하시오.

유형 02-12 소수 사이의 관계

(1) 1, 0.1, 0.01, 0.001 사이의 관계

1	← 10배 / → $\frac{1}{10}$배	0.1	← 10배 / → $\frac{1}{10}$배	0.01	← 10배 / → $\frac{1}{10}$배	0.001

➡ • 소수를 10배, 100배, 1000배 하면 소수점을 기준으로 수가 왼쪽으로 한 자리, 두 자리, 세 자리 이동한다.

• 소수를 $\frac{1}{10}$배, $\frac{1}{100}$배, $\frac{1}{1000}$배 하면 소수점을 기준으로 수가 오른쪽으로 한 자리, 두 자리, 세 자리 이동한다.

(2) 소수의 크기 비교: 소수점의 자리를 맞추고, 높은 자리부터 같은 자리 수끼리 차례로 비교한다.

예 5.789와 5.78의 크기 비교

자연수		소수 첫째 자리 수	소수 둘째 자리 수	소수 셋째 자리 수
5	.	7	8	9
5	.	7	8	0

➡ 소수의 둘째 자리 수까지 같으므로 소수 셋째 자리 수 비교: $5.789 > 5.780$ (9>0)

참고 0.3과 0.30은 같은 수이다. 소수는 필요한 경우 오른쪽 끝자리 뒤에 0을 붙여서 나타낼 수 있다.

주의 오른쪽 끝자리가 아닌 다른 자리에 있는 0은 생략하면 안된다. 예 $0.03 = 0.3$ (×)

072

☑8876-0095

빈칸에 알맞은 수를 써넣으시오.

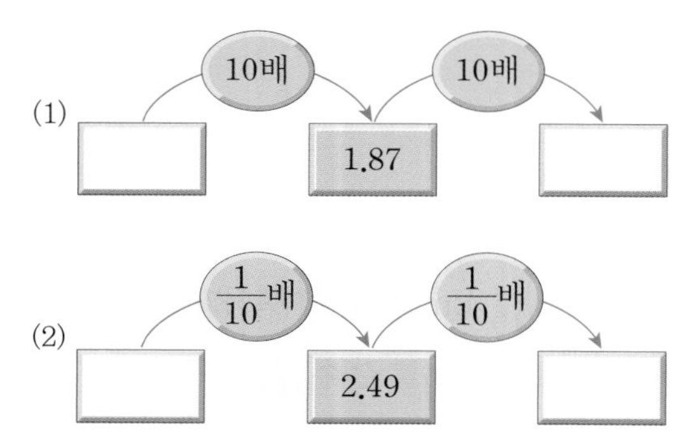

073

두 수의 크기를 비교하여 ○ 안에 $>$, $=$, $<$를 알맞게 써넣으시오.

(1) 0.524 ○ 0.389　　(2) 11.71 ○ 11.701

074

□ 안에 알맞은 수를 써넣으시오.

(1) 54는 0.54의 □배이다.

(2) 0.964는 9.64의 □배이다.

(3) 156.2의 $\frac{1}{10}$배는 □이다.

(4) 37.2의 $\frac{1}{100}$배는 □이다.

(5) 694의 $\frac{1}{1000}$배는 □이다.

075

☑8876-0096

다음 소수에서 ㉠이 나타내는 수는 ㉡이 나타내는 수의 몇 배인지 구하시오.

16.263 (㉠: 1의 자리 6, ㉡: 소수 둘째 자리 6)

유형 02-13 분수와 소수의 관계, 크기 비교

(1) **분수를 소수로 나타내기:** 분모를 10, 100, 1000인 분수로 고친 후 소수로 나타낸다.

예 $1\frac{1}{4} \Rightarrow 1\frac{1}{4}=1+\frac{1}{4}=1+\frac{1\times 25}{4\times 25}=1+\frac{25}{100}=1.25$

참고
- 분모가 10인 분수로 고칠 수 있는 분수: 분모가 2, 5인 분수
- 분모가 100인 분수로 고칠 수 있는 분수: 분모가 4, 20, 25, 50인 분수
- 분모가 1000인 분수로 고칠 수 있는 분수: 분모가 8, 40, 125, 200, 250, 500인 분수

(2) **소수를 분수로 나타내기:** 소수의 자리 수에 따라 분모를 10, 100, 1000인 분수로 나타낸다.

예 $1.25 \Rightarrow 1.25=1\frac{25}{100}=1\frac{1}{4}$

→ 소수 두 자리 수: 분모 100인 분수로 나타낸다.

(3) **분수와 소수의 크기 비교:** 분수를 소수로 나타내거나, 소수를 분수로 나타내어 크기를 비교한다.

예 $1\frac{4}{5}$와 1.33의 크기 비교

| 방법 1 | 분수를 소수로 나타내어 크기 비교

$1\frac{4}{5}=1\frac{8}{10}=1.8 \Rightarrow 1.8>1.33$이므로 $1\frac{4}{5}>1.33$

| 방법 2 | 소수를 분수로 나타내어 크기 비교

$1\frac{4}{5}=1\frac{80}{100}$, $1.33=1\frac{33}{100} \Rightarrow 1\frac{80}{100}>1\frac{33}{100}$이므로 $1\frac{4}{5}>1.33$

→ 분수의 크기를 비교하기 위해서는 기약분수를 만드는 것보다 분모를 같게 하여 비교하는 것이 더 간편하다.

076

분수를 소수로 잘못 나타낸 것은?

① $\frac{1}{2}=0.5$
② $\frac{8}{25}=0.32$
③ $1\frac{1}{5}=1.02$
④ $2\frac{7}{50}=2.14$
⑤ $\frac{9}{200}=0.045$

077

☑8876-0097

소수를 분수로 바르게 나타낸 것은?

① $0.2=\frac{2}{5}$
② $0.9=\frac{1}{9}$
③ $0.25=\frac{3}{4}$
④ $1.5=1\frac{1}{5}$
⑤ $2.4=2\frac{2}{5}$

078

☑8876-0098

학교에서 민강이네 집까지의 거리는 1.8 km, 학교에서 준명이네 집까지의 거리는 $1\frac{41}{50}$ km이다. 민강이네 집과 준명이네 집 중 학교에서 더 가까운 곳은 누구네 집인지 구하시오.

079

☑8876-0099

□ 안에 들어갈 수 있는 자연수를 모두 구하시오.

$$\frac{\square}{40}<0.145$$

유형 02-14 소수의 덧셈과 뺄셈

(1) **자릿수가 다른 소수의 덧셈** → 자릿수를 맞추면 자연수의 덧셈 원리와 같다.

예 1.6+2.47의 계산

세로로 계산하기 → 자릿수를 맞춘다.

$$\begin{array}{r} 1.6 \\ +\,2.47 \\ \hline 7 \end{array} \Rightarrow \begin{array}{r} \overset{1}{1}.6 \\ +\,2.47 \\ \hline 07 \end{array} \Rightarrow \begin{array}{r} \overset{1}{1}.6 \\ +\,2.47 \\ \hline 4.07 \end{array}$$

(2) **자릿수가 다른 소수의 뺄셈** → 자릿수를 맞추면 자연수의 뺄셈 원리와 같다.

예 4.2−1.24의 계산

세로로 계산하기

$$\begin{array}{r} 4.\overset{1\ 10}{2} \\ -\,1.24 \\ \hline 6 \end{array} \Rightarrow \begin{array}{r} \overset{3}{4}.\overset{11\ 10}{2} \\ -\,1.24 \\ \hline 96 \end{array} \Rightarrow \begin{array}{r} \overset{3}{4}.\overset{11\ 10}{2} \\ -\,1.24 \\ \hline 2.96 \end{array}$$

080

다음을 계산하시오.

(1) $\begin{array}{r} 3.56 \\ +\,2.82 \\ \hline \end{array}$

(2) $\begin{array}{r} 1.7 \\ -\,0.97 \\ \hline \end{array}$

(3) 1.9+0.41

(4) 3.42−1.5

081

빈칸에 알맞은 수를 써넣으시오.

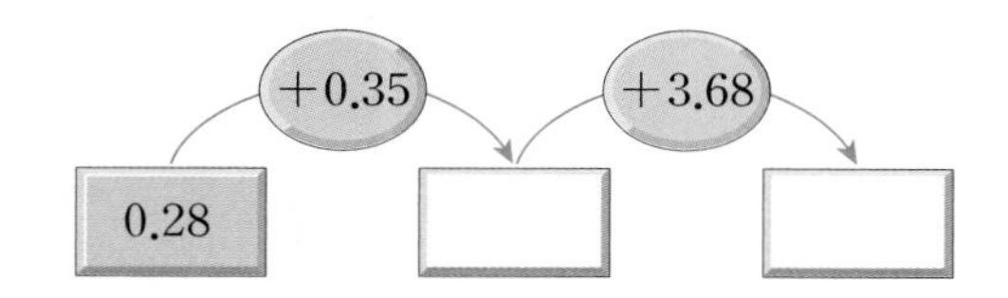

082

㉠과 ㉡의 합을 구하시오.

㉠ 0.01이 57개인 수
㉡ 0.01이 170개인 수

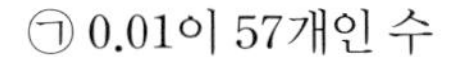

083

☑8876-0100

㉠+㉡을 구하시오.

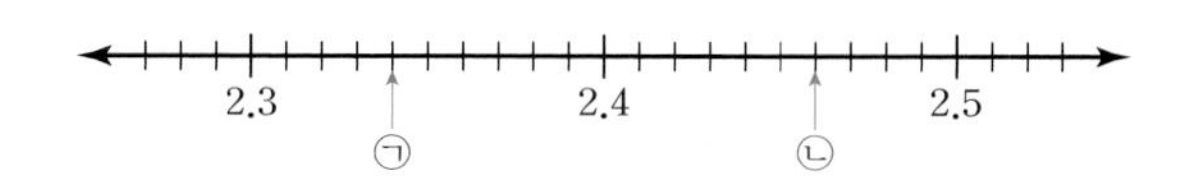

084
☑8876-0101

빈칸에 알맞은 수를 써넣으시오.

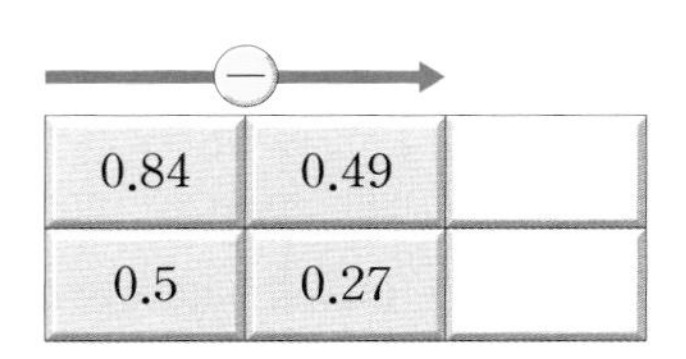

085
☑8876-0102

500원짜리 동전의 무게는 7.9 g이고, 100원짜리 동전의 무게는 5.42 g이다. 두 동전의 무게의 합은 몇 g인지 구하시오.

086
☑8876-0103

㉠+㉡+㉢의 값을 구하시오.

$$\begin{array}{r} \boxed{㉠}\,.\,8\ \ 9 \\ +\ \ 4\,.\,5\ \boxed{㉡} \\ \hline 1\ 2\,.\,\boxed{㉢}\ \ \ \ \end{array}$$

087

㉠과 ㉡의 차를 구하시오.

㉠ 0.1이 63개인 수
㉡ 0.01이 150개인 수

088

계산 결과가 가장 작은 식은?

① 10.29−8.45 ② 8.75−6.94
③ 7.59−3.68 ④ 7.69−6.42
⑤ 10.42−7.39

089
☑8876-0104

어떤 수에서 3.42를 빼야 할 것을 잘못하여 더했더니 8.91이 되었다. 바르게 계산한 답은 얼마인지 구하시오.

090
☑8876-0105

서은이가 소수 한 자리 수 ㉠.2에서 소수 두 자리 수 3.㉡5를 뺐더니 소수 두 자리 수 5.4㉢이 되었다. ㉠, ㉡, ㉢에 알맞은 수를 각각 구하시오.

㉠: (　　　　), ㉡: (　　　　), ㉢: (　　　　)

091
☑8876-0106

주어진 4장의 카드를 한 번씩 모두 사용하여 소수 두 자리 수를 만들려고 한다. 가장 큰 소수 두 자리 수와 가장 작은 소수 두 자리 수의 차는 얼마인지 구하시오.

유형 02-15 소수와 자연수의 곱셈

(1) 소수와 자연수의 곱셈

예 4×0.8의 계산

| 방법 1 | 분수의 곱셈으로 고쳐서 계산

① $4\times0.8=4\times\frac{8}{10}=\frac{4\times8}{10}=\frac{32}{10}=3.2$

소수 한 자리 수는 분모가 10인 분수로 고친다.

② $4\times0.08=4\times\frac{8}{100}=\frac{4\times8}{100}=\frac{32}{100}=0.32$

소수 두 자리 수는 분모가 100인 분수로 고친다.

| 방법 2 | 자연수의 곱셈을 이용하여 계산

$4 \times 8 = 32$

$\frac{1}{10}$배 ↓ ↓ $\frac{1}{10}$배

$4 \times 0.8 = 3.2$

⇨ 곱하는 수가 $\frac{1}{10}$배가 되면 곱의 결과도 $\frac{1}{10}$배가 된다.

$4\times8=32$ ➡ $4\times0.8=3.2$

자연수의 곱셈을 한 후 곱하는 수의 소수점 위치에 맞추어 곱의 결과에 소수점을 찍는다.

(2) 곱의 소수점의 위치

① 소수에 10, 100, 1000을 곱한 값의 규칙

$3.146\times10=31.46$
$3.146\times100=314.6$
$3.146\times1000=3146$

➡ 곱하는 수의 0의 개수만큼 소수점이 오른쪽으로 이동

주의 소수점을 오른쪽으로 옮길 때 소수점을 옮길 자리가 없으면 오른쪽으로 0을 채워가면서 옮긴다.

예 $0.5\times10=5$, $0.5\times100=50$, $0.5\times1000=500$

② 자연수에 0.1, 0.01, 0.001을 곱한 값의 규칙

$365\times0.1=36.5$
$365\times0.01=3.65$
$365\times0.001=0.365$

➡ 곱하는 수의 소수점 아래 자릿수만큼 소수점이 왼쪽으로 이동

주의 소수점을 왼쪽으로 옮길 때 소수점을 옮길 자리가 없으면 왼쪽으로 0을 채워가면서 옮긴다.

예 $3\times0.1=0.3$, $3\times0.01=0.03$, $3\times0.001=0.003$

092

다음을 계산하시오.

(1) 9×2.45

(2) 4.4×13

093

곱을 잘못 구한 것은?

① $36\times0.01=0.36$
② $650\times0.1=65$
③ $0.24\times100=24$
④ $0.49\times1000=49$
⑤ $3.891\times10=38.91$

094

☑8876-0107

예영이는 한 시간에 2 km를 간다. 같은 빠르기로 3시간 30분 동안 갈 수 있는 거리는 몇 km인지 구하시오.

095

☑8876-0108

□ 안에 들어갈 수 있는 자연수를 모두 구하시오.

$8\times1.77<\square<13\times1.38$

유형 02-16 소수끼리의 곱셈

(1) 소수점 아래 자리 수가 같은 경우

예 0.6×0.2의 계산

| 방법 1 | 분수의 곱셈으로 고쳐서 계산

$$0.6\times0.2=\frac{6}{10}\times\frac{2}{10}=\frac{12}{100}=0.12$$

| 방법 2 | 자연수의 곱셈을 이용하여 계산

$$6\times2=12$$

($\frac{1}{10}$배, $\frac{1}{10}$배, $\frac{1}{100}$배)

$$0.6\times0.2=0.12$$

$$\begin{array}{r} 6 \\ \times\ 2 \\ \hline 1\ 2 \end{array} \Rightarrow \begin{array}{rl} 0.6 & \leftarrow \text{소수 한 자리 수} \\ \times\ 0.2 & \leftarrow \text{소수 한 자리 수} \\ \hline 0.1\ 2 & \leftarrow \text{소수 두 자리 수} \end{array}$$

(소수)×(소수)의 계산
① 자연수와 같이 계산한다.
② 곱의 소수점 아래 자리 수는 곱하는 두 소수의 소수점 아래 자리 수의 합과 같다.

(2) 소수점 아래 자리 수가 다른 경우

예 3.2×2.68의 계산

| 방법 1 | 분수의 곱셈으로 고쳐서 계산

$$3.2\times2.68=\frac{32}{10}\times\frac{268}{100}=\frac{8576}{1000}=8.576$$

| 방법 2 | 자연수의 곱셈을 이용하여 계산

$$32\times268=8576$$

($\frac{1}{10}$배, $\frac{1}{100}$배, $\frac{1}{1000}$배)

$$3.2\times2.68=8.576$$

$$\begin{array}{r} 3\ 2 \\ \times\ 2\ 6\ 8 \\ \hline 8\ 5\ 7\ 6 \end{array} \Rightarrow \begin{array}{rl} 3.2 & \leftarrow \text{소수 한 자리 수} \\ \times\ 2.6\ 8 & \leftarrow \text{소수 두 자리 수} \\ \hline 8.5\ 7\ 6 & \leftarrow \text{소수 세 자리 수} \end{array}$$

096

□ 안에 알맞은 수를 써넣으시오.

(1) $0.09\times0.7=\frac{9}{\square}\times\frac{7}{10}=\frac{\square}{1000}=\square$

(2) $1.52\times4.5=\frac{\square}{100}\times\frac{45}{\square}=\frac{\square}{1000}=\square$

(3) $\begin{array}{r} 5.2 \\ \times\ 2.6 \\ \hline \square \end{array}$

(4) $\begin{array}{r} 2.0\ 6 \\ \times\ \ 1.3 \\ \hline \square \end{array}$

097

☑8876-0109

다음 그림은 한 변의 길이가 0.55 m인 정사각형 모양의 종이 2장을 서로 겹쳐지지 않게 이어 붙인 것이다. 이어 붙인 종이의 넓이는 몇 m^2인지 구하시오.

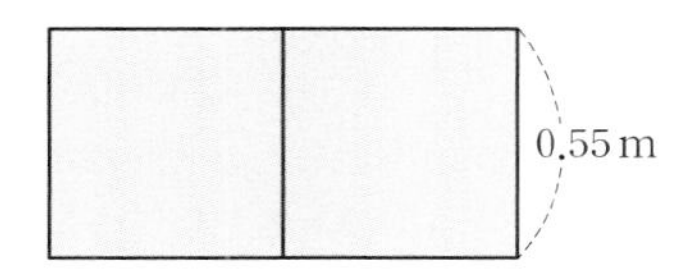

098

☑8876-0110

어머니의 몸무게는 종현이의 몸무게의 1.25배이고, 아버지의 몸무게는 어머니의 몸무게의 1.52배이다. 종현이의 몸무게가 40.4 kg이라면 아버지의 몸무게는 어머니의 몸무게 보다 몇 kg 더 무거운지 구하시오.

유형 02-17 (소수)÷(자연수), (자연수)÷(소수)

(1) 분수의 나눗셈으로 고쳐서 계산하기

① $1.6\div4=\frac{16}{10}\div4=\frac{\overset{4}{\cancel{16}}}{10}\times\frac{1}{\underset{1}{\cancel{4}}}=\frac{4}{10}=0.4$

② $61\div12.2=\frac{610}{10}\div\frac{122}{10}=610\div122=5$

분모가 같은 분수의 나눗셈은 분자끼리 나눈다.

(2) 세로로 계산하기

① $2\overline{)2.6}$ → $2\overline{)2.6}$ (몫 1.), 2, 6 → $2\overline{)2.6}$ (몫 1.3), 2, 6, 6, 0

➡ 몫의 소수점은 나누어지는 수의 소수점 자리에 맞추어 찍는다.

② $8\overline{)7.2}$ → $8\overline{)7.2}$ (몫 0.) → $8\overline{)7.2}$ (몫 0.9), 7 2, 0

➡ 나누어지는 수가 나누는 수보다 작은 경우, 몫이 1보다 작으므로 먼저 몫의 일의 자리에 0을 쓰고 소수점을 찍은 다음 자연수의 나눗셈과 같은 방법으로 계산한다.

③ $4\overline{)8.2}$ (몫 2.), 8, 2 → $4\overline{)8.2}$ (몫 2.0), 8, 2 → $4\overline{)8.20}$ (몫 2.05), 8, 20, 20, 0

➡ 나누어떨어지지 않는 경우에는 몫의 자리에 0을 쓴 다음 나누어지는 수의 오른쪽 끝자리에 0이 계속 있는 것으로 생각하고 0을 내려 계산한다.

④ $3.5\overline{)14.0}$ → $35\overline{)140}$ (몫 4), 140, 0 → $3.5\overline{)14.0}$ (몫 4), 14 0, 0

➡ 나누는 수가 자연수가 되도록 소수점을 오른쪽으로 한 자리씩 옮겨서 계산한다.(오른쪽에 소수점을 옮길 수 없으면 0을 붙인다.)

099

□ 안에 알맞은 수를 써넣으시오.

(1) $7\overline{)5.8\ 1}$

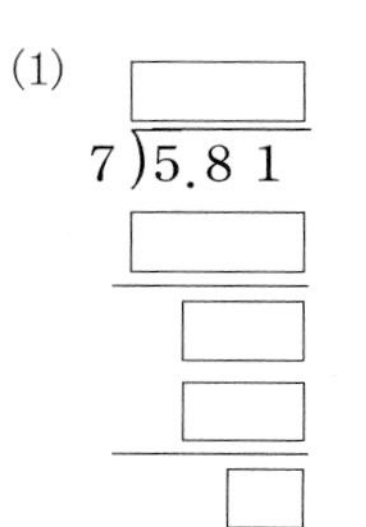

(2) $8\overline{)3\ 2.4\ 8}$

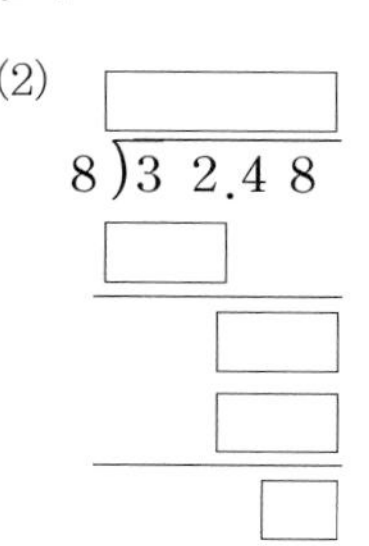

100

다음을 계산하시오.

(1) $6\overline{)48.3}$

(2) $7.5\overline{)45}$

101
☑8876-0111

보기와 같이 계산하시오.

보기

$$12.6\div6=\frac{126}{10}\div6=\frac{\overset{21}{\cancel{126}}}{10}\times\frac{1}{\underset{1}{\cancel{6}}}=\frac{21}{10}=2.1$$

$15.9\div3=$ ______________

102

묷의 소수점 아래 첫째 자리 숫자가 나머지와 다른 하나에 ○표 하시오.

$3.68\div4$	$24.6\div12$	$42.7\div14$
(　　　)	(　　　)	(　　　)

103
☑8876-0112

다음 도형은 둘레의 길이가 3.27 cm인 정삼각형이다. 이 정삼각형의 한 변의 길이를 구하시오.

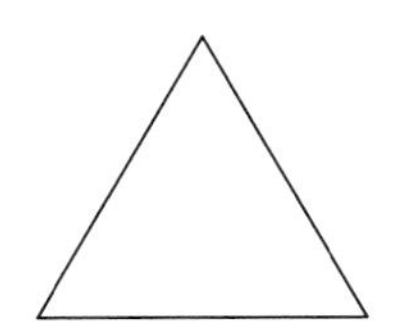

104
☑8876-0113

㉠×㉡의 값을 계산하시오.

㉠$\times3=2.1$　　　$14\times$㉡$=9.1$

105
☑8876-0114

자동차 박람회장에서는 연료를 적게 사용하여 환경오염을 줄일 수 있는 자동차들이 소개되고 있다. 다음 세 자동차 중 연료 1 L로 가장 멀리 갈 수 있는 자동차를 구하시오.

자동차	연료의 양	달린 거리
A	3 L	45.3 km
B	5 L	73.5 km
C	4 L	64.8 km

106
☑8876-0115

길이가 165.2 m인 도로의 한쪽에 일정한 간격으로 21개의 가로수를 심었다. 도로의 시작과 끝에도 가로수를 심었다면 가로수와 가로수 사이의 거리는 몇 m인지 구하시오.

유형 02-18 소수의 나눗셈

(1) 분수의 나눗셈으로 고쳐서 계산하기

$2.4 \div 0.4 = \frac{24}{10} \div \frac{4}{10} = 24 \div 4 = 6$

$3.68 \div 0.46 = \frac{368}{100} \div \frac{46}{100} = 368 \div 46 = 8$

$19.98 \div 5.4 = \frac{199.8}{10} \div \frac{54}{10} = 199.8 \div 54 = 3.7$

$19.98 \div 5.4 = \frac{1998}{100} \div \frac{540}{100} = 1998 \div 540 = 3.7$

→ 분모가 100인 분수로 고쳐서 계산해도 결과는 같다.

(2) 세로로 계산하기

① $0.46\overline{)3.68}$ ➡ $46\overline{)368}$ (몫 8, 368, 0) ➡ $0.46\overline{)3.68}$ (몫 8, 3 68, 0)

➡ 나누는 수와 나누어지는 수의 소수점을 오른쪽으로 두 자리씩 옮겨 계산한다.

② $5.4\overline{)19.98}$ ➡ $54\overline{)199.8}$ (몫 3.7, 162, 378, 378, 0) ➡ $5.4\overline{)19.98}$ (몫 3.7, 16 2, 378, 378, 0)

3.7 → 몫의 소수점의 위치는 나누어지는 수의 옮긴 소수점의 위치와 같다.

➡ 나누는 수가 자연수가 되도록 두 수의 소수점을 오른쪽으로 한 자리씩 옮겨서 계산한다.

107

□ 안에 알맞은 수를 써넣으시오.

(1) $19.35 \div 4.5 = \frac{193.5}{10} \div \frac{\square}{10}$
$= 193.5 \div \square = \square$

(2) $19.35 \div 4.5 = \frac{1935}{100} \div \frac{\square}{100}$
$= 1935 \div \square = \square$

108

☑8876-0116

큰 수를 작은 수로 나눈 몫을 빈칸에 써넣으시오.

5.8	16.82

109

㉠×㉡의 값을 구하시오.

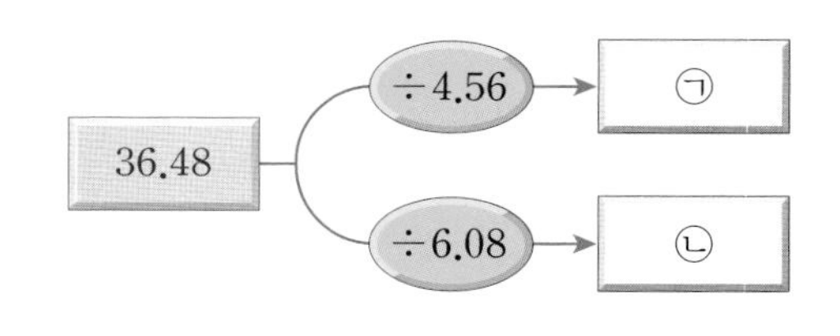

110

☑8876-0117

넓이가 38.845 m^2인 직사각형 모양의 화단이 있다. 이 화단의 세로의 길이가 4.57 m일 때, 이 화단의 둘레의 길이는 몇 m인지 구하시오.

유형 02-19 분수와 소수의 혼합 계산

(1) (소수)÷(분수), (분수)÷(소수)

| 방법 1 | 소수를 분수로 고쳐서 (분수)÷(분수)로 계산하기

$$1.75\div\frac{1}{4}=\frac{175}{100}\div\frac{1}{4}=\frac{\overset{7}{\cancel{175}}}{\underset{\underset{1}{\cancel{4}}}{\cancel{100}}}\times\overset{}{\underset{1}{\cancel{4}}}=7$$

$$5\frac{1}{5}\div1.3=\frac{26}{5}\div\frac{13}{10}=\frac{\overset{2}{\cancel{26}}}{\underset{1}{\cancel{5}}}\times\frac{\overset{2}{\cancel{10}}}{\underset{1}{\cancel{13}}}=4$$

참고 소수를 분수로 계산하면 약분이 되어 계산 과정이 편리하다.

| 방법 2 | 분수를 소수로 고쳐서 (소수)÷(소수)로 계산하기

$$1.75\div\frac{1}{4}=1.75\div0.25=7$$

$$5\frac{1}{5}\div1.3=5.2\div1.3=4$$

참고 분수와 소수의 나눗셈에서 소수로 나누어떨어지지 않을 때, 소수를 분수로 고쳐서 계산한 결과가 더 정확하다.

예 $3\frac{3}{4}\div4.5=3.75\div4.5=0.83\cdots$

➡ $3\frac{3}{4}\div4.5=\frac{15}{4}\div\frac{45}{10}=\frac{\overset{1}{\cancel{15}}}{\underset{2}{\cancel{4}}}\times\frac{\overset{5}{\cancel{10}}}{\underset{3}{\cancel{45}}}=\frac{5}{6}$

(2) 분수와 소수의 혼합 계산

① 분수를 소수로 또는 소수를 분수로 고친다.

② 곱셈과 나눗셈을 먼저 계산한다.
괄호 (　　)가 있으면 (　　) 안부터 계산한다.

③ 앞에서부터 차례로 덧셈과 뺄셈을 계산한다.

예 $0.5\times\left(\frac{3}{5}-0.1\right)+1\frac{1}{2}=\frac{5}{10}\times\left(\frac{3}{5}-\frac{1}{10}\right)+1\frac{1}{2}$

$=\frac{\overset{1}{\cancel{5}}}{\underset{2}{\cancel{10}}}\times\frac{1}{2}+1\frac{1}{2}$

$=\frac{1}{4}+1\frac{1}{2}=1\frac{3}{4}$

(① 괄호 안, ② 곱셈, ③ 덧셈 순서)

혼합 계산 순서

괄호 ( ) → { } → [ ] → 소괄호, 중괄호, 대괄호 순으로 괄호 안을 계산한다.
⇩
곱셈, 나눗셈
⇩
덧셈, 뺄셈

[111~112] □ 안에 알맞은 수를 써넣으시오.

111

☑8876-0118

$2.4\div\frac{3}{4}$을 두 가지 방법으로 계산하시오.

방법 1 $2.4\div\frac{3}{4}=\frac{24}{\square}\div\frac{3}{4}=\frac{24}{\square}\times\frac{\square}{\square}$

$=\frac{\square}{5}=\square$

방법 2 $2.4\div\frac{3}{4}=2.4\div\square=\square$

112

$12.6\div3\frac{3}{20}$을 두 가지 방법으로 계산하시오.

방법 1 $12.6\div3\frac{3}{20}=\frac{\square}{10}\div\frac{\square}{20}$

$=\frac{\square}{10}\times\frac{20}{\square}=\square$

방법 2 $12.6\div3\frac{3}{20}=12.6\div\square=\square$

113

계산 결과가 가장 큰 것은?

① $1.2\div\frac{3}{5}$ ② $1.25\div\frac{1}{4}$

③ $6.75\div1\frac{1}{8}$ ④ $8.4\div1\frac{1}{5}$

⑤ $22.5\div4\frac{1}{2}$

114

☑8876-0119

서윤이는 한 시간에 $1\frac{1}{4}$ km를 걷는다. 같은 빠르기로 3.25 km를 가는 데 걸리는 시간은 몇 시간 몇 분인지 구하시오.

115

☑8876-0120

㉠에 알맞은 분수를 구하시오.

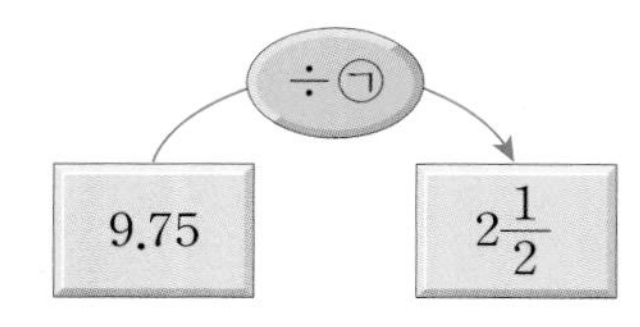

116

☑8876-0121

다음 색칠한 부분의 넓이를 구하시오.

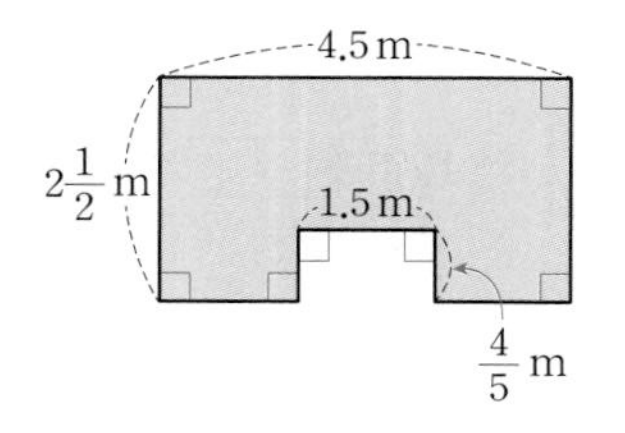

117

계산 순서대로 기호를 쓰시오.

$$7.5\div\left(\frac{1}{2}+1\frac{1}{3}\times1.5\right)\times0.4$$

↑㉠ ↑㉡ ↑㉢ ↑㉣

118

☑8876-0122

다음을 계산하시오.

(1) $5\frac{2}{5}\div4.5+1.6\times3\frac{1}{2}-2\frac{4}{5}$

(2) $1\frac{5}{6}+\left(\frac{9}{10}-0.7\right)\times3\div1\frac{1}{2}$

119

☑8876-0123

두 계산 결과의 차를 소수로 나타내시오.

- $1.25\div\left(\frac{1}{2}+\frac{1}{3}\right)\times1.8$
- $1.25\div\frac{1}{2}+\frac{1}{3}\times1.8$

120

☑8876-0124

노랑색 페인트 $\frac{5}{8}$ L와 파란색 페인트 0.5 L를 섞은 후 흰색 페인트를 노란색 페인트의 $\frac{1}{5}$만큼 넣어 연두색 페인트를 만들었다. 만든 연두색 페인트를 5개의 통에 똑같이 나누어 담았다. 한 통에 담긴 페인트의 양은 얼마인지 구하시오.

유형 02-20 양수와 음수

(1) **부호를 가진 수:** 서로 반대되는 성질의 두 수량을 나타낼 때, 어떤 기준을 중심으로 한 쪽 수량에는 +부호를, 다른 쪽 수량에는 −부호를 붙여 나타낸다.

➡ + : 양의 부호, − : 음의 부호 → 일반적으로 양의 부호 +가 붙은 수는 0보다 큰 수, 음의 부호 −가 붙은 수는 0보다 작은 수를 나타낸다.

예 실생활에서 부호를 사용하는 경우

+	해발	영상	~후	입금	이익	상승	증가	동쪽	…
−	해저	영하	~전	출금	손해	하락	감소	서쪽	…

+	영상 3℃ → +3℃	700원 이익 → +700원	해발 800 m → +800 m	5점 상승 → +5점
−	영하 3℃ → −3℃	500원 손해 → −500원	해저 400 m → −400 m	3점 하락 → −3점

(2) **양수와 음수**

① 양수: 0보다 큰 수로 양의 부호 +가 붙은 수

② 음수: 0보다 작은 수로 음의 부호 −가 붙은 수

예 0보다 2만큼 큰 수: +2, 0보다 3만큼 작은 수: −3

참고 • 부호 +, −는 각각 덧셈, 뺄셈의 기호와 모양은 같지만 그 의미는 다르다.
• 0은 양수도 아니고, 음수도 아니다.

121
☑8876-0125

다음 □ 안에 부호 +, −를 사용하여 나타내시오.

(1) 영상 10℃를 +10℃로 나타내면
영하 6℃는 □로 나타낸다.

(2) 지하 3층을 −3층으로 나타내면
지상 4층은 □으로 나타낸다.

(3) 7점 득점을 +7점으로 나타내면
5점 실점은 □으로 나타낸다.

(4) 동쪽으로 3 km 떨어진 곳을 +3 km로 나타내면
서쪽으로 7 km 떨어진 곳은 □로 나타낸다.

(5) 지금으로부터 5년 전을 −5년으로 나타내면
지금으로부터 10년 후는 □으로 나타낸다.

(6) 용돈으로 5000원 받은 것을 +5000원으로 나타내면
준비물을 사는 데 1500원 쓴 것은 □으로 나타낸다.

122

다음 수를 부호 +, −를 사용하여 나타내시오.

(1) 0보다 3만큼 큰 수

(2) 0보다 7만큼 작은 수

(3) 0보다 1.5만큼 작은 수

(4) 0보다 $\frac{1}{3}$만큼 큰 수

123
☑8876-0126

다음 중 양의 부호 + 또는 음의 부호 −를 사용하여 나타낸 것으로 옳지 않은 것은?

① 1100원 손해: −1100원
② 출발 15분 후: +15분
③ 13 m 하강: +13 m
④ 5 kg 감량: −5 kg
⑤ 영상 24℃: +24℃

유형 02-21 정수와 유리수

(1) **정수:** 양의 정수, 0, 음의 정수를 통틀어 정수라고 한다.

① 양의 정수: 자연수에 양의 부호 $+$를 붙인 수 예 $+1,\ +2,\ +3,\ \cdots$

② 음의 정수: 자연수에 음의 부호 $-$를 붙인 수 예 $-1,\ -2,\ -3,\ \cdots$

(2) **유리수:** 양의 유리수, 0, 음의 유리수를 통틀어 유리수라고 한다. → $(\text{유리수})=\dfrac{(\text{정수})}{(0\text{이 아닌 정수})}$

① 양의 유리수: 분모, 분자가 자연수인 분수에 양의 부호 $+$를 붙인 수 예 $+\frac{1}{2},\ +\frac{7}{5},\ \cdots$

② 음의 유리수: 분모, 분자가 자연수인 분수에 음의 부호 $-$를 붙인 수 예 $-\frac{3}{2},\ -\frac{2}{7},\ \cdots$

참고 • 양의 정수는 $+$부호를 생략하여 나타낼 수 있으므로 자연수와 같고, 양의 유리수도 양의 정수와 같이 $+$부호를 생략하여 나타낼 수있다.

• 모든 정수는 유리수이다.

예 $+3=+\frac{3}{1}=+\frac{6}{2}=\cdots,\ -2=-\frac{2}{1}=-\frac{4}{2}=\cdots,\ 0=\frac{0}{1}=\frac{0}{2}=\cdots$ ← 정수는 분수로 나타낼 수 있으므로 모두 유리수이다.

(3) **유리수의 분류** ← 앞으로 특별한 말이 없을 때는 수라고 하면 유리수를 말한다.

- 유리수
  - 정수
    - 양의 정수(자연수): $1,\ 2,\ 3,\ \cdots$
    - 0
    - 음의 정수: $-1,\ -2,\ -3,\ \cdots$
  - 정수가 아닌 유리수: $\frac{1}{2},\ \frac{1}{3},\ -\frac{3}{2},\ \cdots$

124

☑8876-0127

다음 표에서 주어진 수가 양수, 음수, 자연수, 정수, 유리수에 각각 해당하면 ○, 해당하지 않으면 × 표를 하시오.

수	양수	음수	자연수	정수	유리수
0.5					
-6					
$+\frac{4}{3}$					
0					

125

다음 수를 보기에서 모두 고르시오.

보기

$-1,\quad -\frac{1}{5},\quad +6,\quad \frac{10}{2},\quad 3.9,\quad 0,\quad -\frac{14}{7}$

(1) 음의 정수　　(2) 정수

(3) 양의 유리수　　(4) 정수가 아닌 유리수

126

☑8876-0128

다음 보기 중 옳은 것을 모두 고르시오.

보기

ㄱ. 0은 정수가 아니다.

ㄴ. 자연수에 음의 부호를 붙인 수는 음의 정수이다.

ㄷ. 정수 중에는 유리수가 아닌 수도 있다.

ㄹ. 유리수는 양의 유리수, 0, 음의 유리수로 이루어져 있다.

127

☑8876-0129

다음 수 중 음의 유리수의 개수를 a, 정수의 개수를 b라 할 때, $a+b$의 값을 구하시오.

$-\frac{5}{3},\quad 0,\quad 0.26,\quad \frac{9}{5},\quad -\frac{15}{3},\quad 17,\quad -3.6$

유형 02-22 수직선

직선 위에 기준이 되는 점 O를 잡아 그 점에 정수 0을 대응시키고, 점 O의 좌우에 일정한 간격으로 점을 잡아 오른쪽에 양의 정수를, 왼쪽에 음의 정수를 차례로 대응시킬 수 있다. 이처럼 수를 대응시켜서 만든 직선을 수직선이라고 한다. 이때 기준이 되는 점 O를 원점이라고 한다.

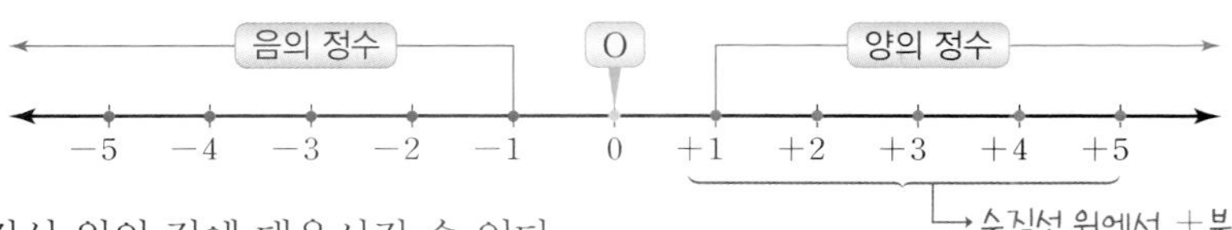

➡ 모든 유리수는 수직선 위의 점에 대응시킬 수 있다.

예 -2.5, $-\frac{4}{3}$, $\frac{1}{4}$, 2.4를 각각 수직선 위에 나타내면 다음 그림과 같다.

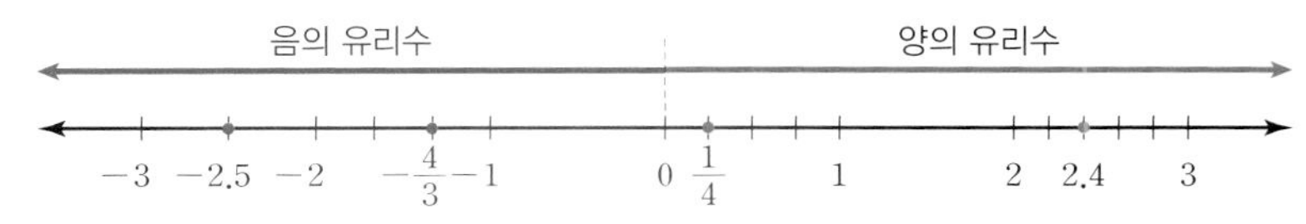

128

다음 수를 수직선 위에 각각 점으로 나타내시오.

(1) -3　　(2) $-1\frac{1}{2}$　　(3) 0.5　　(4) $+7$

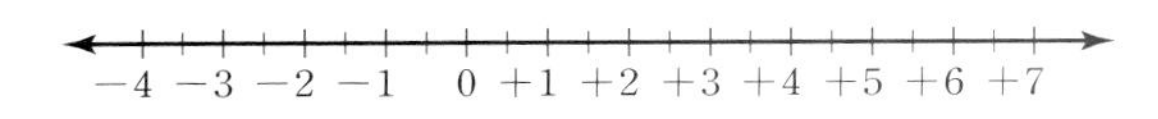

129

☑8876-0130

수직선에서 원점으로부터의 거리가 $\frac{9}{11}$인 점에 대응하는 수를 모두 구하시오.

130

다음 수직선 위의 점 A, B, C가 나타내는 수를 구하시오.

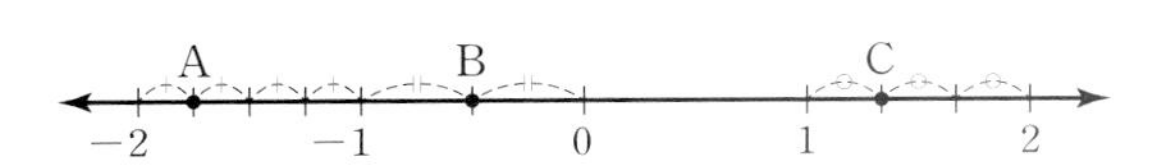

A: ________ B: ________ C: ________

131

☑8876-0131

다음은 네 명의 학생이 수직선 위의 점 A, B, C, D, E가 나타내는 수에 대하여 말한 것이다. 바르게 말한 학생을 찾아 쓰시오.

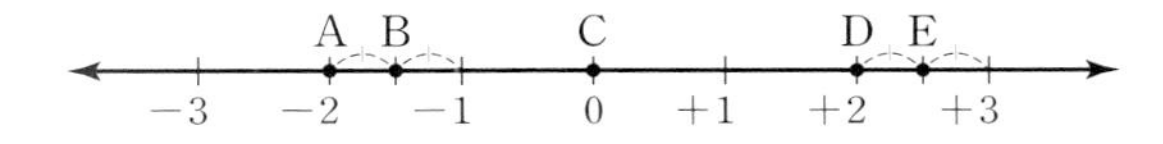

현민: 자연수는 3개야.
준상: 음수는 2개야.
강민: 점 B가 나타내는 수는 $-\frac{1}{2}$이야.
서윤: 점 E가 나타내는 수는 $+\frac{3}{2}$이야.

132

☑8876-0132

수직선에서 -3과 5를 나타내는 두 점으로부터 같은 거리에 있는 점이 나타내는 수는?

① -2　　② -1　　③ 0
④ 1　　⑤ 2

유형 02-23 절댓값

(1) **절댓값:** 수직선 위에서 0을 나타내는 점과 어떤 수를 나타내는 점 사이의 거리

유리수 a의 절댓값을 기호로 나타내면 $|a|$이다.

예 $|+2|=2$, $\left|-\frac{1}{5}\right|=\frac{1}{5}$

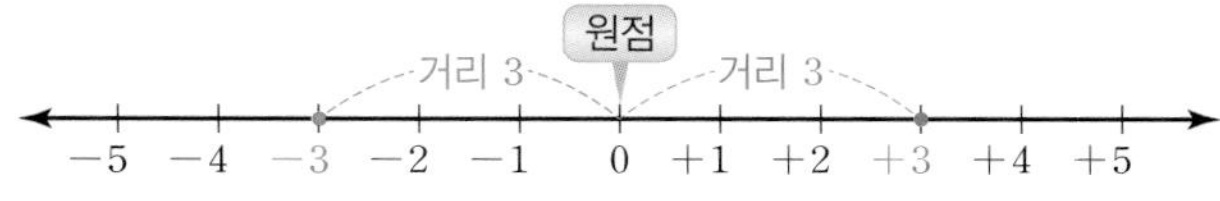

(2) **절댓값의 성질** → 절댓값은 거리를 나타내므로 항상 0 또는 양수이다.

(+3의 절댓값)$=|+3|=3$

(−3의 절댓값)$=|-3|=3$

① 양수, 음수의 절댓값은 그 수에서 부호 +, −를 떼어낸 수이다.

② 0의 절댓값은 0이다. 즉, $|0|=0$이다.

③ 절댓값이 $a(a>0)$인 수는 $+a$, $-a$의 2개가 있다. 예 절댓값이 1인 수: +1, −1

예 절댓값이 $\frac{2}{3}$인 수는 수직선 위에서 0을 나타내는 점으로부터 거리가 $\frac{2}{3}$이므로 $+\frac{2}{3}$, $-\frac{2}{3}$이다.

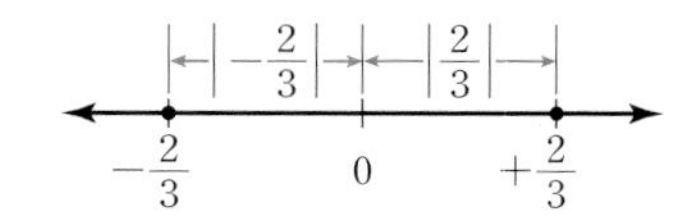

④ (절댓값이 가장 큰 수)=(원점으로부터 가장 멀리 떨어진 수)

133

다음을 구하시오.

(1) 절댓값이 5인 수

(2) 절댓값이 0인 수

(3) 절댓값이 $\frac{2}{3}$인 음수

(4) 원점으로부터 거리가 6인 수

(5) $|7|$

134

☑8876-0133

절댓값이 큰 것부터 차례대로 나열하시오.

-2.5, $-\frac{1}{2}$, $\frac{1}{3}$, 1.5, $1\frac{2}{3}$

135

☑8876-0134

-5의 절댓값을 a, 절댓값이 15인 양수를 b라 할 때, $a+b$의 값을 구하시오.

136

☑8876-0135

$a=2$, $b=-\frac{1}{3}$일 때, $|a|+|b|$의 값을 구하시오.

137

☑8876-0136

절댓값이 같고 부호가 다른 두 수가 있다. 수직선 위에서 이 두 수를 나타내는 두 점 사이의 거리가 8일 때, 두 수를 구하시오.

유형 02-24 수의 대소 관계

(1) **수의 대소 관계:** 수직선 위에서 수는 오른쪽으로 갈수록 커지고, 왼쪽으로 갈수록 작아진다.

① 양수는 0보다 크고, 음수는 0보다 작다.

➡ (음수)$<0<$(양수)

예 $-3<0<+2$

② 양수는 음수보다 크다.

➡ (음수)$<$(양수)

예 $-2<+1$

③ 양수끼리는 절댓값이 큰 수가 크다.

예 $+3<+5$

④ 음수끼리는 절댓값이 큰 수가 작다.

예 $-3>-5$

커진다.
작아진다.
-6 -5 -4 -3 -2 -1 0 1 2 3 4 5 6

음수끼리는 절댓값이 큰 수가 작다.
양수끼리는 절댓값이 큰 수가 크다.
-6 -5 -4 -3 -2 -1 0 1 2 3 4 5 6

(2) **부등호의 사용** →부등호의 기호 '$\le$'는 '$<$' 또는 '$=$'임을 나타내고, '$\ge$'는 '$>$' 또는 '$=$'임을 나타낸다.

$a>b$	$a<b$	$a\ge b$	$a\le b$
a는 b보다 크다. a는 b 초과이다. 예 x는 3 초과이다. ➡ $x>3$ =(보다 크다.)	a는 b보다 작다. a는 b 미만이다. 예 x는 3 미만이다. ➡ $x<3$ =(보다 작다.)	a는 b보다 크거나 같다. a는 b보다 작지 않다. a는 b 이상이다. 예 x는 3 이상이다. ➡ $x\ge 3$ =(보다 크거나 같다.) =(보다 작지 않다.)	a는 b보다 작거나 같다. a는 b보다 크지 않다. a는 b 이하이다. 예 x는 3 이하이다. ➡ $x\le 3$ =(보다 작거나 같다.) =(보다 크지 않다.)

138

☑8876-0137

다음 수를 작은 것부터 차례대로 나열하시오.

$\frac{5}{4}$, $+1.5$, 0, -2, $-\frac{10}{3}$

139

다음 □ 안에 부등호 $>$, $<$를 알맞게 써넣으시오.

(1) 0 □ -3

(2) $-\frac{3}{4}$ □ $-\frac{2}{3}$

(3) 2.4 □ -3.2

(4) $|-6.4|$ □ $|+5|$

140

☑8876-0138

다음을 부등호를 사용하여 나타내시오.

(1) x는 9 이하이다.

(2) x는 $-\frac{2}{3}$보다 크지 않다.

(3) x는 3 초과 10 이하이다.

(4) x는 -2보다 크거나 같고 3보다 작다.

141

☑8876-0139

다음 물음에 답하시오.

(1) 'a는 $-\frac{3}{2}$보다 크고 2보다 작거나 같다.'를 부등호를 사용하여 나타내시오.

(2) (1)을 만족하는 정수 a의 개수를 구하시오.

유형 02-25 정수와 유리수의 덧셈

(1) **부호가 같은 두 수의 덧셈:** 두 수의 절댓값의 합에 공통인 부호를 붙인다.

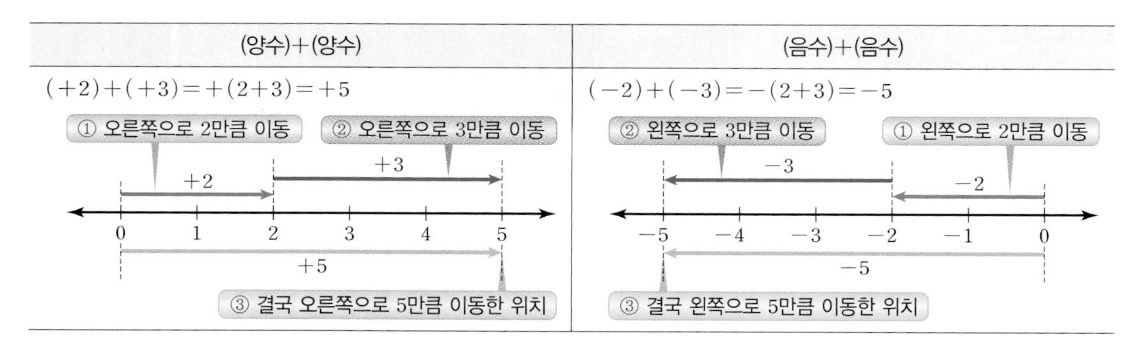

(2) **부호가 다른 두 수의 덧셈:** 두 수의 절댓값의 차에 절댓값이 큰 수의 부호를 붙인다.

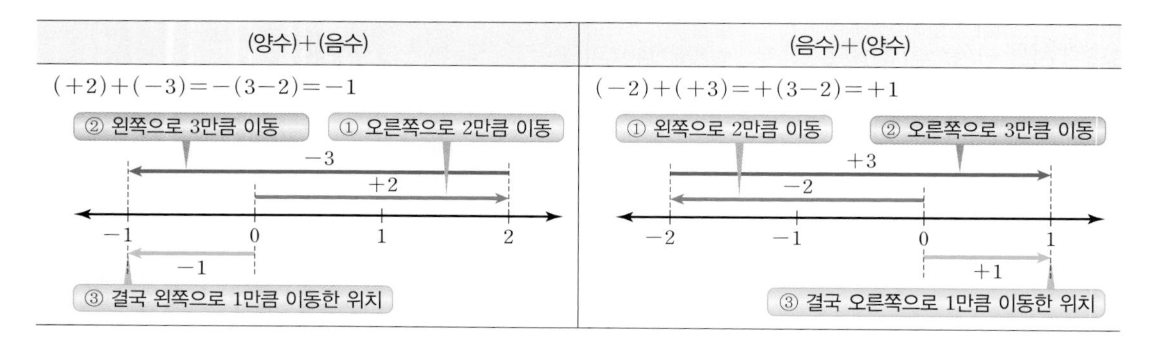

142

다음을 계산하시오.

(1) $(+4)+(+7)$ (2) $(-11)+(+9)$

(3) $(-6.5)+(-5.2)$ (4) $\left(+\frac{7}{2}\right)+\left(-\frac{4}{5}\right)$

143

☑8876-0140

다음 중 계산 결과가 옳은 것은?

① $(-11)+(-1)=-10$

② $\left(-\frac{3}{2}\right)+\left(+\frac{2}{3}\right)=0$

③ $(+4.9)+(-4)=+9$

④ $(-6.5)+(-3.5)=+10$

⑤ $\left(-\frac{1}{5}\right)+\left(+\frac{1}{3}\right)=+\frac{2}{15}$

144

다음을 계산하시오.

(1) $\left(-\frac{2}{5}\right)+(+1.25)$

(2) $(+0.55)+\left(+\frac{7}{10}\right)$

145

☑8876-0141

다음 중 계산 결과가 나머지 넷과 <u>다른</u> 하나는?

① $(+1)+\left(-\frac{7}{12}\right)$ ② $\left(+\frac{1}{4}\right)+\left(-\frac{2}{3}\right)$

③ $\left(-\frac{5}{8}\right)+\left(+\frac{5}{24}\right)$ ④ $\left(-\frac{1}{4}\right)+\left(-\frac{1}{6}\right)$

⑤ $\left(-\frac{1}{3}\right)+\left(-\frac{1}{12}\right)$

유형 02-26 덧셈의 계산 법칙

세 수 a, b, c에 대하여

(1) **덧셈의 교환법칙:** $a+b=b+a$ 예 $(+2)+(+4)=(+4)+(+2)$

(2) **덧셈의 결합법칙:** $(a+b)+c=a+(b+c)$ ← $(a+b)+c$, $a+(b+c)$를 모두 $a+b+c$로 나타낼 수 있다.

예 $\{(-4)+(+3)\}+(+5)=(-1)+(+5)=+4$, $(-4)+\{(+3)+(+5)\}=(-4)+(+8)=+4$

예 $\left(+\frac{7}{4}\right)+\left(-\frac{1}{3}\right)+\left(-\frac{3}{4}\right)$

$=\left(-\frac{1}{3}\right)+\left(+\frac{7}{4}\right)+\left(-\frac{3}{4}\right)$ ← 덧셈의 교환법칙

$=\left(-\frac{1}{3}\right)+\left\{\left(+\frac{7}{4}\right)+\left(-\frac{3}{4}\right)\right\}$ ← 덧셈의 결합법칙

$=\left(-\frac{1}{3}\right)+(+1)=+\frac{2}{3}$

$(-3.6)+(+8.7)+(-6.4)$

$=(+8.7)+(-3.6)+(-6.4)$ ← 덧셈의 교환법칙

$=(+8.7)+\{(-3.6)+(-6.4)\}$ ← 덧셈의 결합법칙

$=(+8.7)+(-10)=-1.3$

참고 덧셈에서는 교환법칙과 결합법칙이 성립하므로 3개 이상의 수를 더할 때 어떤 순서로 더하거나 어느 두 수를 먼저 더해도 그 결과는 같다.

146

☑8876-0142

다음 계산 과정 ㉠, ㉡에서 이용한 덧셈의 계산 법칙을 각각 말하시오.

$\left(-\frac{3}{5}\right)+(+4)+\left(-\frac{7}{5}\right)$

$=\left(-\frac{3}{5}\right)+\left(-\frac{7}{5}\right)+(+4)$ ← ㉠

$=\left\{\left(-\frac{3}{5}\right)+\left(-\frac{7}{5}\right)\right\}+(+4)$ ← ㉡

$=(-2)+(+4)=+2$

147

다음은 덧셈의 계산 법칙을 이용하여 주어진 식을 계산하는 과정이다. □ 안에 알맞은 수를 써넣으시오.

$=(+8)+(-4)+(+3)$

$=(\square)+(+8)+(+3)$

$=(\square)+\{(+8)+(+3)\}$

$=(\square)+(\square)=\square$

148

다음을 계산하시오.

(1) $(-16)+(-5)+(+16)$

(2) $(-91)+(+7)+(-29)$

(3) $(-1.5)+\left(-\frac{13}{7}\right)+(+3.5)$

(4) $\left(-\frac{5}{4}\right)+\left(+\frac{9}{5}\right)+\left(-\frac{7}{4}\right)+\left(+\frac{11}{5}\right)$

149

☑8876-0143

두 수 A, B에 대하여 $A=\left(+\frac{2}{3}\right)+\left(-\frac{2}{5}\right)$, $B=\left(-\frac{3}{2}\right)+(+1.4)$일 때, $A+B$의 값은?

① $-\frac{1}{6}$　② $-\frac{1}{15}$　③ $+\frac{1}{15}$

④ $+\frac{1}{10}$　⑤ $+\frac{1}{6}$

유형 02-27 정수와 유리수의 뺄셈

두 수의 뺄셈은 빼는 수의 부호를 바꾸어 덧셈으로 고쳐서 계산한다.

(1) $(+2)-(+5)=(+2)+(-5)=-(5-2)=-3$

부호를 바꾼다. / 뺄셈을 덧셈으로

(2) $(+2)-(-5)=(+2)+(+5)=+(2+5)=+7$

부호를 바꾼다. / 뺄셈을 덧셈으로

뺄셈을 덧셈으로 바꾸기

$(+)-(+)=(+)+(-)$

$(+)-(-)=(+)+(+)$

$(-)-(+)=(-)+(-)$

$(-)-(-)=(-)+(+)$

참고 어떤 수에서 0을 빼면 그 수 자신이 된다. 예 $(+2)-0=+2$

주의 뺄셈에서는 교환법칙과 결합법칙이 성립하지 않는다.

① $(+6)-(+1)=+5$
$(+1)-(+6)=-5$
교환법칙을 사용했지만 그 결과가 다르므로 교환법칙이 성립하지 않는다.

② $\{(+1)-(-2)\}-(-3)=+6$
$(+1)-\{(-2)-(-3)\}=0$
결합법칙을 사용했지만 그 결과가 다르므로 결합법칙이 성립하지 않는다.

150

☑8876-0144

다음 중 뺄셈을 덧셈으로 바꾸는 과정이 옳지 않은 것은?

① $(+2)-(-5)=(+2)+(+5)$

② $(-4)-(-6)=(-4)+(+6)$

③ $(-3)-(+2)=(-3)+(+2)$

④ $(+1)-(-3)=(+1)+(+3)$

⑤ $(-6)-(+5)=(-6)+(-5)$

151

다음 ○ 안에는 +, − 중 알맞은 부호를, □ 안에는 알맞은 수를 써넣으시오.

(1) $(+12)-(+7)=(+12)+(\bigcirc\square)$
$=\bigcirc(12-\square)=\bigcirc\square$

(2) $(-8)-(-3)=(-8)+(\bigcirc\square)$
$=\bigcirc(8-\square)=\bigcirc\square$

152

다음을 계산하시오.

(1) $\left(+\frac{5}{6}\right)-\left(-\frac{7}{6}\right)$

(2) $\left(+\frac{7}{2}\right)-(+2.7)$

153

☑8876-0145

다음 중 $(+2)-(-7)$의 계산 결과와 같은 것은?

① $(-3)-(-6)$

② $\left(+\frac{2}{3}\right)-\left(-\frac{22}{3}\right)$

③ $\left(+\frac{5}{2}\right)-\left(+\frac{10}{3}\right)$

④ $(+5.4)-(-3.6)$

⑤ $(-1.6)-(+7.4)$

유형 02-28 덧셈과 뺄셈의 혼합 계산

(1) 덧셈과 뺄셈의 혼합 계산 → 뺄셈에서는 교환법칙과 결합법칙이 성립하지 않는다.

① 뺄셈은 모두 덧셈으로 고친다.

② 덧셈의 교환법칙과 결합법칙을 이용하여 수를 적당히 모아서 계산한다.

참고 분수가 있는 수는 분모가 같은 것끼리 모아서 계산하면 편리하다.

예 $(-2)-(-7)+(-4)$
$=(-2)+(+7)+(-4)$ ← 뺄셈을 덧셈으로 고치기
$=(+7)+(-2)+(-4)$ ← 덧셈의 교환법칙
$=(+7)+\{(-2)+(-4)\}$ ← 덧셈의 결합법칙
$=(+7)+(-6)=+1$

(2) 부호가 생략된 수의 혼합 계산

① 양수는 양의 부호와 괄호를 생략하여 나타낼 수 있다. 예 $(+2)+(+3)=2+3$

② 음수는 식의 맨 앞에 나올 때 괄호를 생략하여 나타낼 수 있다. 예 $(-2)-(+3)=-2-3$

➡ 부호가 생략된 수의 혼합 계산은 +부호와 괄호를 살려서 계산한다.

예 $-6+4=(-6)+(+4)=-2$ (생략된 부호 넣기)

154

다음 ○ 안에는 +, − 중 알맞은 부호를, □ 안에는 알맞은 수를 써넣으시오.

(1) $(+4)+(-9)-(-2)$
$=(+4)+(-9)+(\bigcirc\square)$
$=\{(+4)+(\bigcirc\square)\}+(-9)$
$=(\bigcirc\square)+(-9)=\bigcirc\square$

(2) $-3+8-10$
$=(-3)+(\bigcirc 8)-(\bigcirc\square)$
$=(-3)+(\bigcirc 8)+(\bigcirc\square)$
$=\{(-3)+(\bigcirc\square)\}+(\bigcirc 8)$
$=(\bigcirc\square)+(\bigcirc 8)=\bigcirc\square$

155

다음을 계산하시오.

(1) $\left(+\frac{9}{4}\right)+\left(-\frac{2}{3}\right)-\left(+\frac{7}{4}\right)$

(2) $(-3.1)-(-4.6)+(+1.5)$

156

다음을 계산하시오.

(1) $5+16-14$

(2) $-\frac{7}{6}-\frac{2}{3}+2$

157

☑8876-0146

$-3-(-17)-9+4$를 계산하면?

① -9 ② -5 ③ 0
④ 5 ⑤ 9

158

☑8876-0147

다음 식이 성립하도록 □ 안에 부호 +, − 중에서 알맞은 것을 차례로 써넣으시오.

$(-4)\square(-9)\square(+4)=9$

유형 02-29 정수와 유리수의 곱셈

(1) **부호가 같은 두 수의 곱셈:** 두 수의 절댓값의 곱에 양의 부호 +를 붙인다.

• $(+2)\times(+3)=+(2\times3)=+6$ (+: 양의 부호)　• $(-2)\times(-3)=+(2\times3)=+6$ (+: 양의 부호)

(2) **부호가 다른 두 수의 곱셈:** 두 수의 절댓값의 곱에 음의 부호 −를 붙인다.

• $(+2)\times(-3)=-(2\times3)=-6$ (−: 음의 부호)　• $(-2)\times(+3)=-(2\times3)=-6$ (−: 음의 부호)

• $(+)\times(+)\rightarrow(+)$
• $(-)\times(-)\rightarrow(+)$
• $(+)\times(-)\rightarrow(-)$
• $(-)\times(+)\rightarrow(-)$

참고 어떤 수와 0의 곱은 항상 0이다. 예 $2\times0=0$

159

다음 ○ 안에는 +, − 중 알맞은 부호를, □ 안에는 알맞은 수를 써넣으시오.

(1) $(+5)\times(+6)=○(5\times□)=○□$

(2) $(-2)\times(-7)=○(2\times□)=○□$

(3) $(+6)\times(-8)=○(6\times□)=○□$

(4) $(-7)\times(+3)=○(7\times□)=○□$

160

다음을 계산하시오.

(1) $(+6)\times(+9)$　(2) $(-4)\times(-7)$

(3) $(+5)\times(-4)$　(4) $0\times(-8)$

161

다음 ○ 안에는 +, − 중 알맞은 부호를, □ 안에는 알맞은 수를 써넣으시오.

(1) $\left(+\frac{4}{3}\right)\times\left(+\frac{3}{2}\right)=○\left(\frac{4}{3}\times□\right)=○□$

(2) $\left(-\frac{7}{9}\right)\times\left(+\frac{3}{14}\right)=○\left(□\times\frac{3}{14}\right)=○□$

(3) $(-1.4)\times(-5)=○(1.4\times□)=○□$

162

다음을 계산하시오.

(1) $\left(-\frac{1}{3}\right)\times\left(-\frac{12}{5}\right)$　(2) $(-2)\times\left(+\frac{5}{8}\right)$

(3) $(-2.5)\times(+4)$　(4) $\left(+\frac{3}{2}\right)\times(-0.4)$

163

☑8876-0148

다음 중 계산 결과가 가장 큰 것은?

① $(+8)\times(-6)$　② $(+12)\times0$

③ $(+18)\times\left(-\frac{1}{6}\right)$　④ $\left(-\frac{3}{4}\right)\times\left(-\frac{20}{9}\right)$

⑤ $(-5)\times(-0.2)$

164

☑8876-0149

네 수 -3, $-\frac{5}{2}$, $\frac{2}{3}$, -2 중 서로 다른 두 수를 뽑아 곱한 값 중 가장 큰 수를 구하시오.

유형 02-30 곱셈의 계산 법칙

(1) **곱셈의 계산 법칙:** 세 수 a, b, c에 대하여

① 곱셈의 교환법칙: $a\times b=b\times a$ 예 $(+2)\times(+4)=(+4)\times(+2)=+8$

② 곱셈의 결합법칙: $(a\times b)\times c=a\times(b\times c)$

예 $\{(+4)\times(-3)\}\times(+5)=(-12)\times(+5)=-60$

$(+4)\times\{(-3)\times(+5)\}=(+4)\times(-15)=-60$

참고 세 수의 곱셈에서는 곱셈의 결합법칙이 성립하므로 $(a\times b)\times c$, $a\times(b\times c)$를 모두 $a\times b\times c$로 나타낼 수 있다.

(2) **세 수 이상의 곱셈**

① 먼저 곱의 부호를 정한다. ➡ 곱해진 음수가 $\begin{cases}\text{짝수 개} \Rightarrow +\\ \text{홀수 개} \Rightarrow -\end{cases}$

② 각 수의 절댓값을 모두 곱하고 ①에서 결정된 부호를 붙여서 계산한다.

예 • $(-2)\times(+3)\times(-5)=+(2\times3\times5)=+30$ (음수가 짝수 개)
• $(-2)\times(-3)\times(-5)=-(2\times3\times5)=-30$ (음수가 홀수 개)

165

☑8876-0150

다음은 곱셈의 계산 법칙을 이용하여 주어진 식을 계산하는 과정이다. □ 안에 알맞은 수를 써넣으시오.

$\left(-\frac{5}{8}\right)\times(+3)\times\left(-\frac{16}{15}\right)$
$=(\square)\times\left(\square\right)\times\left(-\frac{16}{15}\right)$ (곱셈의 교환법칙)
$=(\square)\times\left\{\left(\square\right)\times\left(-\frac{16}{15}\right)\right\}$ (곱셈의 결합법칙)
$=(\square)\times\left(\square\right)=+2$

166

다음 ○ 안에는 $+$, $-$ 중 알맞은 부호를, □ 안에는 알맞은 수를 써넣으시오.

(1) $(+2)\times(-6)\times(-3)=○(2\times6\times3)=○\square$

(2) $\left(-\frac{1}{2}\right)\times\left(-\frac{3}{4}\right)\times(-12)=○\left(\frac{1}{2}\times\frac{3}{4}\times12\right)$
$=○\square$

167

다음을 계산하시오.

(1) $(+4)\times(-6)\times(-3)$

(2) $(-2)\times(-7)\times(-3)$

(3) $\left(+\frac{12}{5}\right)\times\left(-\frac{7}{2}\right)\times\left(+\frac{5}{14}\right)$

(4) $\frac{3}{4}\times(-4)\times\frac{2}{9}$

(5) $(-1)\times(+11)\times(-4)\times(-5)$

168

☑8876-0151

$A=\left(+\frac{3}{5}\right)\times\left(-\frac{1}{6}\right)\times\left(-\frac{20}{3}\right)$,

$B=\left(-\frac{3}{16}\right)\times\left(-\frac{2}{3}\right)\times(-6)$일 때, $A\times B$의 값을 구하시오.

유형 02-31 거듭제곱의 계산

(1) 양수의 거듭제곱의 부호 ➡ 항상 $+$

$(+2)^3=(+2)\times(+2)\times(+2)=+(2\times2\times2)=+8$

$(+2)^2=(+2)\times(+2)=+(2\times2)=+4$

(2) 음수의 거듭제곱의 부호

➡ 거듭제곱의 지수가 $\begin{cases}\text{짝수이면} \Rightarrow +\\ \text{홀수이면} \Rightarrow -\end{cases}$

예 $(-2)^3=(-2)\times(-2)\times(-2)=-(2\times2\times2)=-8$

$(-2)^2=(-2)\times(-2)=+(2\times2)=+4$

주의 $(-2)^2$과 -2^2을 혼동하지 않도록 한다. ➡ $(-2)^2=(-2)\times(-2)=+4$, $-2^2=-(2\times2)=-4$

(양수)^{홀수} ➡ $+$ 부호
(양수)^{짝수} ➡ $+$ 부호
(음수)^{홀수} ➡ $-$ 부호
(음수)^{짝수} ➡ $+$ 부호

예 • $(-1)^3\times(-2)^4\times(+3)$
$=(-1)\times(+16)\times(+3)$
$=-(1\times16\times3)=-48$

• $-1^5\times(-2)^2=(-1)\times(+4)$
$=-(1\times4)=-4$

• $(-1)^5\times\left(+\frac{1}{2}\right)^2\times(-2)$
$=(-1)\times\left(+\frac{1}{4}\right)\times(-2)$
$=+\left(1\times\frac{1}{4}\times2\right)=+\frac{1}{2}$

169

다음을 계산하시오.

(1) $(-1)^7$ (2) -1^7

(3) $(+2)^5$ (4) $(-4)^2$

(5) $\left(-\frac{1}{3}\right)^3$ (6) $-\left(-\frac{2}{3}\right)^2$

170

다음을 계산하시오.

(1) $(-4)\times\left(-\frac{1}{4}\right)^2\times3$

(2) $\left(+\frac{1}{4}\right)\times(-2)^3$

(3) $-5^2\times\left(-\frac{2}{5}\right)^2$

(4) $(-3)^3\times\left(-\frac{2}{3}\right)^4\times\left(-\frac{3}{2}\right)$

171

☑8876-0152

다음 거듭제곱을 계산하여 크기가 작은 것부터 차례로 나열하시오.

$0,\quad (-2)^3,\quad -(-2)^3,\quad -3^2,\quad (-3)^2$

172

☑8876-0153

다음 중 옳은 것을 모두 고르면? (정답 2개)

① $(-2)^5=-32$

② $\left(-\frac{1}{3}\right)^3=\frac{1}{27}$

③ $-\left(-\frac{1}{2}\right)^3=\frac{1}{8}$

④ $-\left(\frac{1}{5}\right)^2=\frac{1}{25}$

⑤ $-2^6=64$

173

☑8876-0154

다음을 계산하시오.

$(-1)+(-1)^2+(-1)^3+(-1)^4+\cdots+(-1)^{10}$

유형 02-32 분배법칙

어떤 수에 두 수의 합을 곱한 것은 어떤 수에 각각의 수를 곱하여 더한 것과 그 결과가 같다.
이것을 분배법칙이라고 한다. 즉, 세 수 a, b, c에 대하여

$$\underset{①}{a\times(b+c)=\underline{a\times b}}+\underset{②}{\underline{a\times c}} \qquad (a+b)\times c=\underset{①}{\underline{a\times c}}+\underset{②}{\underline{b\times c}}$$

예
- 분배법칙을 이용하여 괄호 풀기 ➡ $6\times102=6\times(100+2)=6\times100+6\times2=600+12=612$
- 분배법칙을 이용하여 괄호 묶기 ➡ $13\times98+13\times2=13\times(98+2)=13\times100=1300$

주의 곱셈에 대한 덧셈의 분배법칙은 성립하지 않는다. ➡ $a+(b\times c)\neq(a+b)\times(a+c)$

참고 직사각형의 넓이를 이용하여 분배법칙이 성립함을 확인할 수 있다.

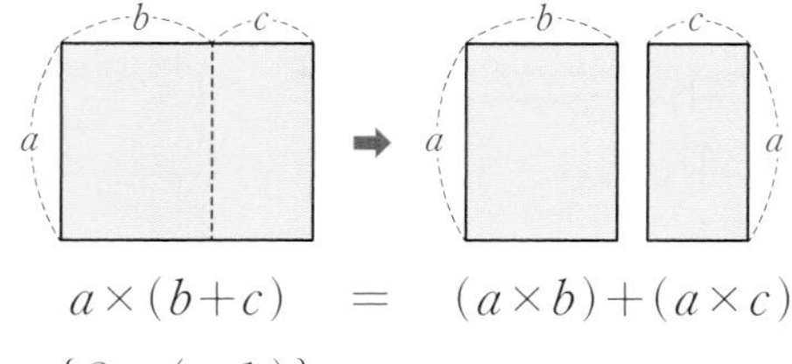

$a\times(b+c) \quad = \quad (a\times b)+(a\times c)$

예 $15\times\left\{\frac{2}{5}+\left(-\frac{1}{3}\right)\right\}$
$=15\times\frac{2}{5}+15\times\left(-\frac{1}{3}\right)$
$=6+(-5)$
$=1$

$11\times\left(-\frac{3}{4}\right)+11\times\left(-\frac{1}{4}\right)$
$=11\times\left\{\left(-\frac{3}{4}\right)+\left(-\frac{1}{4}\right)\right\}$
$=11\times(-1)$
$=-11$

174
☑8876-0155

다음은 분배법칙을 이용하여 계산하는 과정이다. □ 안에 알맞은 수를 써넣으시오.

(1) $20\times(100+4)=\square\times100+20\times\square$
$=\square+80$
$=\square$

(2) $24\times\left(-\frac{3}{25}\right)+26\times\left(-\frac{3}{25}\right)$
$=(24+\square)\times\left(-\frac{3}{25}\right)$
$=\square\times\left(-\frac{3}{25}\right)$
$=\square$

175

분배법칙을 이용하여 다음을 계산하시오.

(1) $15\times(100+5)$

(2) $9\times(-72)+9\times(-28)$

(3) $(-12)\times\left\{\frac{3}{4}+\left(-\frac{2}{3}\right)\right\}$

(4) $\left(-\frac{1}{4}\right)\times36+\frac{5}{4}\times36$

176
☑8876-0156

유리수 a, b, c에 대하여 $a\times b=13$, $a\times(b+c)=52$일 때, $a\times c$의 값을 구하시오.

유형 02-33 정수와 유리수의 나눗셈

(1) **수의 나눗셈** → 0을 0이 아닌 수로 나누면 그 몫은 항상 0이다.

① 부호가 같은 두 수의 나눗셈: 두 수의 절댓값의 나눗셈의 몫에 양의 부호 +를 붙인다.

$(+6)\div(+2)=+(6\div2)=+3$ (+: 양의 부호) $(-6)\div(-2)=+(6\div2)=+3$ (+: 양의 부호)

- $(+)\div(+)$ ➡ $(+)$
- $(-)\div(-)$ ➡ $(+)$
- $(+)\div(-)$ ➡ $(-)$
- $(-)\div(+)$ ➡ $(-)$

② 부호가 다른 두 수의 나눗셈: 두 수의 절댓값의 나눗셈의 몫에 음의 부호 −를 붙인다.

$(+6)\div(-2)=-(6\div2)=-3$ (−: 음의 부호) $(-6)\div(+2)=-(6\div2)=-3$ (−: 음의 부호)

③ $3\div0$과 같이 어떤 수를 0으로 나누는 경우는 생각하지 않는다.

(2) **역수를 이용한 수의 나눗셈**

① 역수: 두 수의 곱이 1이 될 때, 한 수를 다른 수의 역수라고 한다.

② 역수를 이용한 나눗셈: 나누는 수를 역수로 바꾸어 곱으로 고쳐서 계산한다.

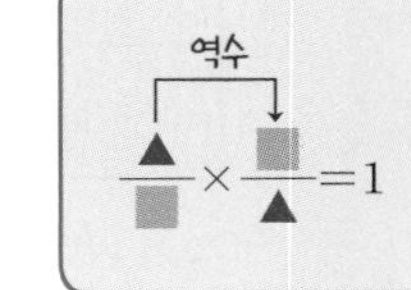

예 $(+3)\div\left(+\frac{3}{4}\right)=(+3)\times\left(+\frac{4}{3}\right)=+4$ ➡ ● ÷ ■/▲ = ● × ▲/■

역수를 구할 때, 부호를 바꾸지 않도록 주의한다. 0의 역수는 없다.

참고 역수를 구하는 방법

① 정수는 분모를 1로 고쳐서 역수를 구한다. ➡ $-4=-\frac{4}{1}$ ⇨ -4의 역수: $-\frac{1}{4}$

② 대분수는 가분수로 고쳐서 역수를 구한다. ➡ $1\frac{1}{3}=\frac{4}{3}$ ⇨ $1\frac{1}{3}$의 역수: $\frac{3}{4}$

③ 소수는 기약분수로 고쳐서 역수를 구한다. ➡ $1.5=\frac{15}{10}=\frac{3}{2}$ ⇨ 1.5의 역수: $\frac{2}{3}$

177

다음 ○ 안에는 +, − 중 알맞은 부호를, □ 안에는 알맞은 수를 써넣으시오.

(1) $(+15)\div(+5)=$○$(15\div$□$)=$○□

(2) $(-48)\div(-6)=$○$(48\div$□$)=$○□

(3) $(+56)\div(-8)=$○$(56\div$□$)=$○□

(4) $(-18)\div(+2)=$○$(18\div$□$)=$○□

178

다음을 계산하시오.

(1) $(-16)\div(-4)$ (2) $(-45)\div(+5)$

(3) $0\div(-7)$ (4) $(+4.8)\div(-6)$

179

다음 수의 역수를 구하시오.

(1) $\frac{1}{6}$ (2) -3

(3) $1\frac{2}{5}$ (4) -1.5

180

다음을 계산하시오.

(1) $(-6)\div\left(+\frac{3}{2}\right)$ (2) $\left(-\frac{5}{12}\right)\div\left(-\frac{5}{3}\right)$

(3) $\frac{8}{9}\div\left(-\frac{4}{3}\right)$ (4) $(-1.2)\div\left(+\frac{2}{5}\right)$

유형 02-34 곱셈과 나눗셈의 혼합 계산

① 거듭제곱이 있으면 거듭제곱을 먼저 계산한다.
② 나눗셈은 역수를 이용하여 곱셈으로 바꾼다.
③ 부호를 먼저 결정한다. 이때 음수의 개수 ⇨ 짝수 개면 ➡ $+$, 홀수 개면 ➡ $-$
④ 절댓값의 곱에 ③에서 결정된 부호를 붙인다.

예 $(+3)\div\left(-\frac{2}{5}\right)\times(-2)=(+3)\times\left(-\frac{5}{2}\right)\times(-2)=+\left(3\times\frac{5}{2}\times2\right)=+15$

예 • $\left(-\frac{3}{4}\right)\div\left(-\frac{3}{7}\right)\times\frac{4}{5}$
$=\left(-\frac{3}{4}\right)\times\left(-\frac{7}{3}\right)\times\frac{4}{5}$
$=+\left(\frac{3}{4}\times\frac{7}{3}\times\frac{4}{5}\right)=\frac{7}{5}$

• $\frac{3}{10}\div(-3)\times(-2)^2$
$=\frac{3}{10}\div(-3)\times4=\frac{3}{10}\times\left(-\frac{1}{3}\right)\times4$
$=-\left(\frac{3}{10}\times\frac{1}{3}\times4\right)=-\frac{2}{5}$

주의 나눗셈에서는 교환법칙과 결합법칙이 성립하지 않는다.

181

다음을 계산하시오.

(1) $(-4)\times\frac{1}{3}\div(-2)$

(2) $\left(+\frac{2}{3}\right)\div\left(-\frac{4}{15}\right)\times\left(+\frac{4}{5}\right)$

(3) $\left(-\frac{3}{4}\right)\div(-15)\times\left(+\frac{5}{2}\right)$

(4) $\left(-\frac{3}{4}\right)\div\left(-\frac{5}{4}\right)^2\times\frac{5}{6}$

182

$\left(-\frac{11}{16}\right)\times\left(-\frac{2}{5}\right)^2\div\left(-\frac{11}{25}\right)$을 계산하면?

① $-\frac{5}{2}$　② -1　③ $-\frac{1}{4}$
④ $\frac{1}{4}$　⑤ $\frac{3}{4}$

183

☑8876-0157

다음 중 계산 결과가 옳지 않은 것은?

① $(+4)\div(-12)\times(-18)=+6$
② $(-3)\times(+11)\div(+33)=-1$
③ $\left(+\frac{1}{2}\right)^4\div(+9)\times(-7)=-\frac{7}{144}$
④ $\left(-\frac{15}{8}\right)\times(-54)\div(+3)^3=+\frac{15}{8}$
⑤ $\left(-\frac{10}{9}\right)\div\left(+\frac{11}{12}\right)\times\left(-\frac{33}{100}\right)=+\frac{2}{5}$

184

☑8876-0158

$A=(-2)^5\times\left(-\frac{1}{6}\right)^2\div\frac{2}{9}$,

$B=\left(-\frac{3}{2}\right)^2\div\left(-\frac{9}{5}\right)\times\left(-\frac{2}{5}\right)^2$일 때, $A\div B$의 값을 구하시오.

02 정수와 유리수

유형 02-35 덧셈, 뺄셈, 곱셈, 나눗셈의 혼합 계산

① 거듭제곱이 있으면 거듭제곱을 먼저 계산한다.
② 괄호가 있으면 괄호 안을 먼저 계산한다.
이때 (소괄호) ➡ {중괄호} ➡ [대괄호]의 순서로 계산한다.
③ 곱셈과 나눗셈을 계산한다.
④ 덧셈과 뺄셈을 계산한다.

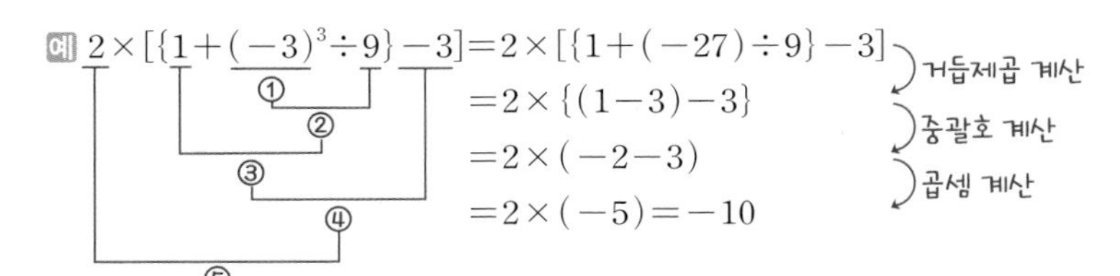

복잡한 식의 계산 순서

거듭제곱
⇩
괄호 ( ) → { } → [ ]
⇩
곱셈, 나눗셈
⇩
덧셈, 뺄셈

185

다음 계산 과정에서 □ 안에 알맞은 수를 써넣으시오.

$$2\times\left[\frac{1}{2}-\left\{\frac{4}{5}\div\left(-\frac{2}{15}\right)\right\}+1\right]-12$$
$$=2\times\left[\frac{1}{2}-\left\{\frac{4}{5}\times\left(\square\right)\right\}+1\right]-12$$
$$=2\times\left\{\frac{1}{2}-(\square)+1\right\}-12$$
$$=2\times\square-12$$
$$=\square-12=\square$$

186

☑8876-0159

다음 식에 대하여 물음에 답하시오.

$$(-2)\times\left\{(-2)^3\div\frac{2}{3}+\frac{7}{2}\right\}-\frac{3}{2}$$

↑ ㉠ ↑ ㉡ ↑ ㉢ ↑ ㉣ ↑ ㉤

(1) 계산 순서를 차례대로 나열하시오.

(2) 주어진 식을 계산하시오.

187

다음을 계산하시오.

(1) $\left(-\frac{1}{4}\right)^2\times 8-4\div\frac{4}{5}$

(2) $\frac{5}{2}-\left\{(-3)\times\left(-\frac{1}{2}\right)^2+\frac{1}{4}\right\}$

(3) $20-\left[\{3+(-7)\}\div\frac{3}{2}-(-2)^2\right]\times 6$

188

☑8876-0160

$A=3-\left[\frac{1}{3}-12\times\left\{\frac{1}{2}-\left(-\frac{1}{2}\right)^2\right\}\right]$일 때, A보다 작은 자연수는 모두 몇 개인지 구하시오.

03

문자와 식

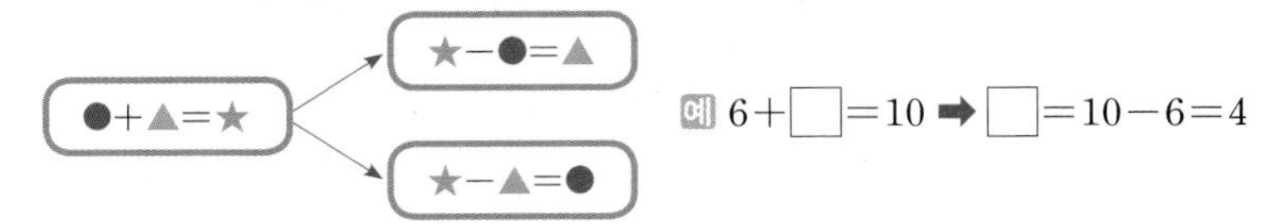

(1) 덧셈과 뺄셈의 관계 이용하여 □의 값 구하기

●+▲=★ → ★−●=▲, ★−▲=●

예 6+□=10 ➡ □=10−6=4

(2) 곱셈과 나눗셈의 관계 이용하여 □의 값 구하기

① 곱셈식을 나눗셈식으로 바꾸기

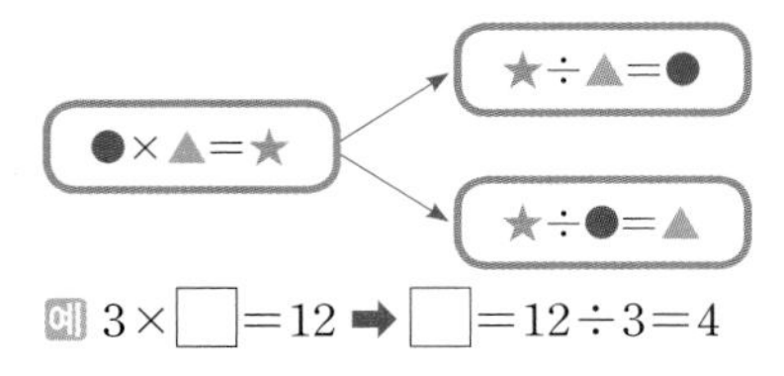

예 3×□=12 ➡ □=12÷3=4

② 나눗셈식을 곱셈식으로 바꾸기

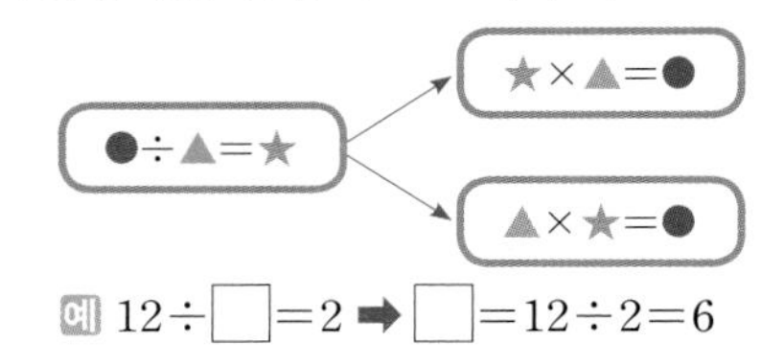

예 12÷□=2 ➡ □=12÷2=6

001

15, 17, 32가 각각 적혀 있는 수 카드 3장을 사용하여 덧셈식과 뺄셈식을 만드시오.

15	17	32

(1) 덧셈식: ______________

(2) 뺄셈식: ______________

002

☑8876-0161

어떤 수에서 37을 빼었더니 24가 되었다. 어떤 수를 □로 하여 식을 만들고 어떤 수를 구하시오.

식: ______________

답: ______________

003

☑8876-0162

체육관에 학생들이 46명이 있는데 몇 명이 더 들어와서 모두 62명이 되었다. 더 들어온 학생을 □명이라 하여 식을 만들고 답을 구하시오.

식: ______________

답: ______________

004

☑8876-0163

어떤 자연수를 8로 나누어야 할 것을 잘못하여 곱하였더니 96이 되었다. 다음 물음에 답하시오.

(1) 어떤 자연수를 □로 하여 식을 만들고 어떤 수를 구하시오.

(2) 바르게 계산하면 얼마인지 구하시오.

005

☑8876-0164

다음 그림의 삼각형의 넓이가 $\frac{9}{4}$ cm^2일 때, 물음에 답하시오.

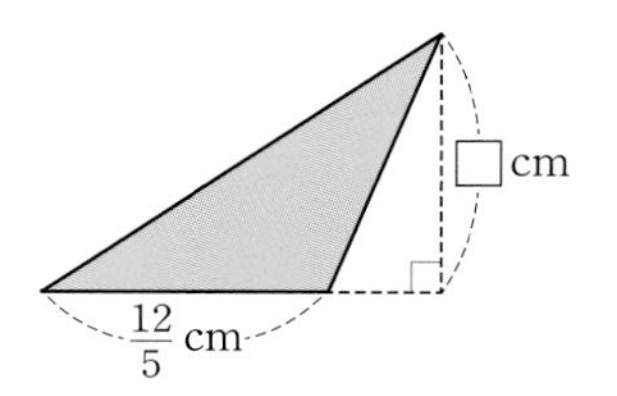

(1) 높이를 □ cm라 하고 삼각형의 넓이를 구하는 식을 만드시오.

(2) 위 (1)에서 만든 식에서 높이 □의 값을 구하시오.

유형 03-2 문자의 사용

(1) 문자의 사용

① 문자를 사용하면 수량 사이의 관계를 식으로 간단하게 나타낼 수 있다.

② 문자를 사용한 식 세우기: 문제의 뜻을 파악하여 규칙을 찾아 규칙에 맞도록 식을 세운다.

예 한 개에 700원인 사과를 1개, 2개, 3개, ⋯ 살 때 필요한 금액은 각각
사과 1개를 사면 (700×1)원,
사과 2개를 사면 (700×2)원,
사과 3개를 사면 (700×3)원, ⋯

사과의 개수	1	2	3	⋯	x
금액(원)	700×1	700×2	700×3	⋯	$700\times x$

사과 x개를 살 때 필요한 금액은 $(700\times x)$원이다.
→ 수를 대신하여 문자를 사용할 때에는 주로 알파벳 소문자 $a, b, c, \cdots, x, y, z$를 사용한다.

(2) 문자를 사용한 식에서 자주 쓰이는 수량 사이의 관계

① (거스름돈)=(지불한 금액)−(물건의 가격) ② $a\ \%=\frac{a}{100}$ ③ (속력)$=\frac{(거리)}{(시간)}$

006

다음을 문자를 사용한 식으로 나타내시오.

> 1000원 짜리 초콜릿 a개를 사고 15000원을 냈을 때의 거스름돈

007

☑8876-0165

문자를 사용한 식으로 바르게 나타낸 것은?

① 학생 수 a명의 30 %는 $(0.03\times a)$명이다.
② 어떤 수 x에 10을 더해 5를 곱한 수는 $x+10\times5$이다.
③ 시속 x km로 자동차가 y시간 간 거리는 $\frac{y}{x}$ km이다.
④ 한 모서리의 길이가 x cm인 정육면체의 겉넓이는 $(12\times x)$ cm^{2}이다.
⑤ 백의 자리의 숫자가 a, 십의 자리의 숫자가 b, 일의 자리의 숫자가 8인 세 자리의 자연수는 $100\times a+10\times b+8$이다.

008

☑8876-0166

다음을 문자를 사용한 식으로 바르게 나타낸 것은?

> 2권에 a원인 노트 2권과 6자루에 b원인 연필 1자루의 가격

① $(a+b)$원 ② $(2\times a+6\times b)$원
③ $\left(a+\frac{b}{6}\right)$원 ④ $\left(\frac{a}{2}+b\right)$원
⑤ $\left(\frac{a}{2}+\frac{b}{6}\right)$원

009

☑8876-0167

오른쪽 그림과 같은 사다리꼴의 넓이를 문자를 사용한 식으로 나타내시오.

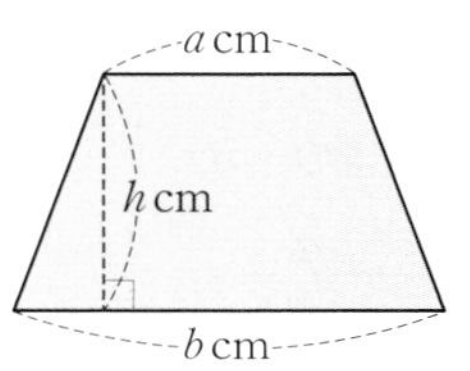

유형 03-3 곱셈과 나눗셈 기호의 생략

(1) 곱셈 기호의 생략

① (수)×(문자): 곱셈 기호 ×를 생략하고 수를 문자 앞에 쓴다. 예 $a\times(-2)=-2a$

② 같은 문자의 곱: 지수를 사용하여 거듭제곱으로 나타낸다. 예 $x\times y\times x=x^2y$

③ 1 또는 -1과 문자의 곱셈에서 1은 생략한다. 예 $1\times a=a$, $(-1)\times a=-a$

④ 괄호가 있는 식과 수의 곱: 곱셈 기호 ×를 생략하고, 수를 괄호 앞에 쓴다. 예 $(a+b)\times(-3)=-3(a+b)$

주의 0.1과 0.01 등과 같은 소수와 문자의 곱에서는 1을 생략하지 않는다. 예 $0.1\,a=0.1a$

(2) 나눗셈 기호의 생략

나눗셈 기호 ÷를 생략할 때에는 분수 꼴로 나타낸다. 이때 나눗셈은 역수를 이용하여 곱셈으로 바꾼 다음 곱셈 기호 ×를 생략할 수 있다.

예 $a\div b=a\times\frac{1}{b}=\frac{a}{b}$ (단, $b\neq0$)

010

다음 식을 곱셈 기호를 생략하여 나타내시오.

(1) $a\times(-4)$

(2) $y\times3\times9\times x$

(3) $x\times(-0.1)\times y\times x$

(4) $(a-b)\times8-c\times2$

011

☑8876-0168

다음 식을 나눗셈 기호를 생략하여 바르게 나타낸 것은?

$$a\div(-3b)-5\div x$$

① $3ab+5x$

② $-3ab-5x$

③ $\frac{a}{15bx}$

④ $-\frac{a}{3b}-\frac{5}{x}$

⑤ $-\frac{3b}{a}-\frac{x}{5}$

012

☑8876-0169

다음 중 옳지 않은 것은?

① $a\times2\times b\times b\times3=6ab^2$

② $(a-b)\times2\times c-0.1\times x=2(a-b)c-0.1x$

③ $(-a)\div(b\div c)=-\frac{a}{bc}$

④ $(a+b)\div c\times\left(-\frac{1}{2}\right)=-\frac{a+b}{2c}$

⑤ $(a-3)\div b+(c-3)\times2=\frac{a-3}{b}+2(c-3)$

013

☑8876-0170

다음을 곱셈 또는 나눗셈 기호를 생략한 식으로 나타내시오.

처음에는 시속 x km로 4 km를 달리다가 시속 y km로 3 km로 달렸을 때 총 걸린 시간

유형 03-4 대입과 식의 값

(1) **식의 값**

① 대입: 문자가 포함된 식에서 문자 대신에 수나 다른 문자 또는 식을 넣는 것

② 식의 값: 문자가 포함된 식에서 문자 대신에 주어진 수를 대입하여 얻은 값

③ 식의 값의 활용: 문자를 사용한 식에서 특정한 값을 구할 때 어떤 문자에 어떤 값을 대입해야 하는 지를 먼저 파악한다.

(2) **식의 값을 구하는 방법**

① 문자에 수를 대입할 때는 생략한 곱셈, 나눗셈 기호를 다시 쓴다.

② 문자에 주어진 수를 대입하여 식을 계산한다.

예 $a=-2$일 때, $6a-3$의 값은 $6\times(-2)-3=-12-3=-15$

→ 문자에 음수를 대입할 때는 반드시 괄호를 사용한다.

014

다음 식의 값을 구하시오.

(1) $a=2$, $b=-3$일 때, $2a-b$

(2) $p=4$, $q=-5$일 때, $\frac{2}{p}+\frac{1}{q}$

015

☑8876-0171

$x=-2$일 때, 식의 값이 나머지 넷과 다른 하나는?

① $-x$　② $5x+12$　③ x^2-6

④ $-x^2+6$　⑤ $\frac{4}{x}+4$

016

☑8876-0172

$\frac{1}{a}=-\frac{1}{2}$, $\frac{1}{b}=-3$, $\frac{1}{c}=\frac{1}{4}$일 때, $a-b+2c$의 값을 구하시오.

017

☑8876-0173

화씨온도 x °F를 섭씨온도로 나타내면 $\frac{5}{9}(x-32)$ °C이다. 화씨온도 50 °F는 섭씨온도로 몇 도인가?

① 10 °C　② 12 °C　③ 14 °C

④ 16 °C　⑤ 18 °C

018

☑8876-0174

오른쪽 그림은 밑변의 길이가 a cm, 높이가 h cm인 평행사변형이다. 물음에 답하시오.

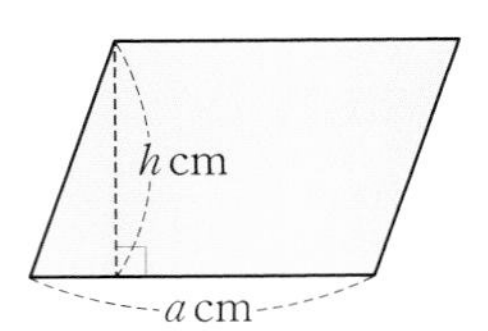

(1) 평행사변형의 넓이를 문자 a, h를 사용하여 나타내시오.

(2) $a=6$, $h=2$일 때, 평행사변형의 넓이를 구하시오.

유형 03-5 다항식과 일차식

(1) 다항식

① 항: 수 또는 문자의 곱으로만 이루어진 식

② 상수항: 수로만 이루어진 항

③ 계수: 수와 문자의 곱으로 이루어진 항에서 문자에 곱해진 수

④ 다항식: 1개 또는 2개 이상의 항의 합으로 이루어진 식

예 $3x$, $2x-5$, $a+9b-4$

⑤ 단항식: 다항식 중에서 1개의 항으로만 이루어진 식 예 $8a$, $-\frac{2}{3}x$, $4ab^2$

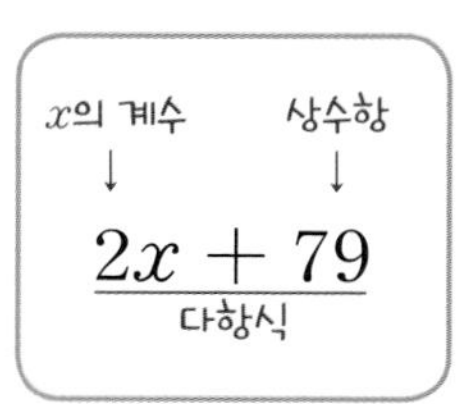

(2) 일차식

① 차수: 항에서 문자가 곱해진 개수

② 다항식의 차수: 다항식에서 차수가 가장 큰 항의 차수

③ 일차식: 차수가 1인 다항식

예 $2x-5$는 일차식이지만 x^2-5는 일차식이 아니다.

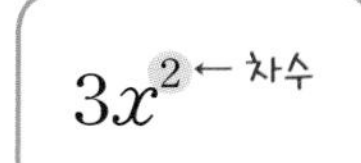

019

다항식 $5x-y+7$에 대하여 다음을 구하시오.

(1) 항

(2) x의 계수

(3) y의 계수

(4) 상수항

020

☑8876-0175

다음 중 단항식인 것을 모두 고르면? (정답 2개)

① $-7y$　② $2x-3$

③ $3x+5y$　④ $8x^2-1$

⑤ $4x^2y$

021

☑8876-0176

다음 중 옳은 것은?

① $x-3y$의 항은 1개이다.

② $2x+5y-4$는 단항식이다.

③ $3x+9$의 상수항은 $3x$이다.

④ $5x-7$에서 x의 계수와 상수항의 합은 -2이다.

⑤ $2x+3y-6$에서 문자의 계수의 합은 1이다.

022

☑8876-0177

다음 보기 중 일차식을 모두 고르시오.

보기

ㄱ. $2x-3$　ㄴ. $-\frac{x}{2}+4$　ㄷ. $3+a$

ㄹ. $3x^2+2x$　ㅁ. $\frac{2}{a}+5$　ㅂ. $-0.2x+0.2$

유형 03-6 일차식과 수의 곱셈, 나눗셈

(1) 단항식과 수의 곱셈, 나눗셈

① (단항식)×(수), (수)×(단항식): 수끼리 곱하여 수를 문자 앞에 쓴다.

예 $6\times 3x=(6\times 3)\times x=18x$

② (단항식)÷(수): 나누는 수의 역수를 단항식에 곱한다.

예 $8a\div 2=8\times a\times \frac{1}{2}=\left(8\times \frac{1}{2}\right)\times a=4a$

③ ×, ÷가 섞인 단항식의 계산: 나눗셈을 곱셈으로 바꾸어서 계산한다.
괄호가 있는 단항식의 계산: 괄호를 먼저 풀고 계산한다.

(2) 일차식과 수의 곱셈, 나눗셈

① (일차식)×(수), (수)×(일차식): 분배법칙을 이용하여 일차식의 각 항에 수를 곱한다.

예 $5(2x-1)=5\times 2x-5\times 1=10x-5$

② (일차식)÷(수): 나누는 수를 역수의 곱셈으로 바꾸어 분배법칙을 이용하여 일차식의 각 항에 곱한다.

023

다음 식을 간단히 하시오.

(1) $2\times(-3x)$

(2) $(-18a)\times\frac{5}{6}$

(3) $\left(-\frac{10}{3}y\right)\times\left(-\frac{3}{25}\right)$

024

☑8876-0178

다음 식을 간단히 하시오.

$3xy^3\times(-6x^2y)\div(9x^3y^2)$

025

☑8876-0179

$(3x-2)\times(-4)$를 간단히 한 식에서 x의 계수와 상수항의 합을 구하시오.

026

☑8876-0180

다음 중 식을 간단히 한 결과가 $-3(2x+1)$과 같은 것은?

① $(3x-6)\div(-2)$ ② $(2x-1)\times 3$

③ $3(1-2x)$ ④ $\left(-x-\frac{1}{2}\right)\div\frac{1}{6}$

⑤ $(-2x+1)\div\frac{1}{6}$

027

☑8876-0181

$24-9\left(\frac{4}{3}x-\frac{8}{9}\right)=ax+b$일 때, $a+b$의 값을 구하시오.

(단, a, b는 상수)

028

☑8876-0182

오른쪽 그림과 같이 높이가 $\frac{5}{3}$인 직각삼각형의 넓이가 $30a+25$일 때, 밑변의 길이 □를 구하시오.

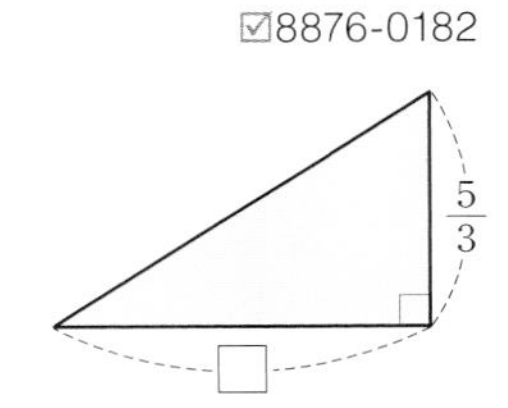

유형 03-7 동류항

(1) **동류항:** 문자와 차수가 각각 같은 항

① $3a$와 $-2a$, x^2과 $\frac{1}{2}x^2$은 동류항이다.

② 상수항은 상수항끼리 동류항이다.

③ 동류항끼리는 덧셈, 뺄셈이 가능하다.

(2) **동류항의 덧셈과 뺄셈:** 동류항끼리 모은 후 분배법칙을 이용하여 계산한다.

→ $2x$와 $-3x$는 동류항이고, 상수항 -7과 5도 동류항이다.

예 $2x-7-3x+5=2x-3x-7+5$
$=(2-3)x+(-7+5)$ ← 괄호 묶기(분배법칙)
$=-x-2$

029

☑8876-0183

다음 중 동류항끼리 바르게 짝지어진 것은?

① x, x^2
② a, $2b$
③ -2, $-2y$
④ $\frac{2}{x}$, x
⑤ $3x$, $-5x$

030

☑8876-0184

다음 중 $3a$와 같은 것을 모두 고르면? (정답 2개)

① $a\times a\times a$
② $3+a$
③ $a\div\frac{1}{3}$
④ a^3
⑤ $a+a+a$

031

다음 식을 간단히 하시오.

(1) $-3x+7x$

(2) $-5y-y$

(3) $a-\frac{1}{3}a$

(4) $\frac{7}{3}b-\frac{1}{2}b$

032

☑8876-0185

다음 중 옳지 않은 것은?

① $3x-5x=-2x$
② $4+7x=11x$
③ $-2a+3a+7=a+7$
④ $y+\frac{y}{3}=\frac{4}{3}y$
⑤ $x+2+3x-9=4x-7$

033

☑8876-0186

다음 식을 간단히 하시오.

(1) $7x-3-5x+8$

(2) $4a+4-7-a$

(3) $-x+9-x-1$

(4) $5b+9-11b-3$

(5) $6y-\frac{1}{3}+2y+\frac{1}{2}$

(6) $13x-4-11x+7$

유형 03-8 일차식의 덧셈과 뺄셈

① 괄호가 있으면 분배법칙을 이용하여 괄호를 푼다.
② 동류항끼리 모아서 계산한다.

예 $(2x-1)-(x+5)$ — 분배법칙 이용하여 괄호 풀기
$=2x-1-x-5$ — 동류항끼리 모으기
$=2x-x-1-5$
$=(2-1)x+(-1-5)$
$=x-6$

참고 괄호 앞에 $-$가 있으면 괄호 안의 부호를 모두 바꾼다.
$A-(B-C)=A-B+C$

034

다음 식을 간단히 하시오.

(1) $5x+2y-3x-9y$

(2) $(-3a-6)+(2a+1)$

(3) $\frac{1}{3}(12x-6)-2(3x+1)$

(4) $2(2b-3)+3(b+1)$

035 ☑8876-0187

$\frac{1}{2}(4x+6)-\frac{1}{3}(-9x+12)$를 간단히 하였을 때, x의 계수와 상수항의 합을 구하시오.

036 ☑8876-0188

어떤 다항식에 $-3x+2$를 더했더니 $4x+5$가 되었을 때, 어떤 다항식은?

① $x+7$ ② $7x+3$ ③ $7x-3$
④ $-7x+7$ ⑤ $x-3$

037 ☑8876-0189

$10x-3y-4x+6y-(2x-5y)$를 간단히 하였더니 $Ax+By$가 되었다. $A+B$의 값을 구하시오.
(단, A, B는 상수)

038 ☑8876-0190

다음 표에서 가로, 세로, 대각선에 놓인 세 다항식의 합이 모두 같을 때, A를 구하시오.

		$3x+5$
A	$2x-1$	㉠
$x-7$		$-2x-3$

039 ☑8876-0191

다음 그림과 같은 직사각형에서 색칠한 삼각형의 넓이를 y에 대한 식으로 나타내시오.

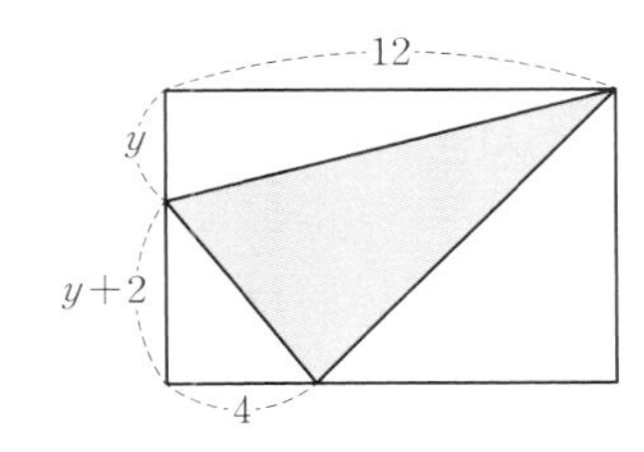

유형 03-9 복잡한 일차식의 덧셈과 뺄셈

(1) 괄호는 ( ) ⇨ { } ⇨ [ ] 순으로 푼다. 이때 괄호 앞의 부호에 주의한다.

예 $2x-[3x+1-\{2-(x-5)\}]$
$=2x-\{3x+1-(2-x+5)\}$
$=2x-\{3x+1-(7-x)\}$
$=2x-(3x+1-7+x)$
$=2x-(4x-6)$
$=2x-4x+6=-2x+6$

(2) 분수 꼴인 일차식의 계산은 분모의 최소공배수로 통분하여 간단히 한다.

예 $\frac{x+3}{2}-\frac{x-2}{3}=\frac{3(x+3)-2(x-2)}{6}$
$=\frac{3x+9-2x+4}{6}$
$=\frac{x+13}{6}$

040

$2x-5+\frac{1}{2}(4x-6)-3$을 간단히 하면?

① $4x-14$ ② $4x-11$ ③ $4x-5$
④ $6x-14$ ⑤ $6x-11$

041

☑8876-0192

$3x-2[x+2\{-x+2(x-1)\}]=ax+b$일 때, $a+b$의 값은? (단, a, b는 상수)

① -8 ② -5 ③ 3
④ 5 ⑤ 8

042

다음 식을 간단히 하시오.

$$\frac{3x+4}{2}-\frac{2x-1}{3}$$

043

☑8876-0193

$\frac{x-2}{4}-\frac{x-4}{3}-\frac{3}{2}=ax+b$일 때, $a-b$의 값은?

(단, a, b는 상수)

① $-\frac{2}{3}$ ② $-\frac{5}{12}$ ③ $-\frac{1}{4}$
④ $\frac{1}{2}$ ⑤ $\frac{7}{12}$

044

☑8876-0194

x에 대한 어떤 일차식에서 $\frac{x+1}{2}$을 빼야 할 것을 잘못하여 더했더니 $\frac{2x-1}{3}$이 되었다. 이때 바르게 계산한 식을 구하시오.

045

☑8876-0195

$\frac{1}{3}(2x-9)-\frac{3}{4}\{3x-2-5(-x+2)\}$를 간단히 하였을 때, 일차항의 계수와 상수항의 곱을 구하시오.

04

일차방정식

유형 04-1 비례식

(1) **비례식**

① 비 3 : 5에서 3과 5를 비의 항이라 하고 기호 : 앞에 있는 3을 전항, 뒤에 있는 5를 후항이라고 한다.

→ 비교하는 양을 기준량으로 나눈 값, (비율)$=\frac{\text{(비교하는 양)}}{\text{(기준량)}}$

② 비율이 같은 두 비를 등호를 사용하여 나타낸 식, 바깥쪽에 있는 두 항을 외항, 안쪽에 있는 두 항을 내항이라고 한다.

(2) **비례식의 성질:** 비례식에서 외항의 곱과 내항의 곱은 같다.

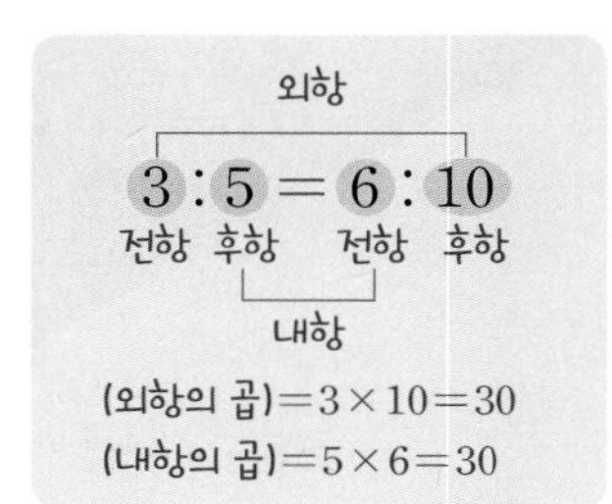

001

□ 안에 알맞은 수를 써넣고 비례식이면 ○, 비례식이 아니면 ×표 하시오.

(1) $8\times6=\square$
$8:3=16:6$ ( )
$3\times16=\square$

(2) $7\times5=\square$
$7:2=21:5$ ( )
$2\times21=\square$

002

☑8876-0196

비례식에서 $x\times y$의 값을 구하시오.

$x:9=15:y$

003

비례식의 성질을 이용하여 □ 안에 알맞은 수를 써넣으시오.

(1) $4:5=\square:20$

(2) $\frac{1}{3}:\frac{1}{2}=2:\square$

004

☑8876-0197

직사각형 모양의 널빤지가 있다. 널빤지의 가로와 세로의 길이의 비가 3 : 2일 때, 가로의 길이가 12 cm이면 세로의 길이는 몇 cm인지 구하시오.

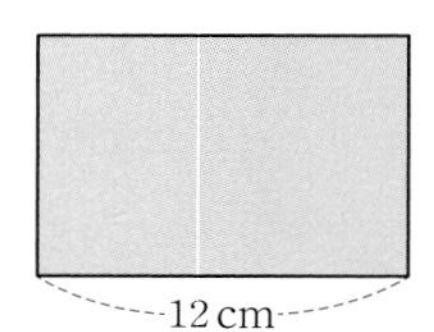

005

☑8876-0198

맞물려 돌아가는 두 톱니바퀴가 있다. 톱니바퀴 A가 7바퀴 도는 동안 톱니바퀴 B가 4바퀴 돈다. 톱니바퀴 A가 28바퀴 도는 동안 톱니바퀴 B가 몇 바퀴를 도는지 구하시오.

006

☑8876-0199

밀가루 40 g으로 똑같은 모양의 쿠키를 9개 만들 수 있다. 밀가루 240 g으로 똑같은 모양의 쿠키를 몇 개 만들 수 있는지 구하시오.

유형 04-2 비율

(1) **비율**

비교하는 양을 기준량으로 나눈 값을 비의 값 또는 비율이라고 한다.

$$(\text{비율})=(\text{비교하는 양})\div(\text{기준량})=\frac{(\text{비교하는 양})}{(\text{기준량})}$$

예 비 3 : 5 (3 → 비교하는 양, 5 → 기준량) $(\text{비율})=\frac{3}{5}=0.6$ → 비율은 분수 또는 소수로 나타낼 수 있다.

(2) **실생활에서 비율이 사용되는 경우**

① 속력: 단위 시간에 간 평균 거리 → 1시간, 1분, 1초 동안에 가는 평균 거리를 각각 시속, 분속, 초속이라고 한다.

(속력)=(간 거리)÷(걸린 시간)

(속력 → 비율, 간 거리 → 비교하는 양, 걸린 시간 → 기준량)

② (할인율)=(할인 가격)÷(정가)

③ (타율)=(안타 수)÷(전체 타수)

④ (승률)=(이긴 경기 수)÷(전체 경기 수)

⑤ (연비)=(주행 거리)÷(단위 연료)

007

비교하는 양과 기준량을 찾아 써 보고 비율을 구하시오.

비	비교하는 양	기준량	비율(분수)
13 : 25			
7과 12의 비			

008

샌드위치 수에 대한 우유 수의 비율을 분수와 소수로 각각 나타내시오.

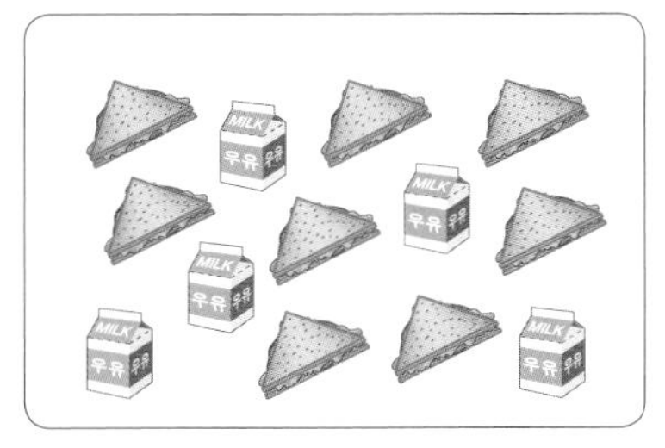

분수: ________

소수: ________

009

☑8876-0200

㉮ 자동차는 178 km를 달리는 데 2시간 걸렸다. ㉯ 자동차는 358 km를 달리는 데 4시간 걸렸다. 어느 자동차의 속력이 더 빠른지 구하시오.

010

☑8876-0201

연호와 재윤이는 야구 선수이다. 연호는 40타수 중에서 안타를 24개 쳤고, 재윤이는 20타수 중에서 안타를 11개 쳤다. 누구의 타율이 더 높은지 구하시오.

011

☑8876-0202

두 사람의 대화이다. A 가게와 B 가게 중 어느 가게의 신발 할인율이 더 높은지 구하시오.

> 수진: A 가게에서 신발 가격을 35 % 할인한대~
>
> 용훈: B 가게에서 신발 가격의 $\frac{8}{25}$만큼을 할인한다고 했어.

012

☑8876-0203

연비는 자동차의 단위 연료(1 L)당 주행 거리(km)의 비율이다. 흰색 자동차와 검은색 자동차 중 연비가 더 높은 자동차는 어느 자동차인지 구하시오.

자동차의 종류	흰색 자동차	검은색 자동차
연료(L)	40	25
주행 거리(km)	480	350

유형 04-3 등식

(1) **등식 :** 등호(=)를 사용하여 두 수나 식이 같음을 나타낸 식

예 등식 ➡ $2x+3=8$, $3x+x=4x$

등식이 아닌 경우 ➡ $2x+3$(다항식), $\frac{5}{2}x+7>2x-3$(부등호를 사용한 식)

└→ 등호를 사용하지 않거나 등호 대신 부등호를 사용한 식은 등식이 아니다.

(2) **좌변:** 등식의 왼쪽 부분

(3) **우변:** 등식의 오른쪽 부분

(4) **양변:** 좌변과 우변

$2x+3=8$
좌변 우변
└→양변←┘

013

다음에서 등식인 것은 ○표, 아닌 것은 ×표를 ( ) 안에 쓰시오.

(1) $2x-3=0$ ( )

(2) $3x+5$ ( )

(3) $5x-2<1$ ( )

(4) $3+4=7$ ( )

(5) $3x+x=4x$ ( )

(6) $2(x-1)=2x-2$ ( )

014

다음 등식에서 좌변과 우변을 각각 쓰시오.

(1) $5+7=12$

(2) $5x-2=9$

(3) $7x=x-18$

(4) $3x-2=x-10$

(5) $4x+7=11$

(6) $2(x+1)+3=5x$

015

☑8876-0204

다음을 등식으로 나타내시오.

(1) x에서 7을 빼면 -3과 같다.

(2) x에 3을 뺀 것의 2배는 10과 같다.

(3) 2에 x의 3배를 더한 것은 x에서 1을 뺀 것과 같다.

016

☑8876-0205

다음 중 문장을 등식으로 나타낸 것으로 옳지 <u>않은</u> 것은?

① 500원짜리 과자 3봉지와 700원짜리 음료수 x병을 샀을 때의 금액은 3600원이다.
⇨ $500\times3+700x=3600$

② 한 변의 길이가 x cm인 정삼각형의 둘레의 길이는 21 cm이다. ⇨ $3x=21$

③ 시속 x km로 2시간 간 거리는 120 km이다.
⇨ $2x=120$

④ 100개의 사탕을 7개의 봉지에 x개씩 나누어 담았더니 5개가 남았다. ⇨ $5x+7=100$

⑤ 가로의 길이가 12 cm, 세로의 길이가 x cm인 직사각형의 넓이는 180 cm^{2}이다. ⇨ $12x=180$

유형 04-4 방정식과 항등식

(1) **방정식:** 미지수의 값에 따라 참이 되기도 하고, 거짓이 되기도 하는 등식

예 $2x+5=9$는 $x=2$일 때 $2\times2+5=9$이다.
따라서 $2x+5=9$는 $x=2$일 때 참이다.

(2) **항등식:** 미지수에 어떤 값을 대입하여도 항상 참이 되는 등식

➡ 항등식을 찾을 때에는 좌변과 우변을 각각 간단히 하여 (좌변)=(우변)인지 확인한다.

예 $3x+4x=7x$ ➡ (좌변)=(우변)이므로 항등식이다.
↳ x에 어떤 값을 대입하여도 항상 참이 된다.

(3) **항등식이 되는 조건:** $ax+b=cx+d$가 x에 대한 항등식이면 ➡ $a=c$, $b=d$

예 $ax+b=8x-11$이 x에 대한 항등식일 때, $a=8$, $b=-11$

017

등식 $3x-1=5$에 대하여 다음 표의 빈칸에 알맞은 것을 써넣고, 방정식인지 항등식인지 말하시오.

x의 값	좌변	우변	참/거짓
0	$3\times0-1=-1$	5	거짓
1		5	
2		5	
3		5	

018

☑8876-0206

다음 보기 중 항등식을 모두 고르시오.

보기
ㄱ. $2x+1=3$
ㄴ. $4x+x=5x$
ㄷ. $x-5<2$
ㄹ. $3(x+1)=3x+3$
ㅁ. $-4x+3=-5$
ㅂ. $0.2x+0.3=\frac{2x+3}{10}$

019

☑8876-0207

다음 중 항등식이 아닌 것은?

① $3x-x=2x$
② $2(x-3)=2x-6$
③ $x-1=1-x$
④ $3x+5=5x+5-2x$
⑤ $4x+3=(x+1)+(3x+2)$

020

☑8876-0208

등식 $a(x+1)+2=3x+b$가 x의 값에 관계없이 항상 참일 때, 상수 a, b에 대하여 $a+b$의 값을 구하시오.

021

☑8876-0209

등식 $ax+6=5x-2b$가 x에 대한 항등식일 때, 상수 a, b에 대하여 ab의 값은?

① -15 ② -5 ③ 5
④ 10 ⑤ 15

유형 04-5 방정식의 해

① 미지수: 방정식에 있는 x, y 등의 문자

② 방정식의 해(근): 방정식을 참이 되게 하는 미지수의 값

예 방정식 $3x=x+4$의 x에 0, 1, 2, 3을 각각 대입하면 다음과 같다.

↳ 방정식의 해인 것을 찾을 때는 주어진 방정식에 x의 값을 대입하여 참인 것을 찾는다.

x의 값	$3x$의 값	$x+4$의 값	참/거짓
0	$3\times0=0$	4	거짓
1	$3\times1=3$	5	거짓
2	$3\times2=6$	6	참
3	$3\times3=9$	7	거짓

$3x=x+4$가 참이 되게 하는 x의 값은 2이므로 $x=2$는 방정식 $3x=x+4$의 해 또는 근이다.

022

다음 표를 완성하고, 주어진 방정식의 해를 구하시오.

(1) $x+2=3$

x의 값	좌변의 값	우변의 값	참/거짓
0	$0+2=2$	3	거짓
1		3	
2		3	

(2) $3x+1=2x$

x의 값	좌변의 값	우변의 값	참/거짓
-1			
0			
1			

→ 해 ______________

023

다음 [ ] 안의 수가 주어진 방정식의 해이면 ○표, 해가 아니면 ×표를 ( ) 안에 쓰시오.

(1) $5x-1=9$ [2] ( )

(2) $-3x-4=2(x+1)$ [-2] ( )

024

☑8876-0210

다음 방정식 중 해가 $x=3$이 아닌 것은?

① $2x-1=5$ ② $5x-15=0$

③ $2(x-1)=-x+7$ ④ $-3x-5=4$

⑤ $5x=4(x+1)-1$

025

☑8876-0211

다음 중 [ ] 안의 수가 주어진 방정식의 해가 아닌 것은?

① $3x=x+6$ [3] ② $5x+1=2$ $\left[\frac{1}{5}\right]$

③ $x-1=4x+2$ [-1] ④ $\frac{1}{3}x=8+x$ [-12]

⑤ $5x=4(x+1)+2$ [2]

유형 04-6 등식의 성질

$a=b$이면 ① $a+c=b+c$ ➡ 등식의 양변에 같은 수를 더하여도 등식은 성립한다.

② $a-c=b-c$ ➡ 등식의 양변에서 같은 수를 빼어도 등식은 성립한다.

③ $ac=bc$ ➡ 등식의 양변에 같은 수를 곱하여도 등식은 성립한다.

④ $\frac{a}{c}=\frac{b}{c}$ (단, $c\neq0$) ➡ 등식의 양변을 0이 아닌 같은 수로 나누어도 등식은 성립한다.

예 $2x-3=5$ $\xrightarrow[\text{등식의 성질 ①}]{\text{양변에 3을 더한다.}}$ $2x=8$ $\xrightarrow[\text{등식의 성질 ④}]{\text{양변을 2로 나눈다.}}$ $x=4$

주의 '$ac=bc$이면 $a=b$이다.'는 거짓이다. 예 $2\times0=3\times0$이지만 $2\neq3$이다.

026

$a=b$일 때, 다음 □ 안에 알맞은 수를 써넣으시오.

(1) $a+5=b+\square$ (2) $a-7=b-\square$

(3) $a\times9=b\times\square$ (4) $\frac{a}{2}=\frac{b}{\square}$

027

☑8876-0212

오른쪽은 등식의 성질을 이용하여 방정식을 푸는 과정이다. (가), (나)에 이용한 등식의 성질을 보기에서 찾아 차례로 나열하시오.

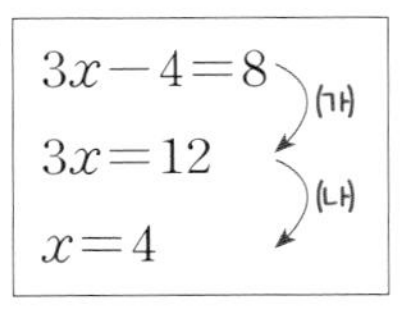

보기

$a=b$이고, c는 자연수일 때

ㄱ. $a+c=b+c$ ㄴ. $a-c=b-c$

ㄷ. $ac=bc$ ㄹ. $\frac{a}{c}=\frac{b}{c}$

028

다음 중 옳은 것은 ○표, 옳지 않은 것은 ×표를 쓰시오.

(1) $a+4=b-4$이면 $a=b$이다. ( )

(2) $\frac{a}{2}=\frac{b}{3}$이면 $2a=3b$이다. ( )

(3) $ac=bc$이면 $a=b$이다. ( )

029

☑8876-0213

다음 중 옳은 것을 모두 고르면? (정답 2개)

① $8a=4b$이면 $2a=b$이다.

② $\frac{a}{6}=\frac{b}{12}$이면 $a=2b$이다.

③ $3a=b$이면 $3(a+1)=b+1$이다.

④ $\frac{a}{5}=b$이면 $5a=10b$이다.

⑤ $3-2a=3-2b$이면 $a=b$이다.

030

☑8876-0214

$2a=b$일 때, 다음 중 옳지 않은 것은?

① $a=\frac{b}{2}$

② $a-3=\frac{b}{2}-3$

③ $-8a+1=-4b+1$

④ $6a+2=3b+2$

⑤ $2(a-1)=b-1$

유형 04-7 이항과 일차방정식

(1) **이항:** 등식의 성질을 이용하여 등식의 한 변에 있는 항을 그 항의 부호를 바꾸어 다른 변으로 옮기는 것

예 $x+4=7 \Rightarrow x=7-4$ (부호를 바꾸어 다른 변으로 옮김)

$+$■를 이항 → $-$■

$-$▲를 이항 → $+$▲

(2) **일차방정식:** 등식의 모든 항을 좌변으로 이항하여 정리한 식이 '(일차식)$=0$'의 꼴로 나타내어지는 방정식

즉, $ax+b=0\ (a\neq0)$이 x에 대한 일차방정식

예 $2x=x-3$

모든 항을 좌변으로 이항하기

$2x-x+3=0$

동류항끼리 정리하기

$x+3=0$

→ (일차식)$=0$의 꼴이므로 일차방정식이다.

031

다음은 밑줄 친 부분을 이항한 것이다. □ 안에 $+$, $-$ 중 알맞은 것을 쓰시오.

(1) $x\underline{-2}=8 \Rightarrow x=8\square2$

(2) $3x=\underline{2x}-5 \Rightarrow 3x\square2x=-5$

(3) $5x\underline{-3}=\underline{x}+2 \Rightarrow 5x\square x=2\square3$

032

☑8876-0215

다음 중 방정식 $7x-3=10$에서 좌변의 -3을 이항한 것과 같은 의미인 것은?

① 양변에서 3을 뺀다.

② 양변에 3을 더한다.

③ 양변에 3을 곱한다.

④ 양변에 -3을 더한다.

⑤ 양변을 -3으로 나눈다.

033

☑8876-0216

다음 중 이항을 바르게 하지 <u>않은</u> 것은?

① $x-2=3 \Rightarrow x=3+2$

② $3-3x=7 \Rightarrow -3x=7-3$

③ $2x-5=-3x \Rightarrow 2x+3x=5$

④ $-2x+5=-1-4x \Rightarrow -2x-4x=-1+5$

⑤ $2(x+1)=3 \Rightarrow 2x=3-2$

034

☑8876-0217

다음 보기 중 일차방정식은 모두 몇 개인가?

보기

ㄱ. $3x-2=1$

ㄴ. $3x-x=2x$

ㄷ. $2x+3=-2x-3$

ㄹ. $x^2-1=3x-1$

ㅁ. $x^2+2x=x^2-6$

ㅂ. $4x+7$

① 1개 ② 2개 ③ 3개 ④ 4개 ⑤ 5개

035

다음 중 일차방정식인 것은?

① $2(-x+3)=-2x+6$

② $3x+2-x=2x+2$

③ $5x+x=6x$

④ $x^2-5=x^2-3x$

⑤ $x-x^2=x-4$

유형 04-8 일차방정식의 풀이

① 괄호가 있으면 분배법칙을 이용하여 괄호를 먼저 푼다.
② 일차항은 좌변으로, 상수항은 우변으로 각각 이항하여 정리한다.
③ 양변을 x의 계수로 나누어 $x=$(수)의 꼴로 나타낸다.
④ 구한 해가 일차방정식을 참이 되게 하는지 확인한다.

(일차식)$=0$ —이항, 등식의 성질→ $x=$(수)
└→ 일차방정식

예 $2(x+1)=5x-7$
　↓ 괄호 풀기
$2x+2=5x-7$
　↓ 이항하기
$2x-5x=-7-2$
　↓ 정리하기
$-3x=-9$
　↓ $x=$(수)의 꼴로 나타내기
$\therefore x=3$

036

다음은 주어진 일차방정식의 풀이 과정이다. □ 안에 알맞은 수를 써넣으시오.

(1) $5x-7=3$

$5x-7=3$
　↓ □을(를) 이항하면
$5x=3+\square$
$5x=\square$
　↓ 양변을 □로(으로) 나누면
$\therefore x=\square$

(2) $9-2x=6x-7$

$9-2x=6x-7$
　↓ □, $6x$를 각각 이항하면
$-2x-\square x=-7-\square$
$\square x=\square$
　↓ 양변을 □로(으로) 나누면
$\therefore x=\square$

037

다음 일차방정식을 푸시오.

(1) $2x-27=-9-x$

(2) $15x-3=8x+4$

(3) $4(x-2)=9x-28$

(4) $5(3-x)=11-x$

038

☑8876-0218

일차방정식 $3(2x-3)=x+6$을 풀면?

① $x=-3$　② $x=-2$　③ $x=1$
④ $x=2$　⑤ $x=3$

039

☑8876-0219

다음 중 일차방정식의 해가 나머지 넷과 다른 하나는?

① $2x-3=x$　② $4x=18-2x$
③ $4x-2=10$　④ $7+5x=1+3x$
⑤ $5(x-1)-3x=1$

040

☑8876-0220

비례식 $5:2=5(x+2):(x+7)$을 만족하는 x의 값은?

① -6　② -2　③ 3
④ 5　⑤ 7

유형 04-9 계수가 소수, 분수인 일차방정식의 풀이

(1) **계수가 소수인 경우:** 양변에 10, 100, 1000, …을 곱하여 계수를 정수로 고친다.

예 $0.5x+1=0.3x$ (양변에 10을 곱하기)

$5x+10=3x$ (이항하기)

$5x-3x=-10$ (동류항 정리하기)

$2x=-10$ (양변을 x의 계수로 나누기)

$\therefore\ x=-5$

(2) **계수가 분수인 경우:** 양변에 분모의 최소공배수를 곱하여 계수를 정수로 고친다.

예 $\frac{1}{3}x-1=\frac{1}{4}x$ (양변에 12를 곱하기)

$4x-12=3x$ (이항하기)

$4x-3x=12$ (동류항 정리하기)

$\therefore\ x=12$

041

다음 □ 안에 알맞은 것을 써넣으시오.

(1) $1-0.4x=0.1x-0.5$ (양변에 □을(를) 곱하면)

$10-4x=x-5$ (□, x를 이항하면)

$-4x-x=-5-\square$

$-5x=\square$

$\therefore\ x=\square$

(2) $\frac{3x}{2}=\frac{x-5}{3}$ (양변에 □을(를) 곱하면)

$\square x=2(x-5)$ (괄호를 풀면)

$\square x=2x-\square$ (□를 이항하면)

$\square x=-\square$

$\therefore\ x=\square$

042

다음 일차방정식을 푸시오.

(1) $0.3x+0.9=1.8$

(2) $0.05x-0.1=0.2x+1.4$

(3) $\frac{1}{3}x+\frac{1}{2}=\frac{5}{2}$

(4) $\frac{2}{3}x-\frac{1}{3}=\frac{x+6}{6}$

043

☑8876-0221

일차방정식 $\frac{x+5}{8}=\frac{x}{6}-1$의 해는?

① $x=-39$ ② $x=-19$ ③ $x=19$
④ $x=29$ ⑤ $x=39$

044

☑8876-0222

일차방정식 $3-\frac{x+2}{4}=x$의 해가 $x=a$일 때, x에 대한 일차방정식 $2(x+a)-3=7$의 해를 구하시오.

045

☑8876-0223

다음 일차방정식을 푸시오.

$$0.2(x-1)=\frac{x-2}{4}$$

유형 04-10 일차방정식의 활용 (1)

(1) **일차방정식의 활용**

① 미지수 정하기 ⇩ ② 방정식 세우기 ⇩ ③ 방정식 풀기 ⇩ ④ 확인하기

예 어떤 수의 3배에 2를 뺀 값은 그 수의 2배와 같을 때, 어떤 수를 구해 보자.

풀이

① 구하려고 하는 어떤 수를 x라고 하면
➡ 어떤 수의 3배에 2를 뺀 값 : $3x-2$, 그 수의 2배 : $2x$

② 어떤 수의 3배에 2를 뺀 값은 그 수의 2배와 같으므로 방정식을 세우면 $3x-2=2x$

③ 방정식을 풀면 $3x-2=2x$, $x=2$

④ 어떤 수가 2이면 $3\times2-2=2\times2$이므로 문제의 뜻에 맞는다.

(2) **개수에 대한 문제**

물건 A, B를 합하여 □개 살 때, 산 물건 A의 개수를 x개라고 하면 산 물건 B의 개수는 ➡ (□$-x$)개

046

다음을 방정식으로 나타내고, x의 값을 구하시오.

(1) 어떤 수 x의 3배는 x에서 9를 뺀 것과 같다.

방정식: ________ x의 값: ________

(2) 10에서 어떤 수 x를 뺀 것은 x에 14를 더한 것과 같다.

방정식: ________ x의 값: ________

047

☑8876-0224

1개에 300원 하는 사탕과 1개에 700원 하는 과자를 합하여 10개를 사고 5800원을 지불하였다. 이때 사탕과 과자는 각각 몇 개씩 샀는지 구하시오.

048

☑8876-0225

다음은 고대 중국의 수학책인 "구장산술"에 있는 문제이다. 물음에 답하시오.

> 몇 사람이 공동으로 물건을 구입하려고 한다. 각자 8전씩 내면 3전이 남고, 7전씩 내면 4전이 부족하다고 한다. 사람 수와 물건값을 각각 구하시오.

049

☑8876-0226

이집트의 왕실 기록원인 아메스(Ahmes:?B.C.1680~?B.C.1620)가 풀잎으로 만든 종이인 린드 파피루스에 기록한 문제이다. 알지 못하는 값을 뜻하는 말인 '아하'를 구하시오.

> "아하와 아하의 $\frac{1}{7}$의 합이 19이다."

050

☑8876-0227

"그리스의 명시선집(Greek Anthology)"에는 고대 그리스의 수학자 디오판토스의 나이에 대한 기록이 있다. 이 기록에서 디오판토스가 사망한 나이를 구하시오.

> 보라! 신의 축복으로 태어난 그는 일생의 $\frac{1}{6}$을 소년으로 보냈다. 그리고 일생의 $\frac{1}{12}$이 지난 뒤에 얼굴에 수염이 자라기 시작했다. 다시 일생의 $\frac{1}{7}$이 지나서 결혼하여 결혼한 지 5년 만에 귀한 아들을 얻었도다. 아! 그러나 그의 가엾은 아들은 아버지의 일생의 반 밖에 살지 못했다. 아들을 먼저 보내고 깊은 슬픔에 빠진 그는 4년 뒤 일생을 마쳤노라.

유형 04-11 일차방정식의 활용 (2)

(1) **나이에 대한 문제:** (x년 후의 나이)$=$\{(현재의 나이)$+x$\}세

예 나이 차이가 3세인 언니와 동생의 나이의 합이 31세이다.

➡ 동생의 나이: x세, 언니의 나이: $(x+3)$세이고, 나이의 합이 31세이므로 $x+(x+3)=31$

(2) **도형에 대한 문제** ➡ 주어진 조건을 그림으로 나타낸 후 도형의 둘레의 길이 또는 넓이에 대한 공식을 이용하여 방정식을 세운다.

(3) **과부족에 대한 문제:** 물건을 나누어 주는 경우, 사람의 수를 x명으로 놓고 물건의 개수가 일정함을 이용하여 x에 대한 방정식을 세운다.

051
☑8876-0228

언니는 동생보다 3세 더 많고, 언니와 동생의 나이의 합은 27세이다. 언니의 나이는 몇 세인지 구하시오.

052
☑8876-0229

현재 연희의 나이는 15세, 연희의 아버지는 42세이다. 아버지의 나이가 연희의 나이의 2배가 되는 것은 몇 년 후인가?

① 9년 후 ② 10년 후 ③ 11년 후
④ 12년 후 ⑤ 13년 후

053
☑8876-0230

오른쪽 그림과 같은 윗변의 길이가 3 cm, 높이가 4 cm인 사다리꼴의 넓이가 30 cm^{2}일 때, 사다리꼴의 아랫변의 길이를 구하시오.

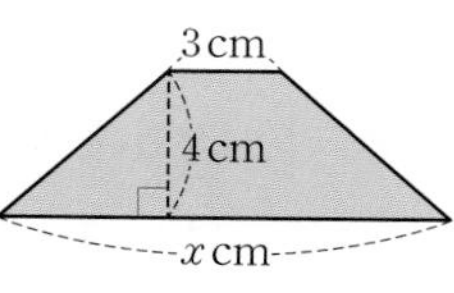

054
☑8876-0231

길이가 88 cm인 철사를 구부려 가로의 길이와 세로의 길이의 비가 3 : 1인 직사각형을 만들려고 한다. 이때 직사각형의 가로의 길이는?

① 9 cm ② 11 cm ③ 15 cm
④ 30 cm ⑤ 33 cm

055
☑8876-0232

학생들에게 볼펜을 나누어 주는데 5개씩 나누어 주면 12개가 남고, 7개씩 나누어 주면 4개가 부족할 때, 다음 물음에 답하시오.

(1) □ 안에 알맞은 것을 써넣으시오.

학생 수를 x명이라고 할 때,
5개씩 나누어 주면
12개가 남으므로
(볼펜의 개수)$=$□개
7개씩 나누어 주면
4개가 부족하므로
(볼펜의 개수)$=$□개

볼펜의 개수
5×(친구 수) 12개
7×(친구 수)
4개

(2) 볼펜의 개수가 일정함을 이용하여 방정식을 세우시오.

(3) 학생 수와 볼펜의 개수를 구하시오.

유형 04-12 일차방정식의 활용 (3)

(1) 연속하는 세 수에 대한 문제

① 연속하는 두 수

• 연속하는 두 자연수: x, $x+1$ • 연속하는 두 짝수(홀수): x, $x+2$

② 연속하는 세 자연수(정수): $x-2$, $x-1$, x 또는 $x-1$, x, $x+1$ 또는 x, $x+1$, $x+2$

예 연속하는 세 자연수의 합이 63일 때, 세 자연수 중 가장 작은 수를 구하시오.

연속하는 세 자연수: $x-1$, x, $x+1$ ➡ 방정식: $(x-1)+x+(x+1)=63$, $x=21$

➡ 세 자연수: $21-1=20$, 21, $21+1=22$

(2) 자리의 숫자에 대한 문제

① 십의 자리의 숫자가 x, 일의 자리의 숫자가 y인 두 자리의 자연수: $10x+y$

② 십의 자리의 숫자 x와 일의 자리의 숫자 y를 바꾼 두 자리의 자연수: $10y+x$

056

☑8876-0233

연속하는 두 짝수의 합이 34일 때, 두 짝수를 구하시오.

① 연속하는 두 짝수를 x, $x+2$라고 하자.
② 방정식을 세우면 $x+(\square)=34$
③ 방정식을 풀면 $x=\square$
따라서 연속하는 두 짝수는 $\square$, $\square$이다.
④ 연속하는 두 짝수를 합하면 $\square$이므로 문제의 뜻에 맞는다.

057

☑8876-0234

연속하는 세 자연수의 합이 72일 때, 세 자연수를 구하시오.

058

☑8876-0235

연속하는 세 홀수의 합이 177일 때, 세 홀수 중 가장 작은 수를 구하시오.

059

☑8876-0236

일의 자리의 숫자가 6인 두 자리의 자연수가 있다. 십의 자리의 숫자와 일의 자리의 숫자를 바꾸면 처음 수보다 36만큼 커진다고 할 때, 처음 수를 구하시오.

060

☑8876-0237

일의 자리의 숫자가 5인 두 자리의 자연수가 있다. 이 자연수는 각 자리의 숫자의 합의 5배와 같을 때, 이 자연수를 구하시오.

061

☑8876-0238

각 자리의 숫자의 합이 16인 두 자리의 자연수가 있다. 이 자연수의 십의 자리의 숫자는 일의 자리의 숫자보다 2만큼 크다고 할 때, 이 자연수를 구하시오.

유형 04-13 일차방정식의 활용 (4)

거리, 속력, 시간에 대한 문제는 다음 식을 이용한다. → 거리, 속력, 시간의 방정식을 세우기 전에 단위가 다르면 단위를 먼저 통일한다.

$(\text{거리})=(\text{속력})\times(\text{시간})$, $(\text{속력})=\dfrac{(\text{거리})}{(\text{시간})}$, $(\text{시간})=\dfrac{(\text{거리})}{(\text{속력})}$

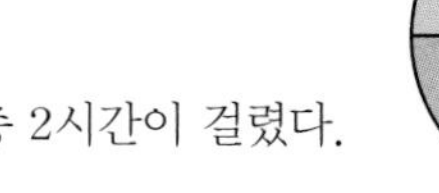

예 집에서 도서관까지 갈 때는 시속 2 km로 걷고, 올 때는 시속 3 km로 걸어서 총 2시간이 걸렸다. 집에서 도서관까지의 거리를 구해 보자.

① 미지수 정하기: 집에서 도서관까지의 거리를 x km라고 하면

➡ 갈 때 걸린 시간은 $\dfrac{x}{2}$시간, 갈 때 걸린 시간은 $\dfrac{x}{3}$시간

② 방정식 세우기: 왕복 2시간이 걸렸으므로 ➡ $\dfrac{x}{2}+\dfrac{x}{3}=2$

③ 방정식 풀기: $\dfrac{x}{2}+\dfrac{x}{3}=2$에서 $3x+2x=12$, $5x=12$, $x=2.4$

따라서 집에서 도서관까지의 거리는 2.4 km이다.

④ 확인하기: 갈 때 $\dfrac{2.4}{2}=1.2$(시간), 올 때 $\dfrac{2.4}{3}=0.8$(시간) ➡ 왕복 2시간

062

☑8876-0239

두 지점 A, B 사이를 왕복하는데 갈 때는 시속 6 km로, 올 때는 같은 길을 시속 4 km로 걸었더니 총 2시간 30분이 걸렸다. 이때 두 지점 A, B 사이의 거리를 구하시오.

(1) 미지수 정하기: A, B 사이의 거리를 x km라고 하면

	갈 때	올 때
속력	시속 6 km	시속 4 km
거리		
시간		

(2) 방정식 세우기

➡ ____________________

(3) 방정식 풀기: $x=\square$이므로 두 지점 A, B 사이의 거리는 $\square$ km이다.

(4) 확인하기: 갈 때 걸린 시간은 $\dfrac{\square}{6}=\square$(시간),

올 때 걸린 시간은 $\dfrac{\square}{4}=\dfrac{\square}{2}$(시간)

이므로 $\square+\dfrac{\square}{2}=\dfrac{\square}{2}$(시간)이 된다.

즉, 문제의 뜻에 맞는다.

063

☑8876-0240

집에서 도서관까지의 거리는 6 km이다. 자전거로 집에서 출발하여 시속 6 km로 가다가 늦을 것 같아 시속 10 km로 속력을 내어 도서관에 도착하였더니 44분이 걸렸다. 시속 10 km로 간 거리를 구하시오.

064

☑8876-0241

등산을 하는데 올라갈 때는 시속 2 km로 걷고, 내려올 때는 다른 길을 택하여 시속 3 km로 걸어서 7시간 20분이 걸렸다. 걸은 전체 거리가 16 km일 때, 올라간 거리는?

① 2 km ② 5 km ③ 6 km
④ 10 km ⑤ 12 km

05

좌표평면과 그래프

유형 05-1 꺾은선그래프

(1) **꺾은선그래프:** 연속적으로 변화하는 양을 점으로 찍고 그 점들을 선분으로 연결하여 나타낸 그래프

(2) **꺾은선그래프 그리기**

① 가로와 세로는 무엇으로 할지 정한다.

② 세로 눈금 한 칸의 크기를 정한다.

③ 가로 눈금과 세로 눈금이 만나는 자리에 점을 찍는다.

④ 점들을 선분으로 연결한다.

⑤ 꺾은선그래프의 제목을 쓴다.

교실의 온도

시각(시)	오전 11	낮 12	오후 1	오후 2	오후 3
온도(°C)	9	13	15	16	14

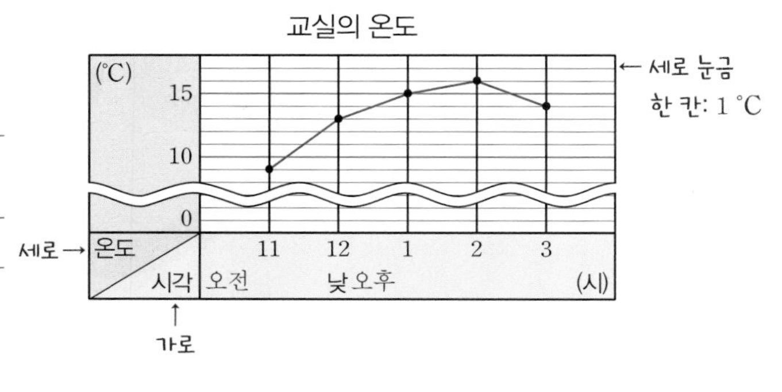

• 오후 1시의 온도는 15°C이다.

• 온도가 가장 높을 때는 오후 2시이다.

• 오후 2시까지 온도가 올라가다 다시 내려가므로 온도가 계속 내려갈 것으로 예상할 수 있다.

001

☑8876-0242

어느 도시의 교통사고 발생 건수를 조사하여 나타낸 꺾은선그래프이다. 물음에 답하시오.

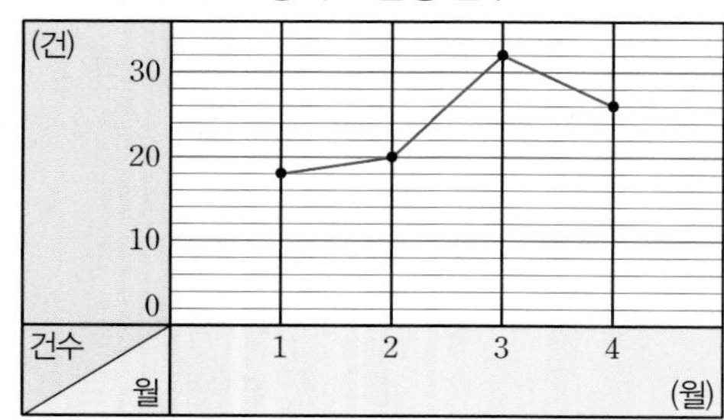

(1) 교통사고 발생 건수가 가장 많은 달은 가장 적은 달보다 몇 건 더 많은지 구하시오.

(2) 교통사고 발생 건수가 전달에 비해 줄어든 달을 구하시오.

002

☑8876-0243

어느 반의 1학기 동안 읽은 책의 수를 조사하여 물결선을 사용한 꺾은선그래프로 나타내려고 한다. 다음 그래프에 물결선을 그리시오.

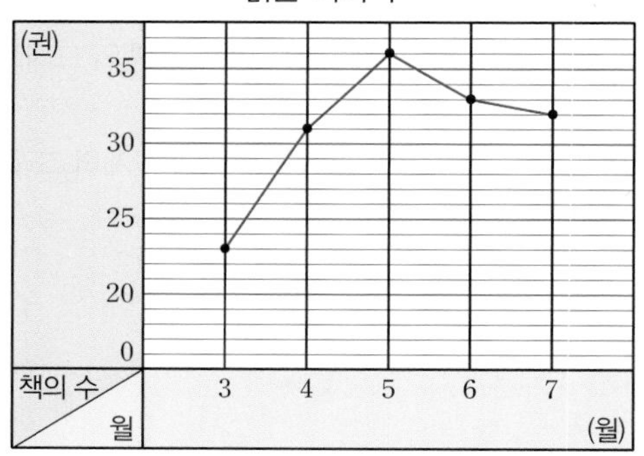

003

☑8876-0244

지은이네 반 교실의 온도를 조사하여 나타낸 꺾은선그래프이다. 그래프에 대한 설명으로 옳은 것을 고르시오.

교실의 온도

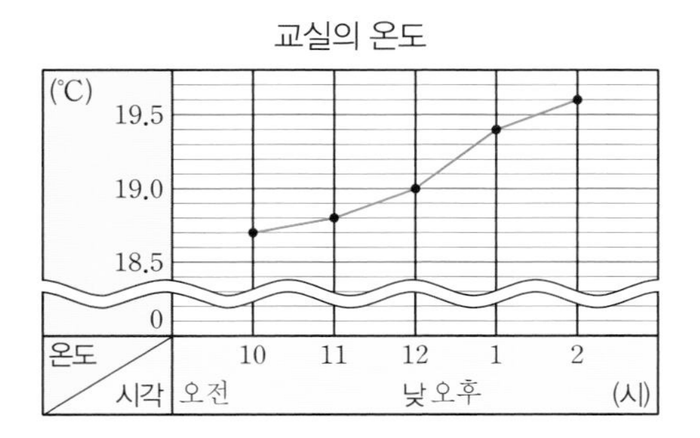

> ㄱ. 온도 변화가 가장 큰 때는 오후 1시와 오후 2시 사이이다.
> ㄴ. 오후 1시 30분의 온도는 약 19.5°C이다.
> ㄷ. 오전 11시와 오후 2시의 온도의 차는 6°C이다.

004

☑8876-0245

다음은 영수의 윗몸일으키기 기록을 조사하여 나타낸 꺾은선그래프이다. 물음에 답하시오.

윗몸일으키기 기록

(개) 40 30 0
기록 / 월: 5 6 7 8 9 10 (월)

(1) 세로의 작은 눈금 한 칸의 크기는 몇 개인지 구하시오.

(2) 기록이 가장 많이 좋아진 것은 몇 월과 몇 월 사이인지 구하시오.

005

☑8876-0246

어느 날 땅의 온도와 수영장의 물의 온도를 조사하여 나타낸 꺾은선그래프이다. 물음에 답하시오.

땅의 온도

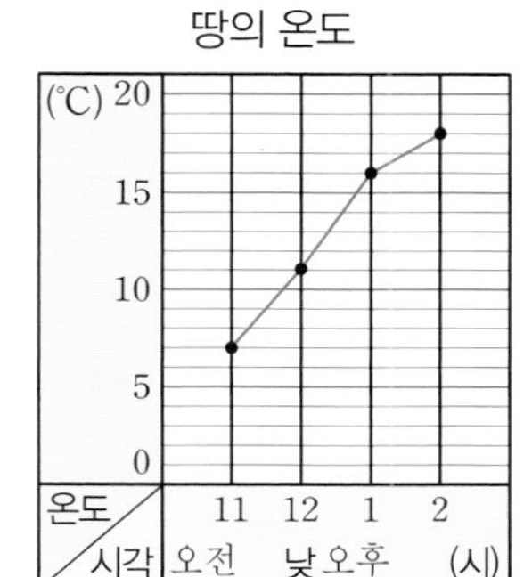

수영장 물의 온도

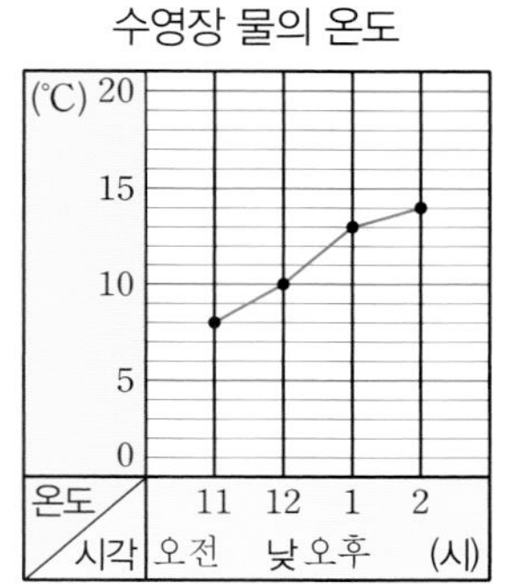

(1) 오후 2시에 땅과 수영장 물의 온도의 차는 몇 °C인지 구하시오.

(2) 오전 11시부터 오후 2시까지 땅과 수영장 물 중 온도의 변화가 더 큰 것을 구하시오.

006

☑8876-0247

승호가 자전거를 타고 움직인 거리를 10초마다 조사하여 나타낸 꺾은선그래프이다. 일정한 빠르기로 움직였다면 1분 동안 움직인 거리는 몇 m일 것이라고 예상할 수 있는지 구하시오.

자전거를 타고 움직인 거리

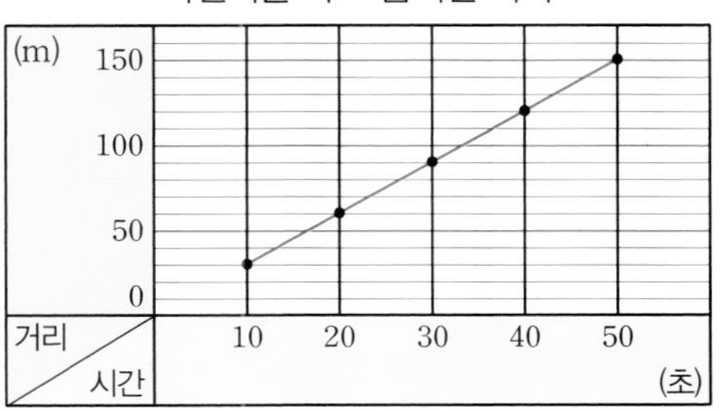

유형 05-2 규칙과 대응

대응: 서로 짝을 이루는 관계
└→ 두 수 사이의 대응 관계의 규칙을 찾아 식으로 나타낼 수 있다.

① 덧셈이나 뺄셈 규칙이 있는 대응 관계

의자의 수와 팔걸이의 수 사이의 대응 관계

의자의 수(개)	1	2	3	4	⋯
팔걸이의 수(개)	2	3	4	5	⋯

• 팔걸이의 수는 의자의 수보다 1 크다.
• 의자의 수를 ●, 팔걸이의 수를 ▲라고 하면 ●와 ▲ 사이의 대응 관계식은 ▲$=$●$+1$ (또는 ●$=$▲-1)이다.

② 곱셈이나 나눗셈 규칙이 있는 대응 관계

자동차 수와 바퀴 수 사이의 대응 관계

자동차 수(대)	1	2	3	4	⋯
자동차의 바퀴 수(개)	4	8	12	16	⋯

• 자동차 한 대의 바퀴 수는 자동차 수의 4배이다.
• 자동차 수를 ■, 자동차의 바퀴 수를 ◆라고 하면 ■와 ◆ 사이의 대응 관계식은 ◆$=4\times$■ (또는 ■$=$◆$\div4$)이다.

007
☑8876-0248

다음 표를 보고, x와 y 사이의 대응 관계를 식으로 나타내려고 한다. □ 안에 알맞은 수를 써넣으시오.

x	28	24	20	16	12	8	4
y	14	12	10	8	6	4	2

$$x\div\square=y$$
$$y\times\square=x$$

008
☑8876-0249

유진이의 나이는 13세이고 이모의 나이는 27세이다. 유진이의 나이를 x(세), 이모의 나이를 y(세)라고 할 때, 다음 물음에 답하시오.

(1) 표를 완성하시오.

유진이의 나이 x(세)	13	14	15	16	17
이모의 나이 y(세)	27				

(2) x와 y 사이의 대응 관계를 식으로 나타내시오.

009
☑8876-0250

육각형을 그리고 있다. 물음에 답하시오.

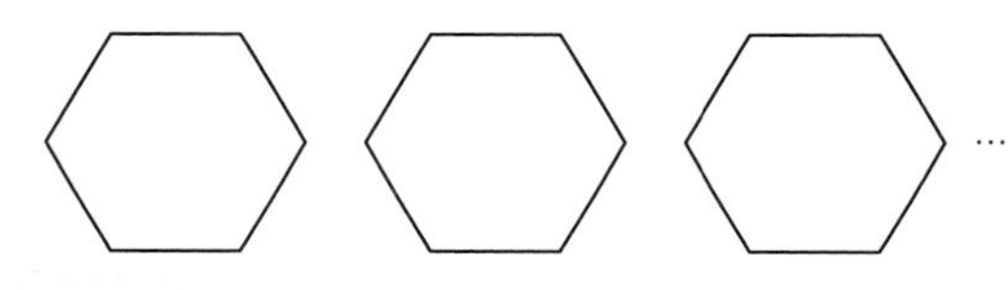

(1) 표를 완성하시오.

육각형의 수 x(개)	1	2	3	4	5
변의 수 y(개)	6	12			

(2) 육각형의 수 x와 변의 수 y 사이의 대응 관계를 식으로 나타내시오.

010
☑8876-0251

한 대에 3명이 탈 수 있는 놀이 기구가 있다. 놀이 기구의 수를 x(대), 탈 수 있는 사람 수를 y(명)라고 할 때, 표를 완성하고 x와 y 사이의 대응 관계를 식으로 나타내시오.

놀이 기구의 수 x(대)	1	2	3	4	5
탈 수 있는 사람 수 y(명)					

011

토끼풀의 수와 잎의 수 사이에는 어떤 대응 관계가 있는지 알아보려고 한다. 물음에 답하시오.

(1) 표를 완성하시오.

토끼풀의 수 x(개)	1	2	3	4	5
잎의 수 y(장)	3	6			

(2) x와 y 사이의 대응 관계를 식으로 나타내시오.

012

☑8876-0252

색 테이프를 다음과 같이 자르고 있다. 색 테이프를 자른 횟수와 색 테이프 도막의 수 사이의 대응 관계를 알아보려고 한다. 다음 물음에 답하시오.

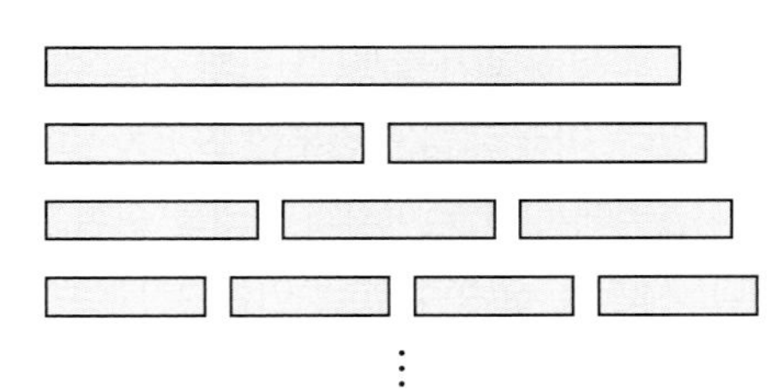

(1) 표를 완성하시오.

색 테이프를 자른 횟수(회)	1	2	3	4	5
색 테이프 도막의 수(개)	2	3			

(2) 색 테이프를 자른 횟수를 x(회), 색 테이프 도막의 수를 y(개)라고 할 때, x와 y 사이의 대응 관계를 식으로 나타내시오.

013

☑8876-0253

연도와 지우의 나이 사이의 대응 관계를 나타낸 표이다. 표를 완성하고 연도를 x(년), 지우의 나이를 y(세)라고 할 때, x와 y 사이의 대응 관계를 식으로 나타내시오.

연도(년)	2014	2015	2016	2017	2018
지우의 나이(세)	10	11			

014

☑8876-0254

다음과 같이 성냥개비로 정사각형을 만들었다. 정사각형이 10개일 때, 성냥개비의 개수를 구하시오.

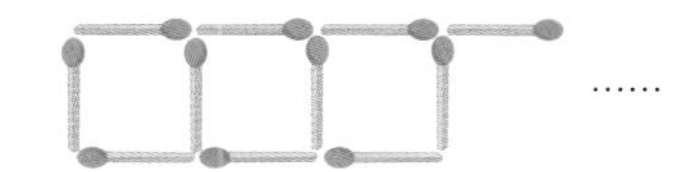

015

☑8876-0255

그림과 같이 한쪽에 의자를 2개씩 놓는 식탁이 있다. 식탁 7개를 한 줄로 이어 놓는다면 필요한 의자는 모두 몇 개인가?

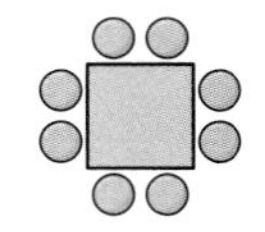 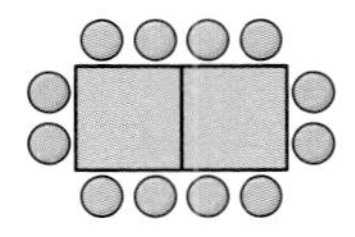 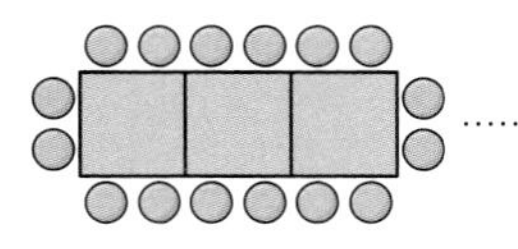

① 32개 ② 34개 ③ 36개
④ 38개 ⑤ 40개

유형 05-3 수직선 위의 점의 좌표

수직선 위의 점의 좌표: 수직선 위의 한 점에 대응하는 수를 그 점의 좌표라고 한다.
점 P의 좌표가 a일 때, 기호로 P(a)와 같이 나타낸다.

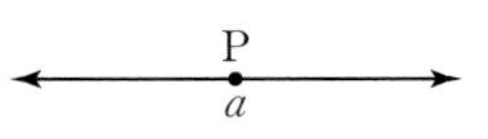

참고 수직선에서 좌표가 0인 점을 원점 O(0)이라 하고, 양수는 원점의 오른쪽에, 음수는 원점의 왼쪽에 나타낸다.

예 오른쪽 수직선에서 세 점 P, O, Q의 좌표는 각각 -3, 0, 2이다.
기호로 나타내면 P(-3), O(0), Q(2)이다.

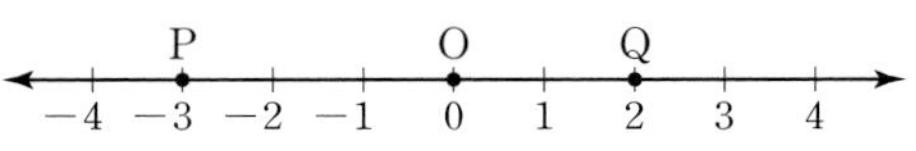

016

다음 수직선 위의 세 점 A(a), B(b), C(c)에 대하여 $a+b+c$의 값을 구하시오.

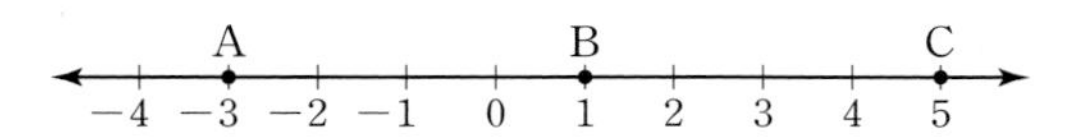

017

☑8876-0256

다음 수직선 위의 점의 좌표를 바르게 나타낸 것은?

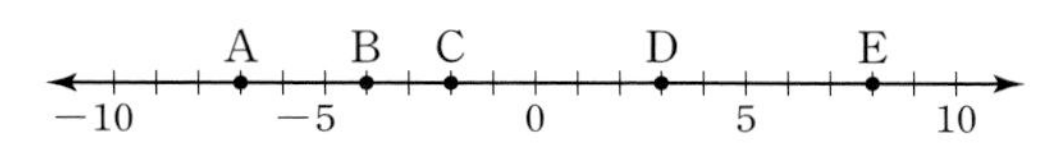

① A(7) ② B(4) ③ C(-2)
④ D(2) ⑤ E(-8)

018

☑8876-0257

다음 수직선 위의 세 점 P, Q, R의 좌표를 각각 기호로 나타내시오.

019

☑8876-0258

다음 점들을 수직선 위에 나타내시오.

A(4), B(2.5), C(1), D$\left(-\frac{7}{2}\right)$, E$(-3)$

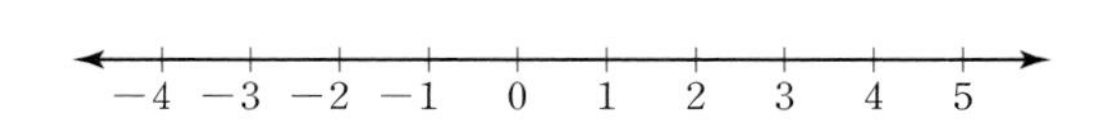

020

☑8876-0259

보영이는 부산 국제 영화제를 보기 위해 서울역에서 경부선 KTX를 탔다. 아래 그림은 경부선 KTX 열차 노선의 일부 역과 서울역에서 그 역까지의 거리를 수직선 위에 나타낸 것이다. 서울역, 광명역, 천안 아산역, 대전역, 동대구역, 부산역을 각각 점 A, B, C, O, D, E라 하자. 대전역과 천안 아산역의 위치를 각각 수직선의 0, -64에 대응시킬 때, 서울역과 부산역의 좌표를 나타내시오.

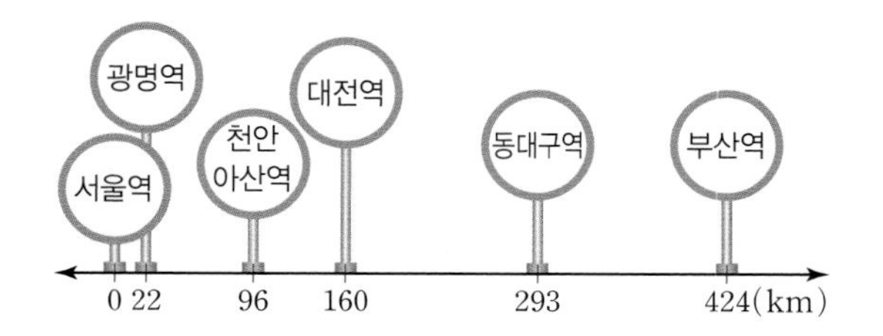

유형 05-4 좌표평면

(1) 좌표평면: 두 수직선을 점 O에서 서로 수직으로 만나게 그릴 때

① x축: 가로의 수직선, y축: 세로의 수직선

② 좌표축: x축과 y축

③ 좌표평면: 두 좌표축이 그려져 있는 평면

④ 원점: 두 좌표축이 만나는 점 O

(2) 좌표평면 위의 점의 좌표

① 순서쌍: 순서를 생각하여 (a, b)와 같이 짝지어 나타낸 것

→ 두 수의 순서를 생각한 것이므로 $(1, 4)$는 순서를 바꾼 $(4, 1)$과 서로 다르다.

② 좌표평면 위의 점의 좌표: 좌표평면 위의 점 P의 x좌표가 a이고, y좌표가 b일 때, 기호로 $\mathrm{P}(a, b)$와 같이 나타낸다.

참고 x축 위의 점의 좌표 $(a, 0)$, y축 위의 점의 좌표 $(0, b)$, 원점 $(0, 0)$

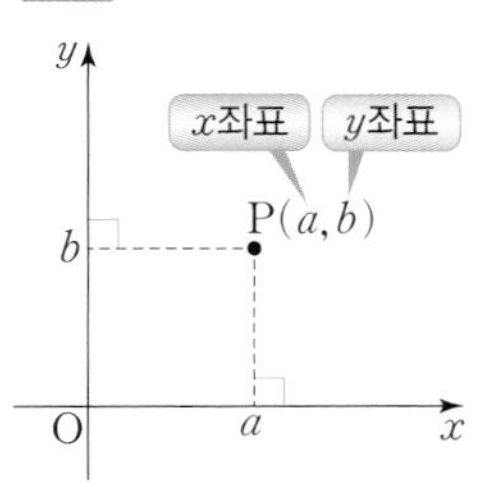

예

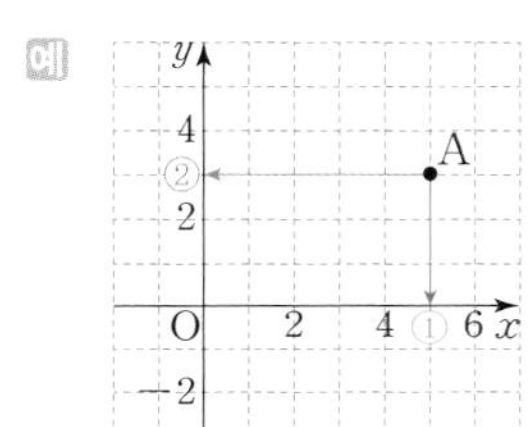

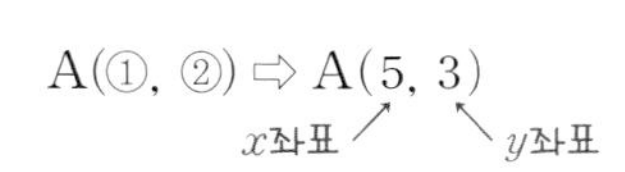

①의 좌표: $(5, 0)$

②의 좌표: $(0, 3)$

021

다음 중 좌표평면 위의 점의 좌표를 나타낸 것으로 옳지 않은 것은?

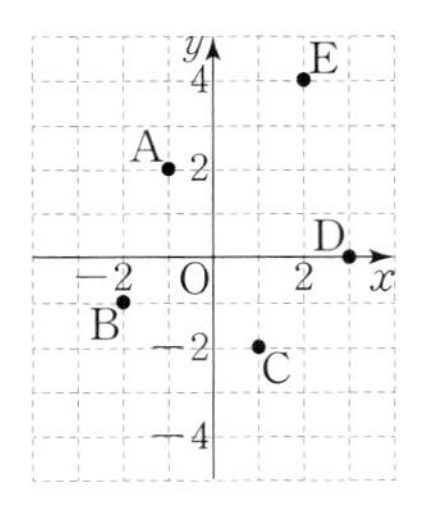

① $\mathrm{A}(-1, 2)$ ② $\mathrm{B}(-2, -1)$ ③ $\mathrm{C}(1, -2)$ ④ $\mathrm{D}(3, 0)$ ⑤ $\mathrm{E}(4, 2)$

022

☑8876-0260

다음 중 x축 위에 있고 x좌표가 -5인 점의 좌표는?

① $(-5, -5)$ ② $(0, -5)$ ③ $(-5, 0)$ ④ $(5, 0)$ ⑤ $(0, 5)$

023

☑8876-0261

다음 중 y축 위에 있는 점의 좌표는?

① $(-2, 4)$ ② $(0, -3)$ ③ $(1, 5)$ ④ $(2, -2)$ ⑤ $(-1, -5)$

024

☑8876-0262

다음 중 점의 좌표를 나타낸 것으로 옳지 않은 것을 모두 고르면? (정답 2개)

① x좌표가 4이고, y좌표가 7인 점 A: $\mathrm{A}(4, 7)$

② y좌표가 0이고, x좌표가 5인 점 B: $\mathrm{B}(0, 5)$

③ x좌표가 0이고, y좌표가 -3인 점 C: $\mathrm{C}(0, -3)$

④ x좌표가 -1이고, y좌표가 $\frac{1}{3}$인 점 D: $\mathrm{D}\left(\frac{1}{3}, -1\right)$

⑤ y축 위에 있고, y좌표가 5인 점 E: $\mathrm{E}(0, 5)$

유형 05-5 사분면

(1) **사분면:** 좌표평면은 좌표축에 의하여 네 부분으로 나누어지고, 이들을 각각 제1사분면, 제2사분면, 제3사분면, 제4사분면이라고 한다.

참고 좌표축 위의 점은 어느 사분면에도 속하지 않는다.

(2) **각 사분면 위의 점의 x좌표와 y좌표의 부호**

	x좌표의 부호	y좌표의 부호
제1사분면	+	+
제2사분면	−	+
제3사분면	+	−
제4사분면	−	−

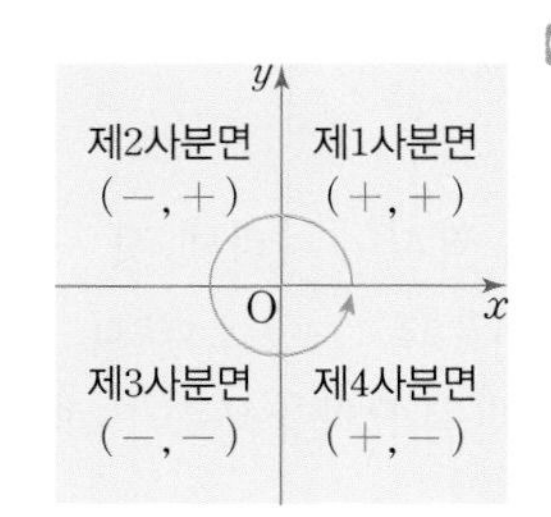

예

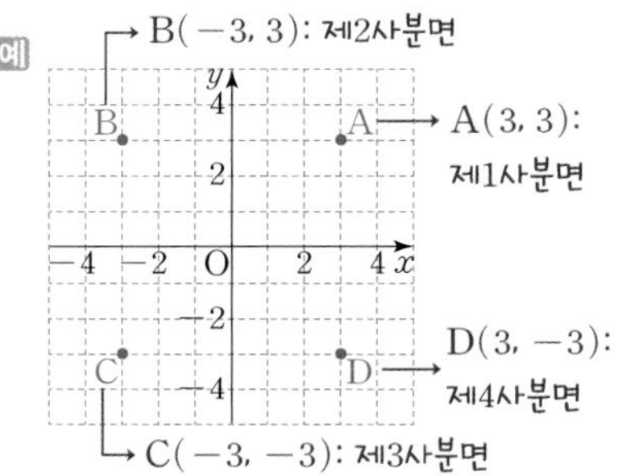

025

☑8876-0263

다음 중 옳지 않은 것은?

① 점 $(1, 0)$은 x축 위의 점이다.
② 점 $(-4, 5)$는 제4사분면 위의 점이다.
③ 점 (a, b)가 제3사분면 위의 점이면 $a<0$, $b<0$이다.
④ 원점의 좌표는 $(0, 0)$이다.
⑤ y축 위의 점의 x좌표는 0이다.

026

다음 점을 좌표평면 위에 나타내고, 제몇 사분면 위의 점인지 말하시오.

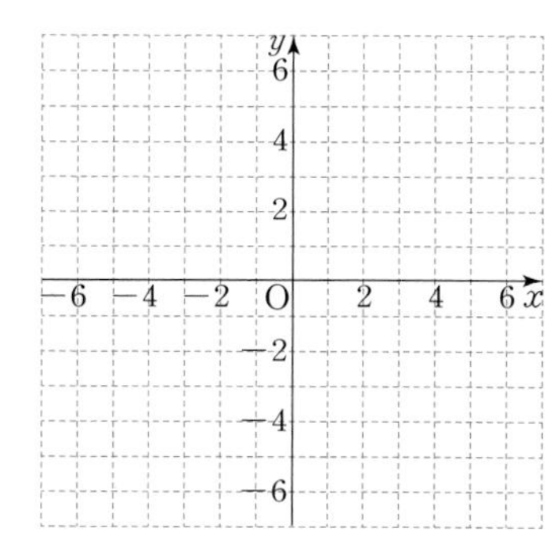

(1) $A(0, -3)$　(2) $B(1, -5)$

(3) $C(1, 2)$　(4) $D(-6, -5)$

(5) $E(1, 0)$　(6) $F(-4, 5)$

027

다음 점이 제몇 사분면 위에 있는지 연결하시오.

(1) $A(3, 5)$ •　• (가) 제1사분면
(2) $B(-1, 9)$ •　• (나) 제2사분면
(3) $C(2, 0)$ •　• (다) 제3사분면
(4) $D(11, -12)$ •　• (라) 제4사분면
(5) $E(-5, -3)$ •　• (마) 어느 사분면에도 속하지 않는다.

028

☑8876-0264

점 $A(-a, b)$가 제1사분면 위의 점일 때,
점 $B(a-b, b)$는 제몇 사분면 위의 점인지 구하시오.

유형 05-6 그래프의 이해

(1) **변수:** x, y와 같이 변하는 값을 나타내는 문자

(2) **그래프:** 두 변수 x와 y 사이의 관계를 만족시키는 순서쌍 (x, y)를 좌표평면 위에 나타낸 것

예 다음 표는 도윤이가 x일 후 읽은 책의 쪽수 y를 나타낸 것이다. 두 변수 x, y에 대한 그래프를 좌표평면 위에 그려 보자.

x	1	2	3	4	5
y	10	20	30	50	60

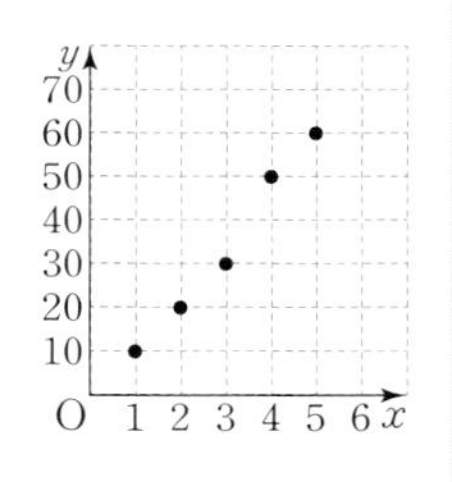

위의 표에서 두 변수 x, y의 순서쌍 (x, y)를 구하면 $(1, 10)$, $(2, 20)$, $(3, 30)$, $(4, 50)$, $(5, 60)$이므로 이것을 좌표로 하는 점을 좌표평면 위에 나타내면 오른쪽 그림과 같다.

참고 그래프는 점, 직선, 곡선 등으로 나타낼 수 있다.

(3) **그래프의 이해:** 두 양 사이의 관계를 좌표평면 위에 그래프로 나타내면 두 양의 변화 관계를 알 수 있다.

① 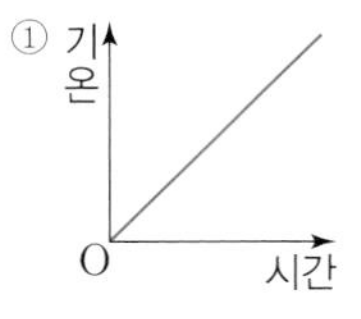

⇨ 시간에 따라 기온이 일정하게 높아졌다.

② 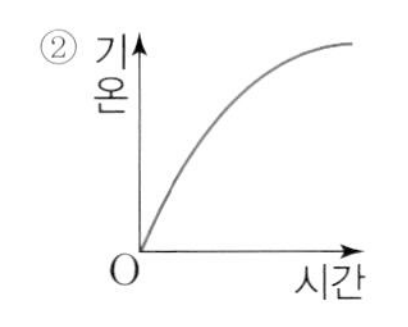

⇨ 시간에 따라 기온이 서서히 높아졌다.

③ 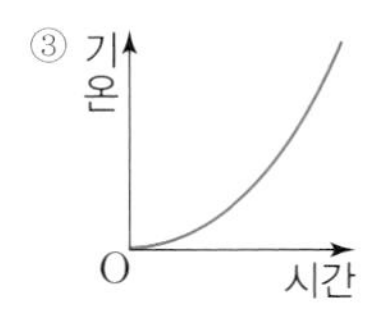

⇨ 시간에 따라 기온이 급격히 높아졌다.

④ 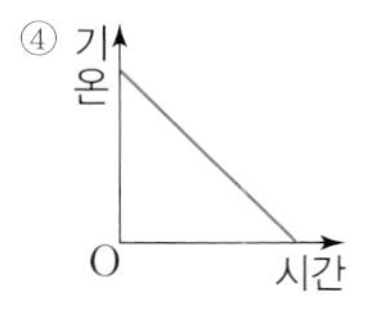

⇨ 시간에 따라 기온이 일정하게 낮아졌다.

⑤ 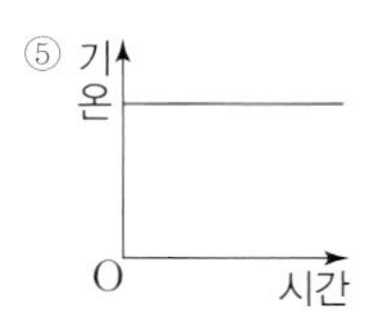

⇨ 기온이 변함없이 일정하다.

029

□ 안에 알맞은 용어를 써넣으시오.

(1) x, y와 같이 변하는 값을 나타내는 문자를 □라고 한다.

(2) 한 변수와 그에 대응하는 다른 변수 사이의 관계를 좌표평면 위에 나타낸 점이나 직선, 곡선을 □ 라고 한다.

030

☑8876-0265

다음 표는 1반 학생들이 기르고 있는 담쟁이덩굴의 길이를 일주일 간격으로 측정하여 나타낸 것이다. x주 후의 담쟁이덩굴의 길이를 y cm라고 할 때, 두 변수 x, y에 대한 그래프를 좌표평면 위에 그리시오.

x	y
1	4
2	7
3	10
4	12
5	14

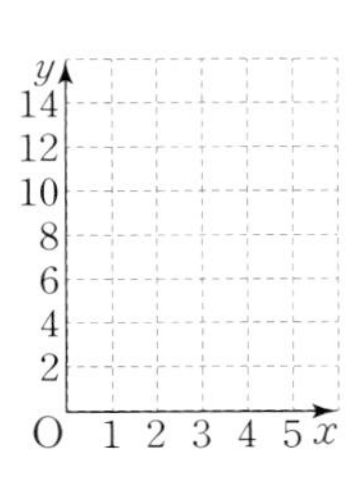

031

☑8876-0266

높이가 3 m인 원기둥 모양의 빈 물통이 있다. 이 물통에 물이 가득 찰 때까지 매분 일정한 양의 물을 계속 넣었더니 8분이 걸렸고, 물이 가득 찬 상태로 2분이 지난 후 물통이 텅 빌 때까지 매분 일정한 양의 물을 계속 뺐더니 4분이 걸렸다. 물을 넣기 시작한 지 x분 후의 물의 높이를 y m라고 할 때, x와 y 사이의 관계의 그래프로 알맞은 것을 보기에서 고르시오.

보기

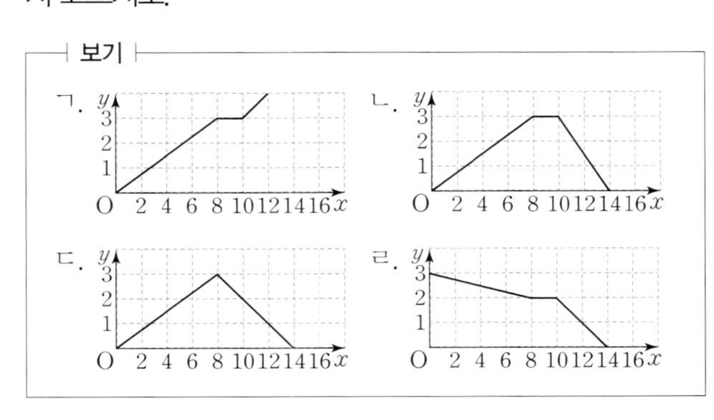

032
☑8876-0267

다음 그림은 어떤 회사에서 출시한 제품의 판매일 x일에 대한 판매량을 y개라고 할 때, x와 y 사이의 관계를 그래프로 나타낸 것이다. 이 그래프에 대한 설명으로 옳은 것은?

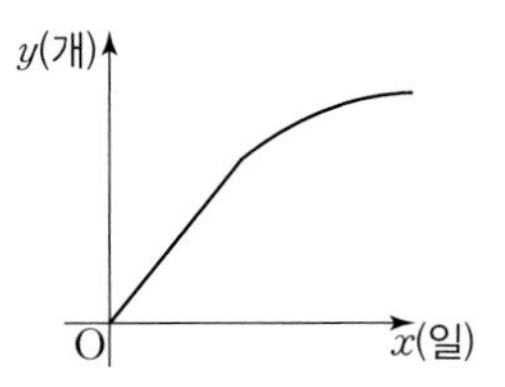

① 판매량이 끝까지 일정하게 증가하였다.
② 판매량이 처음부터 서서히 증가하였다.
③ 판매량이 처음에는 일정하게 증가했지만 나중에는 점점 서서히 감소하였다.
④ 판매량이 처음에는 일정하게 증가했지만 나중에는 점점 빨리 증가하였다.
⑤ 판매량이 처음에는 일정하게 증가했지만 나중에는 점점 서서히 증가하였다.

033
☑8876-0268

다음 상황에 대하여 시간에 따른 각 상황에 알맞은 그래프를 찾아 연결하시오.

(1) 진호가 속력을 올렸다 내렸다를 반복하면서 뛰고 있다. •

(2) 재희가 음료수를 쉬지 않고 일정하게 모두 마셨다. •

(3) 서윤이는 물통에 일정한 속력으로 물을 채우고 있다. •

• (가)
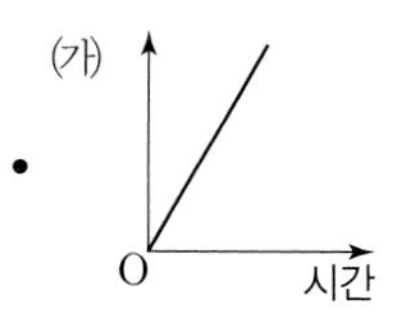

• (나)
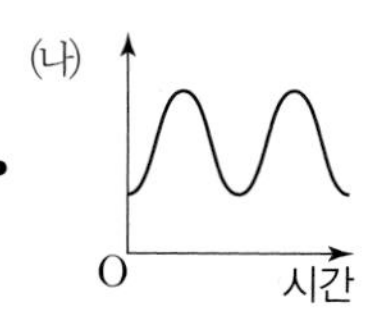

• (다)
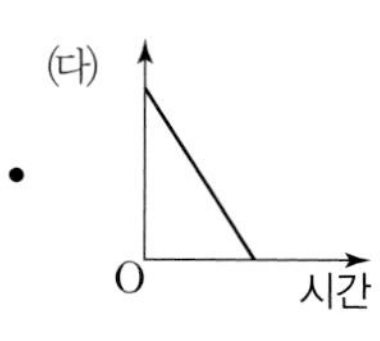

034
☑8876-0269

다음 그림은 자동차가 출발한 후 x초 동안 달린 거리를 y m라고 할 때, x와 y 사이의 관계를 그래프로 나타낸 것이다. 다음 중 옳은 것은?

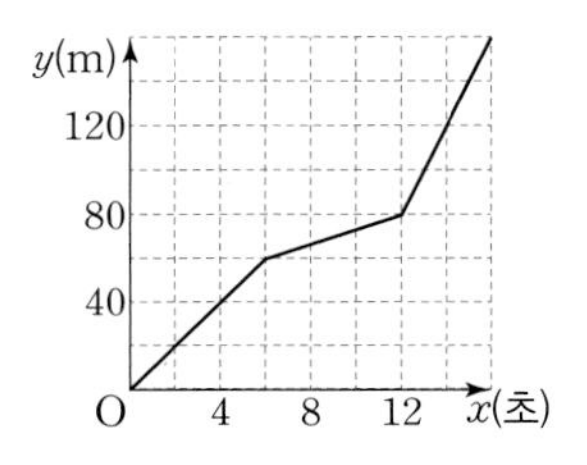

① $x=4$일 때 $y=60$이다.
② 처음 6초 동안 달린 거리는 50 m이다.
③ 출발한 지 6초 후에 속도를 줄였다.
④ 6초에서 12초 사이에 달린 거리는 10 m이다.
⑤ 처음 6초 동안 가장 빠르게 이동하였다.

035
☑8876-0270

다음 그래프는 민호가 집에서 250 m 떨어진 도서관에 걸어갔다 돌아올 때, 시간 x분과 거리 y m 사이의 관계식을 나타낸 것이다. 다음을 구하시오.

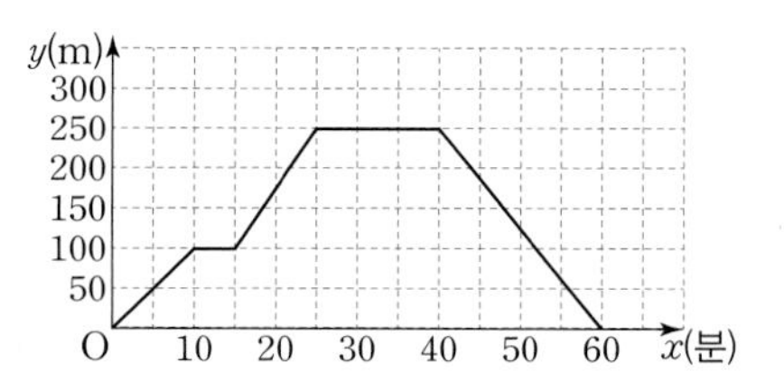

(1) 민호가 도서관 가는 길에 친구 집에 들러 잠시 머물다가 갔을 때, 친구 집에 머문 시간

(2) 도서관에서 집으로 돌아오는 데 걸린 시간

유형 05-7 정비례

(1) **정비례:** 두 변수 x, y에 대하여 x의 값이 2배, 3배, 4배, …로 변함에 따라 y의 값도 2배, 3배, 4배, …로 변할 때, y는 x에 정비례한다고 한다.

(2) **정비례 관계식:** y가 x에 정비례하면 x와 y 사이의 관계식은 $y=ax$ $(a\neq0)$와 같이 나타낼 수 있다.

참고 y가 x에 정비례할 때, x에 대한 y의 비율 $\frac{y}{x}$는 일정하다. 즉, $\frac{y}{x}=a$ (일정)

예 한 개에 500원인 아이스크림 x개를 사고 지불한 금액이 y원이라고 하자.
이때 x와 y 사이의 관계를 표로 나타내면 다음과 같다.

x	1	2	3	4	…
y	500	1000	1500	2000	…

×500

$\frac{y}{x}=\frac{500}{1}=\frac{1000}{2}=\frac{1500}{3}=\frac{2000}{4}=\cdots=500$(일정)

• y는 x에 정비례한다.
• x와 y 사이의 관계식은 $y=500x$이다.

(3) **정비례 관계식 구하기:** 그래프가 원점을 지나는 직선이면 x와 y 사이의 관계식을 $y=ax$로 놓는다.
$y=ax$에 원점을 제외한 그래프 위의 한 점의 x좌표와 y좌표를 대입하여 a의 값을 구한다.

예 y가 x에 정비례하고 $x=2$일 때, $y=4$라고 한다. 이때 x와 y 사이의 관계식을 구해 보자.
y가 x에 정비례하므로 $y=ax$에 $x=2$, $y=4$를 대입하면 $4=2a$, $a=2$이므로 $y=2x$이다.

036
☑8876-0271

어떤 음료수 1개의 가격은 1200원이다. 음료수 x개의 가격을 y원이라고 할 때, 물음에 답하시오.

(1) 다음 표를 완성하고 y가 x에 정비례하는지 말하시오.

x(개)	1	2	3	4
y(원)				

(2) x와 y 사이의 관계를 식으로 나타내시오.

037
☑8876-0272

다음 중 x의 값이 2배, 3배, 4배, …가 될 때 y의 값도 2배, 3배, 4배, …로 변하는 관계가 아닌 것은?

① $y=x$　② $y=\frac{3}{4}x$　③ $\frac{y}{x}=-5$
④ $y=x-1$　⑤ $y=-7x$

038
☑8876-0273

y가 x에 정비례하고 $x=-2$일 때, $y=6$이다. $x=5$일 때, y의 값은?

① -15　② -9　③ -6
④ 6　⑤ 15

039
☑8876-0274

다음 중 y가 x에 정비례하지 않는 것은?

① 자동차가 시속 60 km로 x 시간 동안 달린 거리 y km
② 자연수 x의 2배보다 1만큼 큰 수 y
③ 하루에 10쪽씩 책을 읽을 때, x일 동안 읽은 쪽수 y쪽
④ 가로의 길이가 5 cm, 세로의 길이가 x cm인 직사각형의 넓이 y cm^2
⑤ 하루에 3 cm씩 자라는 덩굴의 x일 후의 덩굴의 길이 y cm

유형 05-8 정비례 관계의 그래프

(1) 정비례 관계의 그래프

x의 값이 다음과 같을 때, 정비례 관계 $y=2x$의 그래프를 그리면 다음과 같다.

① x의 값이 -2, -1, 0, 1, 2일 때

x	-2	-1	0	1	2
y	-4	-2	0	2	4

좌표평면 위에 주어진 x의 값의 수만큼 점을 찍어 나타내면

순서쌍: $(-2, -4)$, $(-1, -2)$, $(0, 0)$, $(1, 2)$, $(2, 4)$

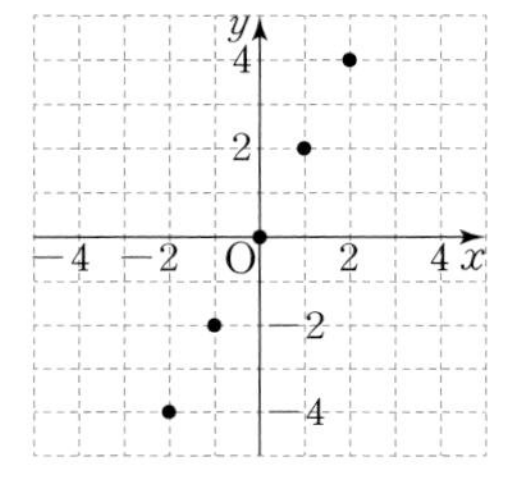

② x의 값의 범위가 수 전체일 때

x의 값의 범위를 수 전체로 확장하면 $y=2x$의 그래프는 O를 지나는 직선이다. (→ 점이 무수히 많아진다.)
원점 O와 그래프가 지나는 다른 한 점을 찾아 직선으로 연결하여 좌표평면 위에 나타낸다.

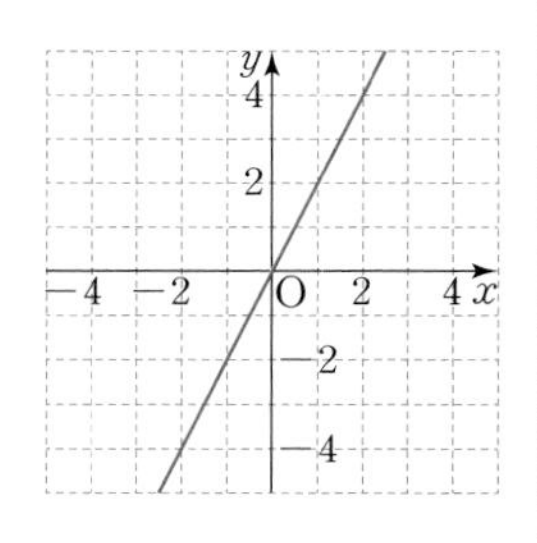

참고 특별한 말이 없으면 정비례 관계 $y=ax\ (a\neq0)$에서 x의 값의 범위는 수 전체로 생각한다.

(2) 정비례 관계 $y=ax\ (a\neq0)$의 그래프의 성질

	$a>0$일 때	$a<0$일 때
그래프	y, a, $(1, a)$, O, 1, x	y, 1, O, x, a, $(1, a)$
모양	오른쪽 위로 향하는 직선	오른쪽 아래로 향하는 직선
지나는 사분면	제1사분면과 제3사분면	제2사분면과 제4사분면
증가·감소	x의 값이 증가하면 y의 값도 증가	x의 값이 증가하면 y의 값은 감소

참고 a의 절댓값이 클수록 그래프는 y축에 가까워지고, a의 절댓값이 작을수록 그래프는 x축에 가까워진다.

(3) 정비례 관계 $y=ax\ (a\neq0)$의 그래프 위의 점

점 $\mathrm{P}(m, n)$이 정비례 관계 $y=ax$의 그래프 위의 점일 때

① 정비례 관계 $y=ax$의 그래프가 점 $\mathrm{P}(m, n)$을 지난다.

② $y=ax$에 $x=m$, $y=n$을 대입하면 등식이 성립한다.

040

☑8876-0275

다음 (ㄱ)~(ㅁ) 안에 알맞지 않은 것은?

> 함수 $y=3x$의 그래프는 [(ㄱ)]을 지나는 [(ㄴ)]이고, 제[(ㄷ)]사분면을 지난다. 또, 점 ([(ㄹ)], -6)과 점 (3, [(ㅁ)])을 지난다.

① (ㄱ) 원점 ② (ㄴ) 직선 ③ (ㄷ) 2, 4
④ (ㄹ) -2 ⑤ (ㅁ) 9

041

☑8876-0276

다음 중 x의 값이 -2, -1, 0, 1, 2일 때, 함수 $y=x$의 그래프는?

①
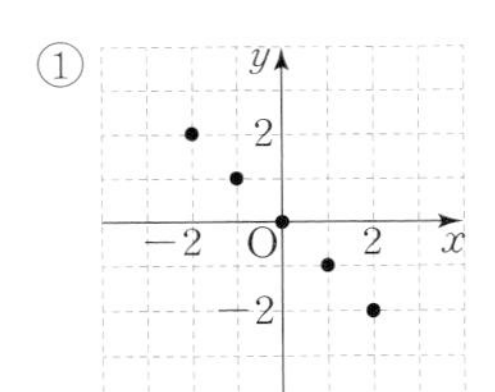

②
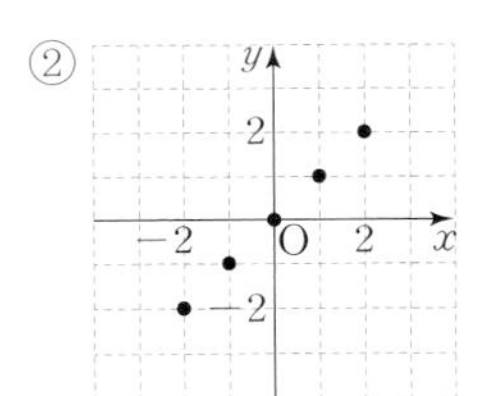

③
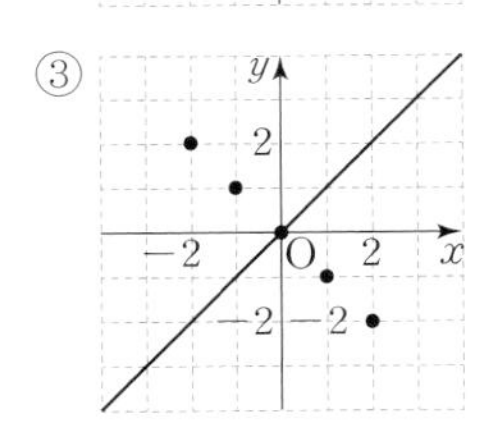

④
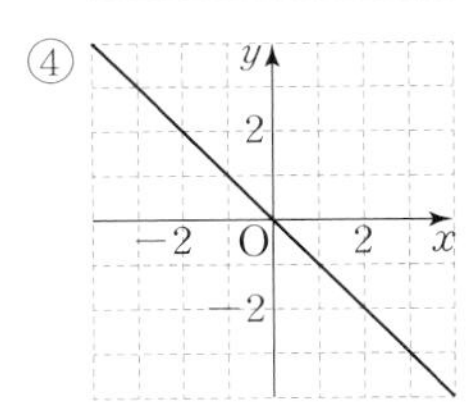

⑤
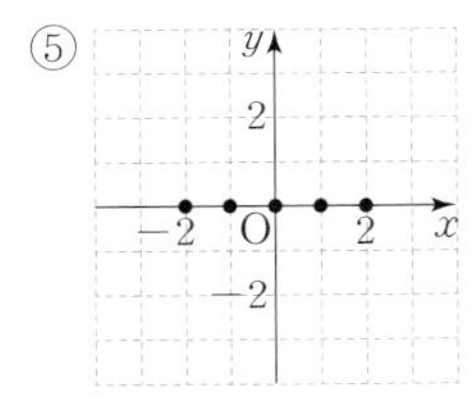

042

☑8876-0277

다음 중 정비례 관계 $y=-2x$의 그래프는?

①
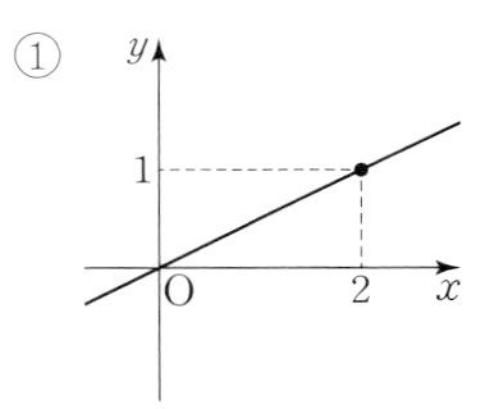

②
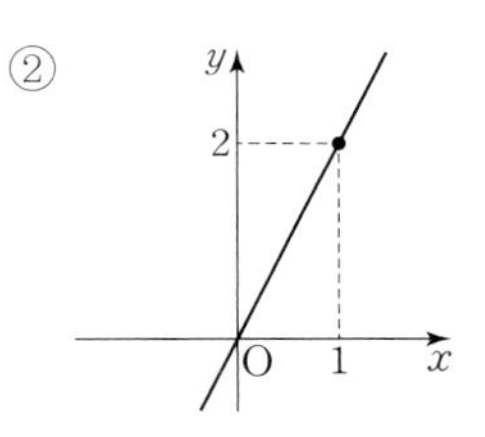

③
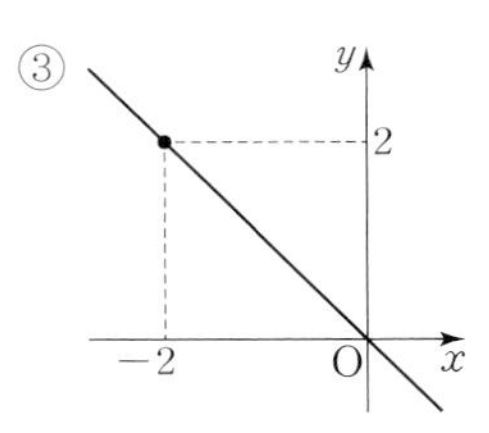

④
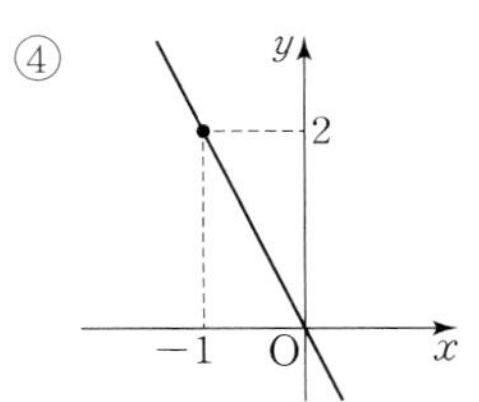

⑤
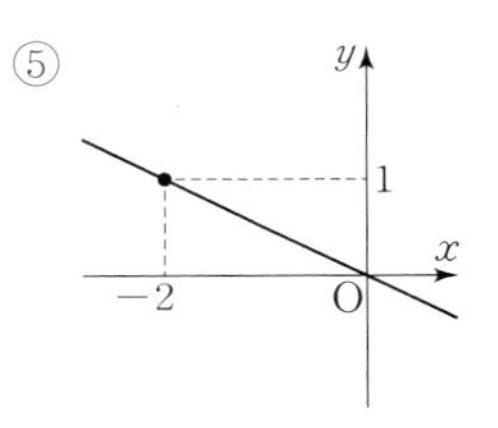

043

☑8876-0278

다음 중 $y=-7x$의 그래프에 대한 설명으로 옳지 않은 것은?

① 제2사분면과 제4사분면을 지난다.
② 원점을 지나는 직선이다.
③ y는 x에 정비례한다.
④ 점 $\left(-\frac{2}{7}, -2\right)$를 지난다.
⑤ x의 값이 증가하면 y의 값은 감소한다.

044

☑8876-0279

다음 중 정비례 관계 $y=\frac{2}{3}x$의 그래프는?

①
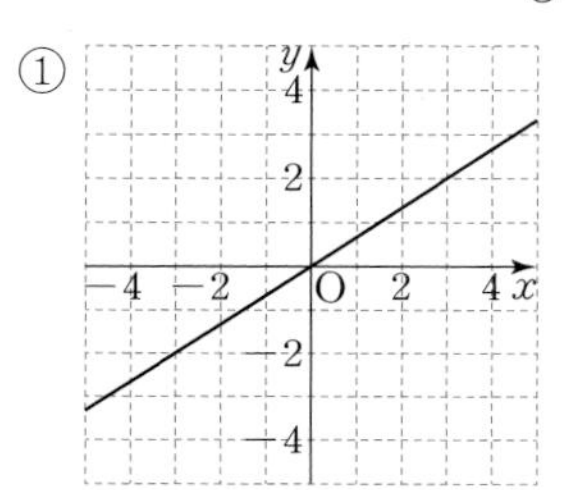

②
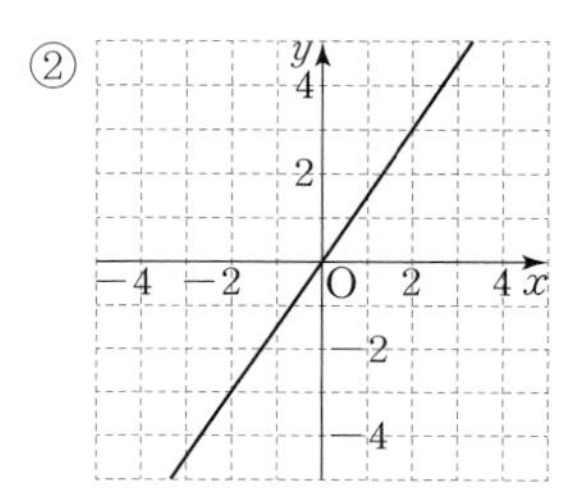

③
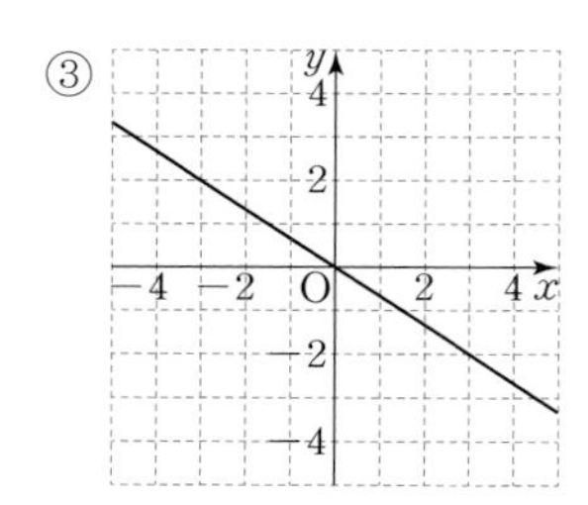

④
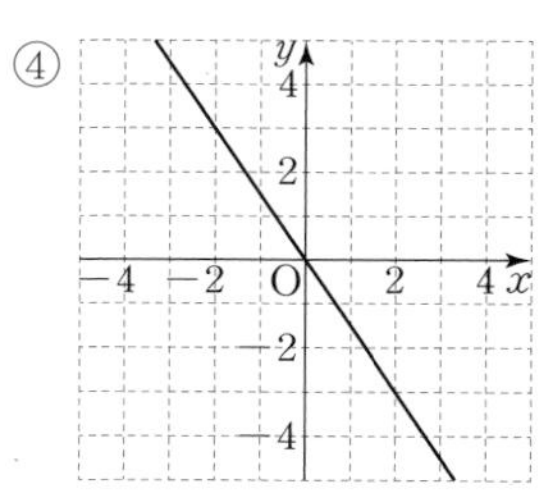

⑤
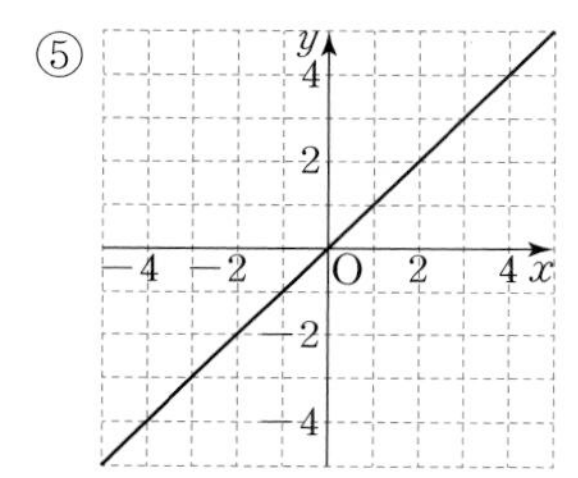

045

☑8876-0280

오른쪽 그림과 같이 점 $(a, 3)$이 정비례 관계 $y=\frac{3}{5}x$의 그래프 위에 있을 때, a의 값을 구하시오.

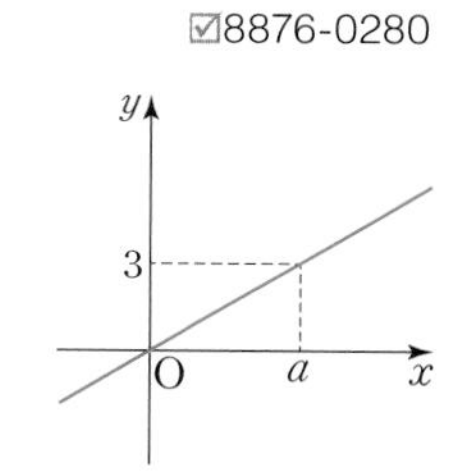

046

☑8876-0281

다음 두 조건을 만족하는 그래프가 나타내는 식을 구하시오.

- 원점을 지나는 직선이다.
- 점 $\left(2, -\frac{1}{2}\right)$을 지난다.

047

☑8876-0282

다음 보기 중 아래 정비례 관계 $y=ax$의 그래프에 대한 설명으로 옳은 것을 모두 고르시오.

ㄱ. 정비례 관계 $y=-\frac{2}{3}x$의 그래프이다.

ㄴ. 정비례 관계 $y=-\frac{3}{2}x$의 그래프이다.

ㄷ. $x=4$일 때, $y=-6$이다.

ㄹ. 점 $(-3, 2)$를 지난다.

048

☑8876-0283

정비례 관계 $y=x$의 그래프와 직선 l이 다음 그림과 같을 때, 다음 중 직선 l이 될 수 있는 관계식은?

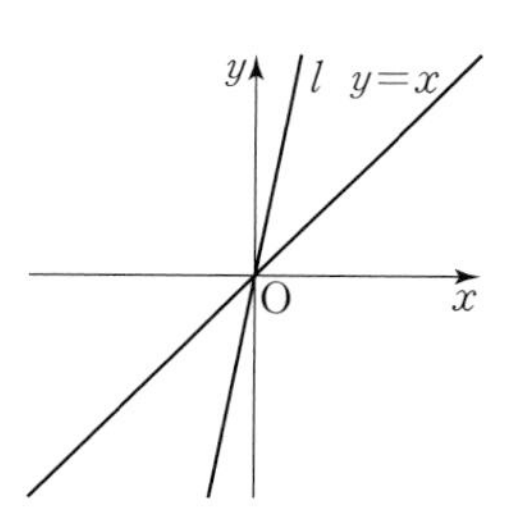

① $y=5x$ ② $y=\frac{1}{2}x$ ③ $y=-3x$

④ $y=-2x$ ⑤ $y=-\frac{3}{4}x$

유형 05-9 반비례

(1) **반비례:** 두 변수 x, y에 대하여 x의 값이 2배, 3배, 4배, …로 변함에 따라 y의 값이 $\frac{1}{2}$배, $\frac{1}{3}$배, $\frac{1}{4}$배, …로 변할 때, y는 x에 반비례한다고 한다.

(2) **반비례 관계식:** y가 x에 반비례하면 x와 y 사이의 관계식은 $y=\frac{a}{x}$ $(a\neq0)$와 같이 나타낼 수 있다.

참고 y가 x에 반비례할 때, x와 y의 곱 xy는 일정하다. 즉, $xy=a$ (일정)

예 120쪽인 소설책을 매일 x쪽씩 읽으면 다 읽는 데 y일이 걸린다고 하자.
이때 x와 y 사이의 관계를 표로 나타내면 다음과 같다.

x	1	2	3	4	…
y	120	60	40	30	…

120÷

$xy=1\times120=2\times60=3\times40=4\times30=\cdots$
$=120\times1=120$ (일정)

- y는 x에 반비례한다.
- x와 y 사이의 관계식은 $y=\frac{120}{x}$이다.

(3) **반비례 관계식 구하기:** 그래프가 한 쌍의 매끄러운 곡선이면 x와 y 사이의 관계식을 $y=\frac{a}{x}$로 놓는다.
$y=\frac{a}{x}$에 그래프 위의 한 점의 x좌표와 y좌표를 대입하여 a의 값을 구한다.

049

☑8876-0284

다음 중 y가 x에 반비례하는 것이 아닌 것은?

① $y=\frac{5}{x}$ ② $y=-\frac{3}{x}$ ③ $xy=-3$
④ $\frac{y}{x}=-1$ ⑤ $xy=2$

050

☑8876-0285

다음 중 y가 x에 반비례하는 것은? (정답 2개)

① 합이 10인 두 수 x와 y
② 무게가 200 g인 피자를 x조각으로 똑같이 나누었을 때 한 조각의 무게 y g
③ 매분 x L씩 물을 넣어 20 L들이 물통에 물을 가득 채우는 데 걸리는 시간 y분
④ 한 개에 500원 하는 아이스크림 x개의 가격 y원
⑤ 200쪽인 책을 x쪽 읽고 남은 쪽수 y

051

☑8876-0286

다음은 반비례 관계 $y=\frac{a}{x}$의 그래프가 점 $(2, 5)$를 지날 때, 상수 a의 값을 구하는 과정이다. □ 안에 알맞은 수를 써넣으시오.

> 함수 $y=\frac{a}{x}$의 그래프가 $(2, 5)$를 지나므로
> $y=\frac{a}{x}$에 $x=$□, $y=$□을(를) 대입하면
> □$=\frac{a}{□}$이므로 $a=$□이다.

052

☑8876-0287

y가 x에 반비례하고 $x=2$일 때, $y=-9$이다. $x=-6$일 때, y의 값은?

① -3 ② -1 ③ 1
④ 3 ⑤ 6

유형 05-10 반비례 관계의 그래프

(1) 반비례 관계의 그래프

반비례 관계 $y=\frac{6}{x}$의 그래프를 그리면 다음과 같다.

① x의 값이 -6, -3, -2, -1, 1, 2, 3, 6일 때

x	-6	-3	-2	-1	1	2	3	6
y	-1	-2	-3	-6	6	3	2	1

좌표평면 위에 주어진 x의 값의 수만큼 점을 찍어 나타내면

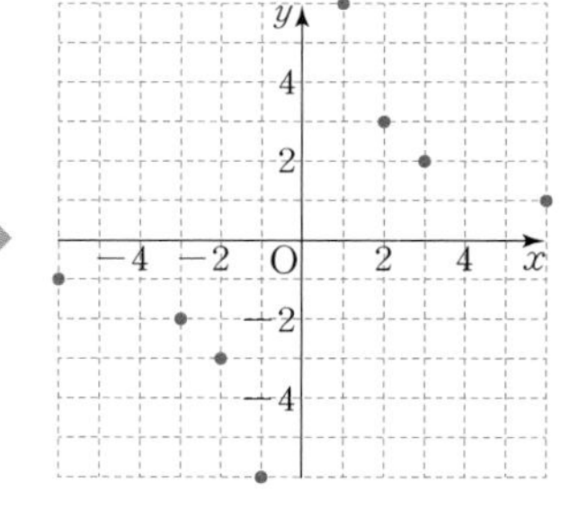

순서쌍: $(-6, -1)$, $(-3, -2)$, $(-2, -3)$, $(-1, -6)$, $(1, 6)$, $(2, 3)$, $(3, 2)$, $(6, 1)$

② x의 값의 범위가 수 전체일 때

x의 값의 범위를 수 전체로 확장하면 $y=\frac{6}{x}$의 그래프는 한 쌍의 매끄러운 곡선이다. x, y의 값이 모두 정수인 점을 여러 개 찾아 매끄러운 곡선으로 연결하여 좌표평면 위에 나타낸다.

(→점이 무수히 많아진다.)

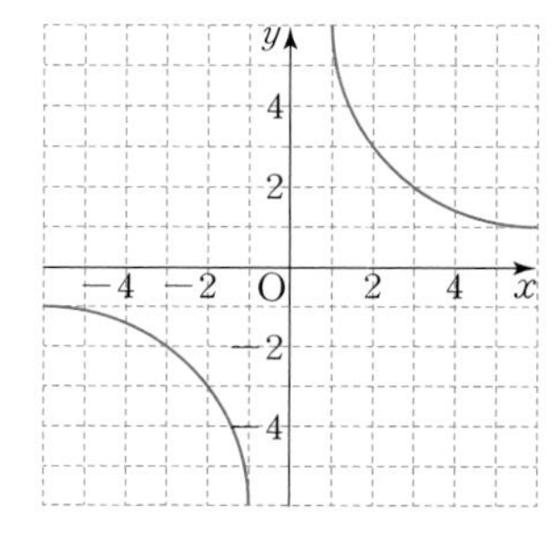

(2) 반비례 관계 $y=\frac{a}{x}$ $(a\neq0)$의 그래프의 성질

	$a>0$일 때	$a<0$일 때
그래프	y, a, $(1, a)$, O, 1, x	y, 1, x, O, a, $(1, a)$
지나는 사분면	제1사분면과 제3사분면	제2사분면과 제4사분면
증가·감소	각 사분면 내에서 x의 값이 증가하면 y의 값은 감소	각 사분면 내에서 x의 값이 증가하면 y의 값도 증가

(3) 반비례 관계 $y=\frac{a}{x}$ $(a\neq0)$의 그래프 위의 점

점 $\mathrm{P}(m, n)$이 반비례 관계 $y=\frac{a}{x}$ $(a\neq0)$의 그래프 위의 점일 때

① 반비례 관계 $y=\frac{a}{x}$ $(a\neq0)$의 그래프가 점 $\mathrm{P}(m, n)$을 지난다.

② $y=\frac{a}{x}$에 $x=m$, $y=n$을 대입하면 등식이 성립한다.

053

☑8876-0288

반비례 관계 $y=\frac{12}{x}$에 대하여 주어진 표를 완성하고, 그래프를 그리시오. (단, x는 모든 수이다.)

x	-6	-4	-3	-2	-1	1	2	3	4	6
y										

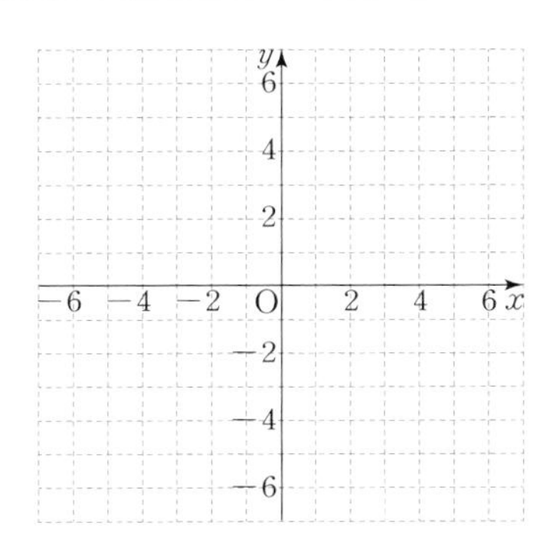

054

☑8876-0289

다음 중 반비례 관계 $y=-\frac{6}{x}$의 그래프는?

①

②

③
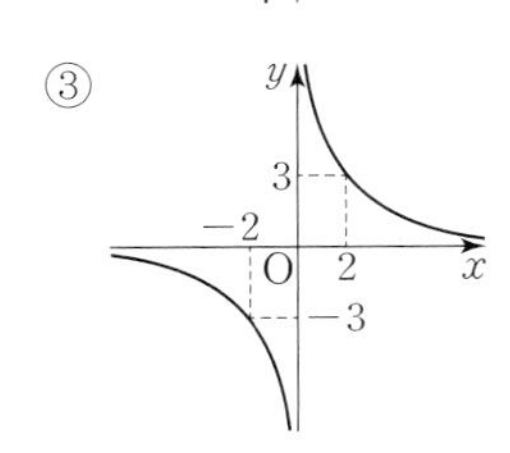

④
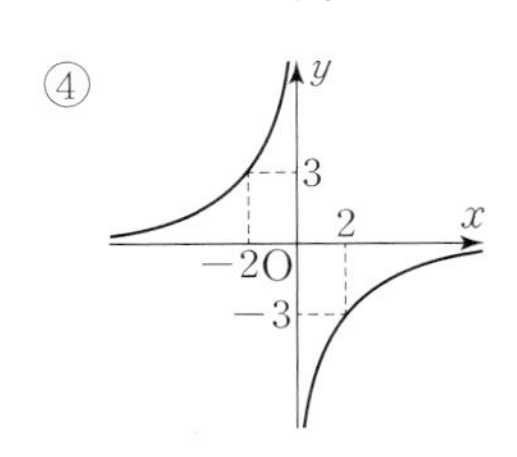

⑤
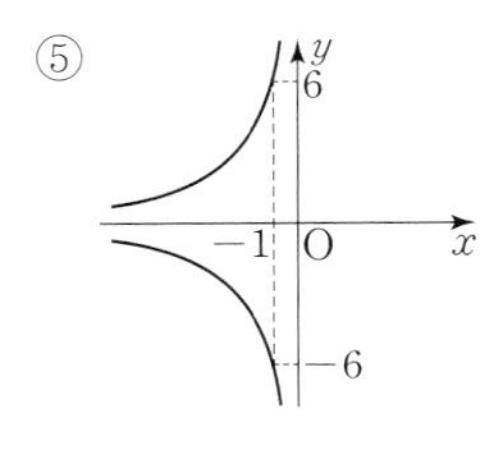

055

☑8876-0290

반비례 관계 $y=\frac{a}{x}$의 그래프가 두 점 $(4, 1)$, $(-8, b)$를 지날 때, ab의 값을 구하시오. (단, a는 상수)

056

☑8876-0291

다음 중 반비례 관계 $y=\frac{5}{x}$의 그래프에 대한 설명으로 옳지 <u>않은</u> 것은?

① 원점을 지나지 않는다.
② 점 $(-5, -1)$을 지난다.
③ 제1사분면과 제3사분면을 지난다.
④ 좌표축과 만나는 한 쌍의 곡선이다.
⑤ $x>0$일 때, x의 값이 커지면 y의 값은 작아진다.

057

☑8876-0292

다음을 모두 만족하는 그래프가 나타내는 x와 y 사이의 관계식은?

> (가) x와 y는 반비례 관계이다.
> (나) x의 값이 커지면 y의 값도 커진다.
> (다) 점 $(2, -4)$를 지난다.

① $x=-\frac{1}{x}$　② $y=-\frac{2}{x}$　③ $y=-\frac{4}{x}$
④ $y=-\frac{8}{x}$　⑤ $y=-x$

058
☑8876-0293

반비례 관계 $y=\frac{a}{x}$의 그래프가 다음 그림과 같을 때, 상수 a의 값을 구하시오.

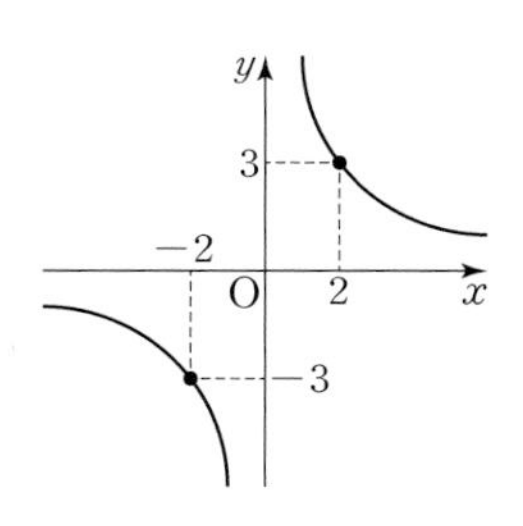

059
☑8876-0294

반비례 관계 $y=\frac{8}{x}$의 그래프 위에 있는 점 중에서 x좌표와 y좌표가 모두 정수인 점의 개수를 구하시오.

060
☑8876-0295

다음 그림과 같은 그래프 위에 있는 점은?

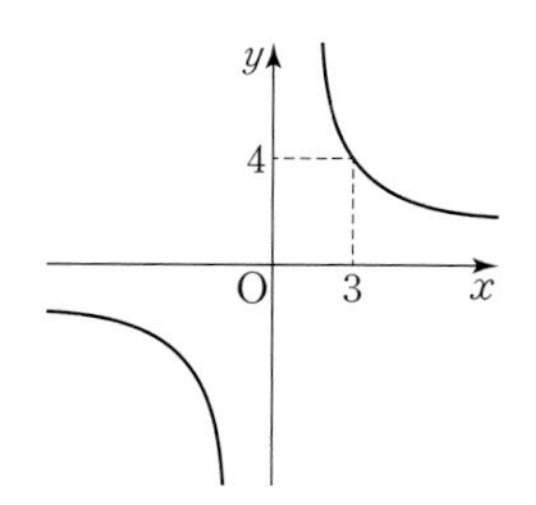

① $(-3,\ 4)$ ② $(-2,\ -5)$ ③ $(2,\ 12)$
④ $\left(-8,\ -\frac{3}{2}\right)$ ⑤ $(-6,\ 2)$

061
☑8876-0296

다음 그림은 반비례 관계 $y=\frac{14}{x}$의 그래프이다. 이 그래프 위의 점 $\mathrm{P}(a,\ b)$에서 x축, y축에 수직인 직선을 그어 x축, y축과 만나는 점을 각각 A, B라고 할 때, 사각형 OAPB의 넓이를 구하시오.

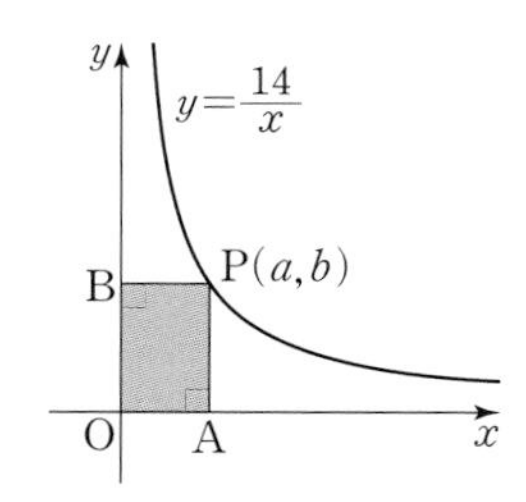

062
☑8876-0297

다음 그림은 정비례 관계 $y=x$의 그래프와 반비례 관계 $y=\frac{9}{x}$의 그래프이다. 두 그래프가 만나는 점의 좌표를 $\mathrm{A}(a,\ b)$라고 할 때, $a+b$의 값을 구하시오. (단, $x>0$)

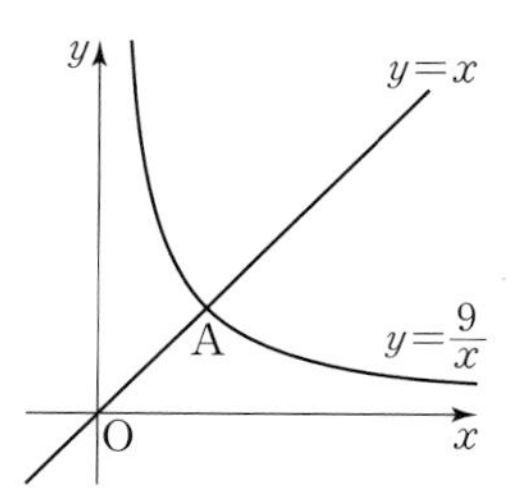

Memo

Memo

30일 수학 상

정답과 풀이

교육과정을 반영한 수학의 기본

초·중 수학의 맥을 잡는 **"30일"**

- 수학 개념 단기 보충 특강
- 취약점 보완을 위한 긴급 학습

정답과 풀이

한눈에 보는 정답

본문 8~24쪽

01 소인수분해

001 1, 2, 3, 4, 6, 12; 1, 2, 3, 4, 6, 12
002 1, 5; 1, 3, 5, 15 003 (1) 1, 2, 4, 5, 10, 20 (2) 1, 2, 3, 4, 6, 9, 12, 18, 36 004 9, 18, 45
005 24 006 5가지 007 7, 14, 21; 7, 14, 21
008 9, 18, 27, 36, 45 009 풀이 참조
010 6번, 12번, 18번, 24번, 30번 011 6상자
012 35 013 약수, 배수 014 52
015 1, 3, 9, 27 016 90 017 5, 10, 20
018 ④ 019 140에 ○표 020 216에 ○표
021 1 022 복숭아 023 2, 5, 8
024 873 025 풀이 참조 026 풀이 참조
027 ㄱ, ㄴ 028 ⑤
029 (1) 5, 4 (2) 7, 3 (3) 10, 2 (4) 13, 1
030 (1) 3^4 (2) 2×5^3 (3) $2^2\times3^3\times7$ (4) $\left(\frac{1}{4}\right)^2$
031 ④, ⑤ 032 2 033 8
034 풀이 참조 035 풀이 참조 036 ③
037 ②, ④ 038 (1) 3, 5 (2) 2, 3 (3) 2 (4) 2, 7
039 ④ 040 ④ 041 ③ 042 6
043 풀이 참조 044 풀이 참조 045 ⑤
046 ②, ③ 047 3^3, $2^4\times3$
048 (1) 7개 (2) 10개 (3) 24개
049 (1) 8개 (2) 8개 (3) 12개
050 ③ 051 5 052 ⑤ 053 풀이 참조
054 (1) 5 (2) 3 (3) 13 (4) 6 055 6개
056 1, 2, 3, 6 057 (1) ○ (2) × (3) × (4) ○
058 (1) 2×3^2 (2) $2^2\times5$ (3) $2\times3\times5^2$
059 (1) 9 (2) 20 (3) 8 060 ③
061 12명 062 (1) 8 (2) 8, 15, 8, 11, 165
063 (1) 5 (2) 4 (3) 60, 36, 12 064 18
065 (1) 8, 16, 24, 32, 40, 48, ⋯ (2) 12, 24, 36, 48, 60, 72, ⋯ (3) 24, 48, ⋯ (4) 24
066 (1) 10, 20, 30, ⋯ (2) 15, 30, 45, ⋯ (3) 30, 60, 90, ⋯ (4) 30 (5) 30, 60, 90, ⋯
067 28, 56, 84 068 ①, ③ 069 6개
070 (1) $2^3\times3^2$ (2) $2^2\times5\times7$ (3) $2^3\times3^2\times5^2$
071 (1) 48 (2) 660 072 8 073 126초
074 80 cm 075 (1) 1, 1, 1, 1 (2) 30, 31
076 톱니바퀴 A: 9바퀴, 톱니바퀴 B: 10바퀴
077 3, 3, A=9 078 ② 079 540
080 3 081 40 082 42

본문 26~68쪽

02 정수와 유리수

001 풀이 참조 002 풀이 참조 003 (그림)
004 10개
005 (1) 1, 2, 4 (2) 2, $\frac{6}{10}$; 4, $\frac{3}{5}$
006 12, 12, 12, $\frac{2}{3}$ 007 $\frac{16}{28}$, $\frac{8}{14}$, $\frac{4}{7}$
008 (1) $\frac{2}{9}$ (2) $\frac{3}{4}$ 009 $\frac{47}{57}$ 010 풀이 참조
011 풀이 참조 012 ③ 013 $\frac{90}{120}$, $\frac{44}{120}$
014 53 015 $\frac{5}{8}$ 016 (1) $1\frac{1}{4}$ (2) $2\frac{1}{5}$ 017 ③
018 ⑤ 019 $20\frac{2}{5}$ cm 020 $\frac{5}{8}$
021 풀이 참조 022 $3\frac{3}{11}$, $5\frac{5}{9}$, $2\frac{5}{12}$ 023 ④
024 $22\frac{3}{5}$ kg 025 1, 2, 3, 4, 5, 6, 7
026 풀이 참조 027 $1\frac{1}{6}$, $2\frac{1}{3}$ 028 ㄱ, ㄷ, ㄴ
029 $3\frac{13}{24}$ 030 $1\frac{1}{2}$ km 031 ③, ⑤

032 (1) $7\frac{1}{3}$ (2) $3\frac{1}{3}$ (3) $19\frac{1}{3}$ (4) $29\frac{1}{2}$ 033 $22\frac{2}{3}$
034 ㉠ 035 ③ 036 ① 037 $6\frac{3}{7}$ m^2
038 $1\frac{1}{2}$ kg 039 15000원 040 $5\frac{1}{4}$
041 (1) $\frac{5}{8}$ (2) $3\frac{1}{8}$
042 (위에서부터) $\frac{1}{15}$, $\frac{1}{14}$, $\frac{1}{10}$, $\frac{1}{21}$ 043 ②
044 ㄴ 045 $\frac{1}{3}$ 046 ④ 047 $24\frac{3}{4}$ 048 ④
049 $\frac{1}{7}$ 050 풀이 참조
051 (1) $\frac{4}{7}$ (2) $\frac{1}{8}$ (3) 63 052 $\frac{1}{18}$
053 ㄱ, ㄷ, ㄴ 054 ① 055 ④ 056 4, 5
057 (1) 4 (2) 4, 4 (3) 5, 4
058 (1) 3 (2) 3 (3) $1\frac{1}{2}$ (4) $\frac{6}{7}$ 059 $\frac{35}{36}$, $1\frac{19}{36}$
060 (△) ( ) (○) 061 2 m 062 $1\frac{1}{7}$
063 7개 064 5번 065 (1) $10\frac{1}{2}$ (2) $2\frac{1}{6}$ (3) $1\frac{5}{9}$
066 (1) ㄴ (2) ㄴ 067 풀이 참조 068 풀이 참조
069 ④, ⑤ 070 $3\frac{3}{7}$ cm 071 $23\frac{5}{7}$ km
072 (1) 0.187, 18.7 (2) 24.9, 0.249 073 (1) $>$ (2) $>$
074 (1) 100 (2) $\frac{1}{10}$ (3) 15.62 (4) 0.372 (5) 0.694
075 100배 076 ③ 077 ⑤ 078 민강이네 집
079 1, 2, 3, 4, 5
080 (1) 6.38 (2) 0.73 (3) 2.31 (4) 1.92
081 0.63, 4.31 082 2.27 083 4.8
084 0.35, 0.23 085 13.32 g 086 12 087 4.8
088 ④ 089 2.07 090 ㉠: 9, ㉡: 7, ㉢: 5
091 6.93 092 (1) 22.05 (2) 57.2 093 ④
094 7 km 095 15, 16, 17
096 (1) 100, 63, 0.063 (2) 152, 10, 6840, 6.84
(3) 13.52 (4) 2.678
097 0.605 m^2 098 26.26 kg
099 (1) 0.83, 56, 21, 21, 0 (2) 4.06, 32, 48, 48, 0
100 (1) 8.05 (2) 6 101 풀이 참조
102 (○) ( ) ( ) 103 1.09 cm

104 0.455 105 C 자동차 106 8.26 m
107 풀이 참조 108 2.9 109 48
110 26.14 m 111 풀이 참조 112 풀이 참조
113 ④ 114 2시간 36분 115 $3\frac{9}{10}$
116 10.05 m^2 117 ㉢, ㉡, ㉠, ㉣
118 (1) 4 (2) $2\frac{7}{30}$ 119 0.4
120 0.25 L 또는 $\frac{1}{4}$ L
121 (1) -6 ℃ (2) $+4$층 (3) -5점 (4) -7 km
(5) $+10$년 (6) -1500원
122 (1) $+3$ (2) -7 (3) -1.5 (4) $+\frac{1}{3}$
123 ③ 124 풀이 참조
125 (1) -1, $-\frac{14}{7}$ (2) -1, $+6$, $\frac{10}{2}$, 0, $-\frac{14}{7}$
(3) $+6$, $\frac{10}{2}$, 3.9 (4) $-\frac{1}{5}$, 3.9
126 ㄴ, ㄹ 127 6 128 풀이 참조
129 $-\frac{9}{11}$, $+\frac{9}{11}$ 130 A: $-1\frac{3}{4}$, B: $-\frac{1}{2}$, C: $1\frac{1}{3}$
131 준상 132 ④
133 (1) $+5$, -5 (2) 0 (3) $-\frac{2}{3}$ (4) $+6$, -6 (5) 7
134 -2.5, $1\frac{2}{3}$, 1.5, $-\frac{1}{2}$, $\frac{1}{3}$ 135 20 136 $2\frac{1}{3}$
137 $+4$, -4 138 $-\frac{10}{3}$, -2, 0, $\frac{5}{4}$, $+1.5$
139 (1) $>$ (2) $<$ (3) $>$ (4) $>$ 140 (1) $x \le 9$
(2) $x \le -\frac{2}{3}$ (3) $3 < x \le 10$ (4) $-2 \le x < 3$
141 (1) $-\frac{3}{2} < a \le 2$ (2) 4개
142 (1) $+11$ (2) -2 (3) -11.7 (4) $+\frac{27}{10}$
143 ⑤ 144 (1) $+0.85$ (2) $+1.25$ 145 ①
146 ㉠ 덧셈의 교환법칙 ㉡ 덧셈의 결합법칙
147 풀이 참조
148 (1) -5 (2) -113 (3) $+\frac{1}{7}$ (4) $+1$
149 ⑤ 150 ③ 151 풀이 참조
152 (1) $+2$ (2) $+0.8$ 153 ④
154 풀이 참조 155 (1) $-\frac{1}{6}$ (2) $+3$

156 (1) $+7$ (2) $+\frac{1}{6}$ 157 ⑤ 158 $-$, $+$

159 풀이 참조

160 (1) $+54$ (2) $+28$ (3) -20 (4) 0

161 풀이 참조

162 (1) $+\frac{4}{5}$ (2) $-1\frac{1}{4}$ (3) -10 (4) -0.6

163 ④ 164 $\frac{15}{2}$ 165 풀이 참조 166 풀이 참조

167 (1) $+72$ (2) -42 (3) -3 (4) $-\frac{2}{3}$ (5) -220

168 $-\frac{1}{2}$ 169 (1) -1 (2) -1 (3) $+32$ (4) $+16$ (5) $-\frac{1}{27}$ (6) $-\frac{4}{9}$

170 (1) $-\frac{3}{4}$ (2) -2 (3) -4 (4) $+8$

171 -3^2, $(-2)^3$, 0, $-(-2)^3$, $(-3)^2$

172 ①, ③ 173 0 174 풀이 참조

175 (1) 1575 (2) -900 (3) -1 (4) 36

176 39 177 풀이 참조

178 (1) $+4$ (2) -9 (3) 0 (4) -0.8

179 (1) 6 (2) $-\frac{1}{3}$ (3) $\frac{5}{7}$ (4) $-\frac{2}{3}$

180 (1) -4 (2) $+\frac{1}{4}$ (3) $-\frac{2}{3}$ (4) -3

181 (1) $+\frac{2}{3}$ (2) -2 (3) $+\frac{1}{8}$ (4) $-\frac{2}{5}$

182 ④ 183 ④ 184 $+20$ 185 풀이 참조

186 (1) ㉡, ㉢, ㉣, ㉠, ㉤ (2) $\frac{31}{2}$

187 (1) $-\frac{9}{2}$ (2) 3 (3) 60 188 5개

03 문자와 식

001 (1) $15+17=32$ 또는 $17+15=32$
(2) $32-17=15$ 또는 $32-15=17$

002 식: $\square-37=24$, 답: 61

003 식: $46+\square=62$, 답: 16명

004 (1) $\square\times 8=96$, 12 (2) $\frac{3}{2}$

005 (1) $\frac{1}{2}\times\frac{12}{5}\times\square=\frac{9}{4}$ (2) $\frac{15}{8}$

006 $15000-1000\times a$ 007 ⑤ 008 ③

009 $\left\{\frac{1}{2}\times(a+b)\times h\right\}$ cm^2 010 (1) $-4a$ (2) $27xy$ (3) $-0.1x^2y$ (4) $8(a-b)-2c$ 011 ④ 012 ③

013 $\left(\frac{4}{x}+\frac{3}{y}\right)$ 시간 014 (1) 7 (2) $\frac{3}{10}$

015 ③ 016 $\frac{19}{3}$ 017 ① 018 (1) ah cm^2 (2) 12 cm^2 019 (1) $5x$, $-y$, 7 (2) 5 (3) -1 (4) 7

020 ①, ⑤ 021 ④ 022 ㄱ, ㄴ, ㄷ, ㅂ

023 (1) $-6x$ (2) $-15a$ (3) $\frac{2}{5}y$ 024 $-2y^2$

025 -4 026 ④ 027 20 028 $36a+30$

029 ⑤ 030 ③, ⑤ 031 (1) $4x$ (2) $-6y$ (3) $\frac{2}{3}a$ (4) $\frac{11}{6}b$ 032 ② 033 (1) $2x+5$ (2) $3a-3$ (3) $-2x+8$ (4) $-6b+6$ (5) $8y+\frac{1}{6}$ (6) $2x+3$

034 (1) $2x-7y$ (2) $-a-5$ (3) $-2x-4$ (4) $7b-3$

035 4 036 ② 037 12 038 $-x+3$

039 $8y+12$ 040 ② 041 ④ 042 $\frac{5}{6}x+\frac{7}{3}$

043 ⑤ 044 $-\frac{x}{3}-\frac{4}{3}$ 045 -32

본문 80~92쪽

04 일차방정식

001 (1) 48, 48; ○ (2) 35, 42; × 002 135
003 (1) 16 (2) 3 004 8 cm 005 16바퀴
006 54개 007 풀이 참조 008 $\frac{5}{8}$, 0.625
009 ㈏ 자동차 010 연호 011 A 가게
012 검은색 자동차 013 (1) ○ (2) × (3) ×
(4) ○ (5) ○ (6) ○ 014 풀이 참조
015 (1) $x-7=-3$ (2) $2(x-3)=10$
(3) $2+3x=x-1$ 016 ④ 017 풀이 참조
018 ㄴ, ㄹ, ㅂ 019 ③ 020 8 021 ①
022 풀이 참조 023 (1) ○ (2) × 024 ④
025 ⑤ 026 (1) 5 (2) 7 (3) 9 (4) 2
027 ㈎ ㄱ ㈏ ㄹ 028 (1) × (2) × (3) ×
029 ①, ⑤ 030 ⑤
031 (1) + (2) − (3) −, + 032 ② 033 ④
034 ③ 035 ④ 036 풀이 참조
037 (1) $x=6$ (2) $x=1$ (3) $x=4$ (4) $x=1$
038 ⑤ 039 ④ 040 ③ 041 풀이 참조
042 (1) $x=3$ (2) $x=-10$ (3) $x=6$ (4) $x=\frac{8}{3}$
043 ⑤ 044 $x=3$ 045 $x=6$
046 (1) $3x=x-9$, $-\frac{9}{2}$
(2) $10-x=x+14$, -2
047 사탕: 3개, 과자: 7개 048 7명, 53전
049 $\frac{133}{8}$ 050 84세 051 15세 052 ④
053 12cm 054 ⑤ 055 (1) $5x+12$, $7x-4$
(2) $5x+12=7x-4$ (3) 8명, 52개
056 $x+2$, 16, 16, 18, 34 057 23, 24, 25
058 57 059 26 060 45 061 97
062 풀이 참조 063 4 km 064 ⑤

본문 94~110쪽

05 좌표평면과 그래프

001 (1) 14건 (2) 4월 002 풀이 참조 003 ㄴ
004 (1) 2개 (2) 5월과 6월 사이
005 (1) 4 °C (2) 땅 006 180 m 007 2, 2
008 (1) 28, 29, 30, 31 (2) $y=x+14$
009 (1) 18, 24, 30 (2) $y=6x$
010 3, 6, 9, 12, 15; $y=3x$
011 (1) 9, 12, 15 (2) $y=3x$
012 (1) 4, 5, 6 (2) $y=x+1$
013 12, 13, 14; $y=x-2004$
014 31개 015 ① 016 3 017 ③
018 P(-5), Q$\left(-\frac{5}{2}\right)$, R$\left(\frac{7}{2}\right)$ 019 풀이 참조
020 A(-160), E(264) 021 ⑤ 022 ③
023 ② 024 ②, ④ 025 ② 026 풀이 참조
027 (1) ㈎ (2) ㈏ (3) ㈒ (4) ㈑ (5) ㈐
028 제2사분면 029 (1) 변수 (2) 그래프
030 풀이 참조 031 ㄴ 032 ⑤
033 (1) ㈏ (2) ㈐ (3) ㈎ 034 ③
035 (1) 5분 (2) 20분
036 (1) 1200, 2400, 3600, 4800 (2) $y=1200x$
037 ④ 038 ① 039 ② 040 ③ 041 ②
042 ④ 043 ④ 044 ① 045 5
046 $y=-\frac{1}{4}x$ 047 ㄴ, ㄷ 048 ① 049 ④
050 ②, ③ 051 2, 5, 5, 2, 10 052 ④
053 풀이 참조 054 ④ 055 −2
056 ④ 057 ④ 058 6 059 8개
060 ④ 061 14 062 6

01 소인수분해

001 답 1, 2, 3, 4, 6, 12; 1, 2, 3, 4, 6, 12
어떤 수의 약수는 그 수를 나누어떨어지게 하는 수이다.

002 답 1, 5; 1, 3, 5, 15
곱셈식을 이용하여 약수를 구한다.

003 답 (1) 1, 2, 4, 5, 10, 20 (2) 1, 2, 3, 4, 6, 9, 12, 18, 36
(1) $20\div1=20$, $20\div2=10$, $20\div4=5$,
$20\div5=4$, $20\div10=2$, $20\div20=1$
이므로 20의 약수는 1, 2, 4, 5, 10, 20이다.
(2) $36\div1=36$, $36\div2=18$, $36\div3=12$,
$36\div4=9$, $36\div6=6$, $36\div9=4$,
$36\div12=3$, $36\div18=2$, $36\div36=1$
이므로 36의 약수는 1, 2, 3, 4, 6, 9, 12, 18, 36이다.

004 답 9, 18, 45
어떤 수는 9로 나누어떨어지는 수이므로 9, 18, 45이다.

005 답 24
□를 제외하고 작은 순서로 늘어놓으면 1, 2, 3, 4, 6, 8, 12이다. 곱셈식을 이용하여 약수를 구할 때 곱하여 같은 수가 되는 수를 살펴보면 $2\times12=24$, $3\times8=24$, $4\times6=24$이다. 따라서 $1\times□=24$이므로 □는 24이다.

006 답 5가지
28의 약수를 구하면 1, 2, 4, 7, 14, 28이다. 주머니 한 개에 모두 담지 않기 때문에 1을 제외한 2개, 4개, 7개, 14개, 28개의 주머니에 각각 나누어 담을 수 있다. 따라서 주머니에 나누어 담을 수 있는 경우는 모두 5가지이다.

007 답 7, 14, 21; 7, 14, 21
7의 배수는 7을 1배, 2배, 3배 …… 한 수이다.

008 답 9, 18, 27, 36, 45
9의 배수인 9를 1배, 2배, 3배 …… 한 수 중 50보다 작은 수를 구한다.
➡ $9\times1=\underline{9}$, $9\times2=\underline{18}$, $9\times3=\underline{27}$, $9\times4=\underline{36}$, $9\times5=\underline{45}$

009 답

48	49	50	51	52	53
54	55	56	57	58	59
60	61	62	63	64	65
66	67	68	69	70	71
72	73	74	75	76	77

4의 배수: 48, 52, 56, 60, 64, 68, 72, 76
8의 배수: 48, 56, 64, 72

010 답 6번, 12번, 18번, 24번, 30번
출석번호 1번부터 30번까지 중 6의 배수를 모두 찾는다.
➡ $6\times1=6$, $6\times2=12$, $6\times3=18$, $6\times4=24$, $6\times5=30$

011 답 6상자
17의 배수: 17, 34, 51, 68, 85, 102, …
100명의 친구들에게 모두 나누어 주기 위해서는 적어도 $17\times6=102$(개)의 초콜릿이 필요하다.
따라서 17개씩 들어 있는 초콜릿이 최소한 6상자 필요하다.

012 답 35
- 5의 배수: 5, 10, 15, 20, 25, 30, 35, 40, 45, 50, 55, 60, 65, …
- 7의 배수: 7, 14, 21, 28, 35, 42, 49, 56, 63, …
- 5와 7의 배수 중 30보다 크고 60보다 작은 수: 35

013 답 약수, 배수

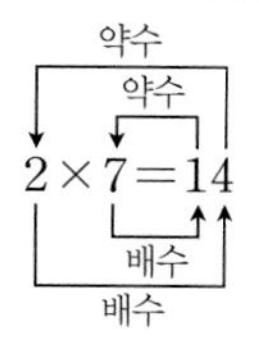

014 답 52
어떤 수의 약수 중 가장 큰 수는 어떤 수 자신이다.
따라서 주어진 수 중 가장 큰 수가 52이므로
어떤 수는 52이다.

015 답 1, 3, 9, 27
27이 □의 배수이므로 □는 27의 약수이다.
27의 약수는 1, 3, 9, 27이므로 □ 안에 들어갈 수 있는 수는 1, 3, 9, 27이다.

016 답 90

18의 배수를 가장 작은 수부터 차례대로 나열하면 18, 36, 54, 72, 90, 108, …이다.
따라서 18의 배수 중에서 가장 큰 두 자리 수는 90이다.

017 답 5, 10, 20

- $5\times2=10$ ➡ 5는 10의 약수이다.
- $10\times1=10$ ➡ 10은 10의 약수도 되고 배수도 된다.
- $20\div2=10$ ➡ 20은 10의 배수이다.

018 답 ④

④ $30\div1=30$, $30\div2=15$, $30\div3=10$, $30\div5=6$, $30\div6=5$, $30\div15=2$, $30\div10=3$, $30\div30=1$
➡ 30의 약수는 1, 2, 3, 5, 6, 10, 15, 30이다.

019 답 140에 ○표

5의 배수는 135, 140이고, 그 중 4의 배수는 140이다.

020 답 216에 ○표

6의 배수: 각 자리 숫자의 합이 3의 배수이면서 짝수인 수
- 105: $1+0+5=6$, 홀수(×)
- 172: $1+7+2=10$(×)
- 196: $1+9+6=16$(×)
- 216: $2+1+6=9$, 짝수(○)

021 답 1

4의 배수: 끝의 두 자리 수가 00이거나 4의 배수인 수
□2가 00이거나 4의 배수 중 될 수 있는 가장 작은 두 자리 수이어야 하므로 12이다.
따라서 □ 안에 알맞은 수는 1이다.

022 답 복숭아

3의 배수: 각 자리 숫자의 합이 3의 배수인 수
- 배: 4214 ➡ $4+2+1+4=11$(×)
- 복숭아: 4281 ➡ $4+2+8+1=15$(○)
- 사과: 4355 ➡ $4+3+5+5=17$(×)

023 답 2, 5, 8

6의 배수: 각 자리 숫자의 합이 3의 배수이면서 짝수인 수
64□6: $6+4+\square+6=16+\square$
일의 자리의 수가 6으로 짝수이므로 $16+\square$는 3의 배수이면 된다. 즉, 18, 21, 24, 27 …이다.
□는 한 자리 수이므로
$16+\square=18$ ➡ $\square=2$, $16+\square=21$ ➡ $\square=5$
$16+\square=24$ ➡ $\square=8$

024 답 873

9의 배수: 각 자리 숫자의 합이 9의 배수인 수
- 875 ➡ $8+7+5=20$(×)
- 874 ➡ $8+7+4=19$(×)
- 873 ➡ $8+7+3=18$(○)

025 답 풀이 참조

	2	3	4	5	6	7	8
약수	1, 2	1, 3	1, 2, 4	1, 5	1, 2, 3, 6	1, 7	1, 2, 4, 8
	소	소	합	소	합	소	합

026 답 풀이 참조

약수의 개수가 1개인 수	1
약수의 개수가 2개인 수	2, 3, 5, 7, 11, 13, 17, 19
	➡ 이 수들을 소수 라고 한다.
약수의 개수가 3개 이상인 수	4, 6, 8, 9, 10, 12, 14, 15, 16, 18, 20
	➡ 이 수들을 합성수 라고 한다.

027 답 ㄱ, ㄴ

ㄱ. 53의 약수는 1, 53이므로 소수이다.
ㄴ. 5의 배수 중 소수는 5뿐이므로 1개이다.
ㄷ. 홀수인 9도 합성수이다.
ㄹ. 소수 2의 약수는 1, 2로 2개이므로 짝수개이다.

028 답 ⑤

⑤ 24의 약수는 1, 2, 3, 4, 6, 8, 12, 24이고 이 중 소수는 2, 3으로 모두 2개이다.

029 답 (1) 5, 4 (2) 7, 3 (3) 10, 2 (4) 13, 1

030 답 (1) 3^4 (2) 2×5^3 (3) $2^2\times3^3\times7$ (4) $\left(\frac{1}{4}\right)^2$

031 답 ④, ⑤

① $2\times2\times2=2^3$
② $\frac{1}{3}\times\frac{1}{3}=\left(\frac{1}{3}\right)^2$
③ $5+5+5+5=5\times4$

032 답 2

$2\times3\times3\times3\times7\times7=2^1\times3^3\times7^2$이므로

$a=1$, $b=3$, $c=2$

따라서 $a+b-c=1+3-2=2$이다.

033 답 8

$2^5=2\times2\times2\times2\times2=32$이므로 $a=32$

$81=3\times3\times3\times3=3^4$이므로 $b=4$

따라서 $a\div b=32\div4=8$이다.

034 답 풀이 참조

(1)

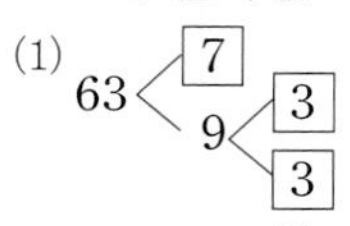

➡ $63=3^{\boxed{2}}\times\boxed{7}$

(2)

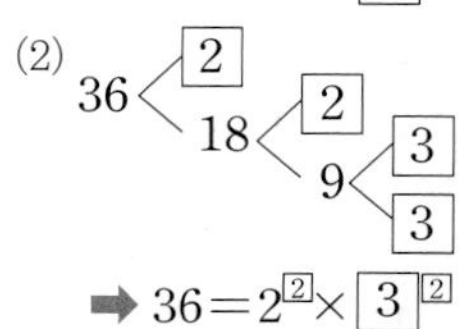

➡ $36=2^{\boxed{2}}\times\boxed{3}^{\boxed{2}}$

035 답 풀이 참조

(1) $\boxed{2}$) 52

$\boxed{2}$) 26

13

52 ➡ 소인수분해: $52=2^2\times13$

➡ 소인수: 2, 13

(2) $\boxed{2}$) 150

3) 75

$\boxed{5}$) $\boxed{25}$

5

150 ➡ 소인수분해: $150=2\times3\times5^2$

➡ 소인수: 2, 3, 5

036 답 ③

① 2) 20 ➡ $20=2^2\times5$

2) 10

5

② 2) 66 ➡ $66=2\times3\times11$

3) 33

11

③ 2) 84 ➡ $84=2^2\times3\times7$

2) 42

3) 21

7

④ 2) 108 ➡ $108=2^2\times3^3$

2) 54

3) 27

3) 9

3

⑤ 2) 198 ➡ $198=2\times3^2\times11$

3) 99

3) 33

11

037 답 ②, ④

80을 소인수분해하면 $80=2^4\times5$이므로 소인수인 것은 ② 2, ④ 5이다.

038 답 (1) 3, 5 (2) 2, 3 (3) 2 (4) 2, 7

(1) $15=3\times5$이므로 소인수는 3, 5이다.

(2) 2) 24

2) 12

2) 6

3

따라서 $24=2^3\times3$이므로 소인수는 2, 3이다.

(3) 2) 32

2) 16

2) 8

2) 4

2

따라서 $32=2^5$이므로 소인수는 2이다.

(4) 2) 56

2) 28

2) 14

7

따라서 $56=2^3\times7$이므로 소인수는 2, 7이다.

039 답 ④

① $30=2\times3\times5$이므로 30의 소인수는 2, 3, 5이다.

② $90=2\times3^2\times5$이므로 90의 소인수는 2, 3, 5이다.

③ $150=2\times3\times5^2$이므로 150의 소인수는 2, 3, 5이다.

④ $160=2^5\times5$이므로 160의 소인수는 2, 5이다.

⑤ $450=2\times3^2\times5^2$이므로 450의 소인수는 2, 3, 5이다.

040 답 ④

$90=2\times3^2\times5$이므로 소인수는 2, 3, 5이다.

① $20=2^2\times5$이므로 소인수는 2, 5이다.

② $33=3\times11$이므로 소인수는 3, 11이다.

③ $42=2\times3\times7$이므로 소인수는 2, 3, 7이다.

④ $120=2^3\times3\times5$이므로 소인수는 2, 3, 5이다.

⑤ $242=2\times11^2$이므로 소인수는 2, 11이다.

따라서 90과 소인수가 같은 것은 ④ 120이다.

041 답 ③

$540=2^2\times3^3\times5$이므로 소인수는 2, 3, 5이다.

➡ 소인수의 합: $2+3+5=10$

042 답 6

$200=2^3\times5^2$이므로 $a=3$, $b=2$

따라서 $a\times b=3\times2=6$이다.

043 답 풀이 참조

(1)

$\times$	1	2	2^2
1	1	2	4
3	3	6	12
3^2	9	18	36

(2) 36의 약수: 1, 2, 3, 4, 6, 9, 12, 18, 36

(3) 36의 약수의 개수: 9개

044 답 풀이 참조

(1) $100=2^2\times5^2$

(2)

$\times$	1	2	2^2
1	1	2	4
5	5	10	20
5^2	25	50	100

100의 약수: 1, 2, 4, 5, 10, 20, 25, 50, 100

(3) 100의 약수의 개수: 9개

045 답 ⑤

$2^3\times3^2$의 약수는 2^3의 약수와 3^2의 약수를 곱한 수이다.

⑤ 3^3은 3^2의 약수가 아니므로 $2^3\times3^3$은 $2^3\times3^2$의 약수가 아니다.

046 답 ②, ③

$54=2\times3^3$이므로 54의 약수는 2의 약수와 3^3의 약수를 곱한 수이다.

2^2은 2의 약수가 아니므로

① 2^2, ④ $2^2\times3$, ⑤ $2^2\times3^2$은 54의 약수가 아니다.

047 답 3^3, $2^4\times3$

$72=2^3\times3^2$이므로 72의 약수는 2^3의 약수와 3^2의 약수를 곱한 수이다.

048 답 (1) 7개 (2) 10개 (3) 24개

(1) 5^6의 약수의 개수는 $6+1=7$(개)

(2) $3^4\times7$의 약수의 개수는 $(4+1)\times(1+1)=10$(개)

(3) $2^3\times3\times7^2$의 약수의 개수는

$(3+1)\times(1+1)\times(2+1)=24$(개)

049 답 (1) 8개 (2) 8개 (3) 12개

(1) $56=2^3\times7$이므로 56의 약수의 개수는

$(3+1)\times(1+1)=8$(개)

(2) $88=2^3\times11$이므로 88의 약수의 개수는

$(3+1)\times(1+1)=8$(개)

(3) $200=2^3\times5^2$이므로 200의 약수의 개수는

$(3+1)\times(2+1)=12$(개)

050 답 ③

① $28=2^2\times7$이므로 28의 약수의 개수는

$(2+1)\times(1+1)=6$(개)

② $30=2\times3\times5$이므로 30의 약수의 개수는

$(1+1)\times(1+1)\times(1+1)=8$(개)

③ $36=2^2\times3^2$이므로 36의 약수의 개수는

$(2+1)\times(2+1)=9$(개)

④ $64=2^6$이므로 64의 약수의 개수는

$6+1=7$(개)

⑤ $125=5^3$이므로 125의 약수의 개수는

$3+1=4$(개)

따라서 약수의 개수가 가장 많은 것은 ③ 36이다.

051 답 5

$3^n\times5^2$의 약수의 개수가 18개이므로

$(n+1)\times(2+1)=18$, $n+1=6$

따라서 $n=5$이다.

052 답 ⑤

① $2^2\times3^3$이므로 약수의 개수는 $(2+1)\times(3+1)=12$(개)

② $2^2\times3\times5$이므로 약수의 개수는
$(2+1)\times(1+1)\times(1+1)=12$(개)

③ $2^2\times18=2^2\times2\times3^2=2^3\times3^2$이므로 약수의 개수는
$(3+1)\times(2+1)=12$(개)

④ $2^2\times24=2^2\times2^3\times3=2^5\times3$이므로 약수의 개수는
$(5+1)\times(1+1)=12$(개)

⑤ $2^2\times25=2^2\times5^2$이므로 약수의 개수는
$(2+1)\times(2+1)=9$(개)

053 답 풀이 참조

(1) 8의 약수: 1, 2, 4, 8

(2) 20의 약수: 1, 2, 4, 5, 10, 20

(3) 8과 20의 공약수: 1, 2, 4

(4) 8과 20의 최대공약수: 4

054 답 (1) 5 (2) 3 (3) 13 (4) 6

(1) 5의 약수: 1, 5
10의 약수: 1, 2, 5, 10
➡ 최대공약수: 5

(2) 12의 약수: 1, 2, 3, 4, 6, 12
27의 약수: 1, 3, 9, 27
➡ 최대공약수: 3

(3) 13의 약수: 1, 13
26의 약수: 1, 2, 13, 26
➡ 최대공약수: 13

(4) 18의 약수: 1, 2, 3, 6, 9, 18
30의 약수: 1, 2, 3, 5, 6, 10, 15, 30
➡ 최대공약수: 6

055 답 6개

두 수의 공약수는 최대공약수의 약수이다. 75의 약수는 1, 3, 5, 15, 25, 75이므로 공약수의 개수는 6개이다.

056 답 1, 2, 3, 6

두 자연수의 공약수는 그 수의 최대공약수의 약수이므로 최대공약수 6의 약수는 1, 2, 3, 6이다.

057 답 (1) ○ (2) × (3) × (4) ○

(1) 3, 5의 최대공약수: 1 ➡ 서로소

(2) 8, 20의 최대공약수: 4

(3) 9, 15의 최대공약수: 3

(4) 12, 17의 최대공약수: 1 ➡ 서로소

058 답 (1) 2×3^2 (2) $2^2\times5$ (3) $2\times3\times5^2$

소인수분해하여 최대공약수를 구할 때, 지수가 같으면 그대로, 다르면 지수가 작은 것을 택하여 곱한다.

059 답 (1) 9 (2) 20 (3) 8

(1)
```
3) 27  45
3)  9  15
     3   5
```
➡ (최대공약수)$=3\times3=9$

(2)
```
2) 40  60
2) 20  30
5) 10  15
     2   3
```
➡ (최대공약수)$=2\times2\times5=20$

(3)
```
2) 24  56  88
2) 12  28  44
2)  6  14  22
     3   7  11
```
➡ (최대공약수)$=2\times2\times2=8$

060 답 ③

소인수분해된 수의 최대공약수를 구할 때는 공통인 소인수를 모두 곱한다. 이때 공통인 소인수의 지수가 같으면 그대로, 다르면 지수가 작은 것을 택하고 곱한다.

$2^3\times3^a\times7^3$과 $2\times3^4\times7^b$의 최대공약수가 $2\times3^2\times7^2$이므로 $a=2$, $b=2$이다.

따라서 $a\times b=2\times2=4$이다.

061 답 12명

공책 36권과 지우개 60개를 가능한 한 많은 학생들에게 남김없이 똑같이 나누어 주려고 하므로 학생 수는 36, 60의 최대공약수가 되어야 한다.

$36=2^2\times3^2$, $60=2^2\times3\times5$

36과 60의 최대공약수는 $2^2\times3=12$이다.

따라서 최대 12명의 학생에게 나누어 줄 수 있다.

062 답 (1) 8 (2) 8, 15, 8, 11, 165

(1)
```
2) 120  88   ➡ 최대공약수: 2×2×2=8
2)  60  44
2)  30  22
    15  11
```
카드의 한 변의 길이는 8 cm이다.

(2) 필요한 카드의 수는
가로: $120 \div 8 = 15$(장), 세로: $88 \div 8 = 11$(장)이므로
모두 $15 \times 11 = 165$(장)이다.

063 답 (1) 5 (2) 4 (3) 60, 36, 12

(1) 어떤 자연수로 65를 나누면 5가 남으므로 어떤 자연수로 $(65-5)$를 나누면 나누어떨어진다.

(2) 어떤 자연수로 40을 나누면 4가 남으므로 어떤 자연수로 $(40-4)$를 나누면 나누어떨어진다.

(3) 이와 같은 자연수 중 가장 큰 수는 60과 36의 최대공약수인 12이다.
```
2) 60  36   ➡ 최대공약수: 2×2×3=12
2) 30  18
3) 15   9
    5   3
```

064 답 18

어떤 자연수로 $56-2=54$와 $86+4=90$을 나누면 나누어떨어진다.
$54=2\times3^3$, $90=2\times3^2\times5$
54와 90의 최대공약수: $2\times3^2=18$
따라서 구하는 가장 큰 수는 54와 90의 최대공약수인 18이다.

065 답 (1) 8, 16, 24, 32, 40, 48, ⋯
(2) 12, 24, 36, 48, 60, 72, ⋯
(3) 24, 48, ⋯
(4) 24

066 답 (1) 10, 20, 30, ⋯
(2) 15, 30, 45, ⋯
(3) 30, 60, 90, ⋯
(4) 30
(5) 30, 60, 90, ⋯

공배수 중 가장 작은 수를 최소공배수라 하고, 공배수는 최소공배수의 배수와 같다.

067 답 28, 56, 84

두 자연수 A, B의 공배수는 최소공배수인 28의 배수이므로 28, 56, 84, ⋯이다.

068 답 ①, ③

두 자연수의 공배수는 최소공배수인 18의 배수이므로 18, 36, 54, ⋯이다.
따라서 두 자연수의 공배수가 아닌 것은 ① 27, ③ 45이다.

069 답 6개

두 자연수 A, B의 공배수는 최소공배수인 16의 배수이다.
따라서 16의 배수 중 두 자리 자연수는 16, 32, 48, 64, 80, 96이므로 모두 6개이다.

070 답 (1) $2^3\times3^2$ (2) $2^2\times5\times7$ (3) $2^3\times3^2\times5^2$

각 수를 소인수분해한 후 공통인 소인수와 공통이 아닌 소인수를 모두 곱할 때, 지수가 같으면 그대로, 다르면 지수가 큰 것을 택하여 곱한다.

071 답 (1) 48 (2) 660

(1)
```
2) 12  16
2)  6   8
    3   4
```
➡ (최소공배수)$=2\times2\times3\times4=48$

(2)
```
5) 20  30  55
2)  4   6  11
    2   3  11
```
➡ (최소공배수)$=5\times2\times2\times3\times11=660$

072 답 8

최소공배수를 소인수분해를 이용하여 구할 때 지수가 같으면 그대로, 다르면 지수가 큰 것을 택하여 곱한다.
따라서 $a=3$, $b=2$, $c=7$이므로
$a-b+c=3-2+7=8$이다.

073 답 126초

오빠가 트랙을 돌아 처음 출발점으로 돌아오는데 걸리는 시간: 42의 배수 ➡ 42초, 84초, 126초, ⋯
동생이 트랙을 돌아 처음 출발점으로 돌아오는데 걸리는 시간: 63의 배수 ➡ 63초, 126초, 189초, ⋯
오빠와 동생이 처음으로 출발점에서 다시 만나게 될 때까지

걸리는 시간은 (42와 63의 최소공배수)초 후이다. 따라서 오빠와 동생이 처음으로 출발점에서 다시 만나게 될 때까지 걸리는 시간은 126초이다.

$$\begin{array}{r|rr} 3 & 42 & 63 \\ \hline 7 & 14 & 21 \\ \hline & 2 & 3 \end{array}$$

(최소공배수)$=3\times7\times2\times3=126$

074 답 80 cm

정육면체의 한 모서리의 길이는 16, 20, 8의 공배수이고 가능한 한 작은 정육면체 모양을 만들어야 하므로 정육면체의 한 모서리의 길이는 16, 20, 8의 최소공배수가 되어야 한다.

$$\begin{array}{r|rrr} 2 & 16 & 20 & 8 \\ \hline 2 & 8 & 10 & 4 \\ \hline 2 & 4 & 5 & 2 \\ \hline & 2 & 5 & 1 \end{array}$$

(최소공배수)$=2\times2\times2\times2\times5\times1=80$

➡ 정육면체의 한 모서리의 길이는 80 cm이다.

075 답 (1) 1, 1, 1, 1 (2) 30, 31

(2) $$\begin{array}{r|rrr} 3 & 3 & 5 & 6 \\ \hline & 1 & 5 & 2 \end{array}$$

(최소공배수)$=3\times1\times5\times2=30$

따라서 두 자리의 자연수 중 가장 작은 수는 $30+1=31$이다.

076 답 톱니바퀴 A: 9바퀴, 톱니바퀴 B: 10바퀴

두 톱니바퀴 A, B가 처음으로 다시 같은 톱니에서 맞물릴때까지 돌아간 톱니의 개수는 $20=2^2\times5$와 $18=2\times3^2$의 최소공배수인 $2^2\times3^2\times5=180$(개)이다.

따라서 톱니바퀴 A는 $180\div20=9$(바퀴),

톱니바퀴 B는 $180\div18=10$(바퀴) 회전한 후이다.

077 답 3, 3, $A=9$

(최소공배수)$=3\times\square\times5=45$에서 $\square\times15=45$, $\square=3$이다.

$$\begin{array}{r|rr} 3 & A & 15 \\ \hline & \boxed{3} & 5 \end{array}$$ ➡ 최소공배수: $3\times\boxed{3}\times5=45$

따라서 $A=3\times3=9$이다.

078 답 ②

(두 자연수의 곱)=(최대공약수)×(최소공배수)이므로

$42\times A=7\times210$

$42\times A=1470$

따라서 $A=1470\div42=35$이다.

079 답 540

$A\times B=6\times90=540$

080 답 3

(두 자연수의 곱)=(최대공약수)×(최소공배수)이므로

$450=$(최대공약수)$\times150$

따라서 (최대공약수)$=3$이다.

081 답 40

두 자연수 A, B의 최대공약수가 5이므로

$A=5\times a$, $B=5\times b$

(a, b는 서로소, $a<b$)

$$\begin{array}{r|rr} 5 & 5\times a & 5\times b \\ \hline & a & b \end{array}$$

이때 A, B의 곱이 175이므로

$5\times a\times5\times b=175$ $\quad\therefore a\times b=7$

$a=1$, $b=7$일 때 $A=5$, $B=35$

따라서 $A+B=5+35=40$이다.

082 답 42

두 자연수 A, B의 최대공약수가 14이면

$A=14\times a$, $B=14\times b$ (a, b는 서로소, $a<b$)

A, B의 최소공배수가 56이므로

$a\times b\times14=56$ $\quad\therefore a\times b=4$

$a=1$, $b=4$일 때 $A=14$, $B=56$

따라서 $B-A=56-14=42$이다.

02 정수와 유리수

001 답 풀이 참조

(1) $\frac{5}{6}=\frac{5\times2}{6\times\boxed{2}}=\frac{\boxed{10}}{\boxed{12}}$ (2) $\frac{12}{33}=\frac{12\div3}{33\div\boxed{3}}=\frac{\boxed{4}}{\boxed{11}}$

002 답 풀이 참조

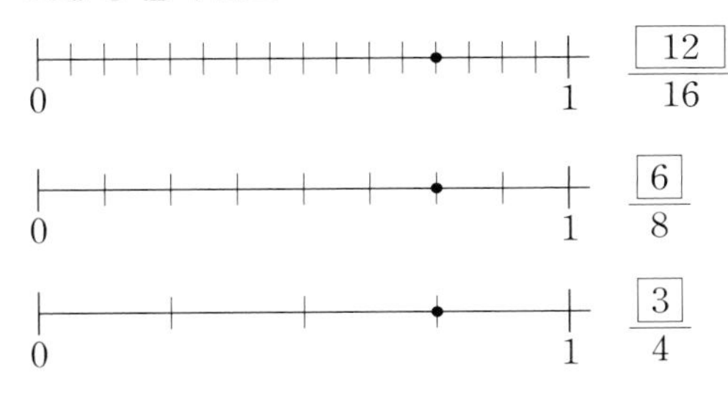

$\frac{\boxed{12}}{16}$

$\frac{\boxed{6}}{8}$

$\frac{\boxed{3}}{4}$

003 답

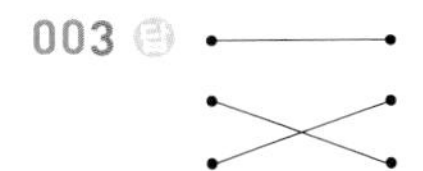

$\frac{3}{18}=\frac{3\div3}{18\div3}=\frac{1}{6}$

$\frac{20}{32}=\frac{20\div4}{32\div4}=\frac{5}{8}$

$\frac{18}{42}=\frac{18\div6}{42\div6}=\frac{3}{7}$

004 답 10개

$\frac{5}{9}=\frac{5\times2}{9\times2}=\frac{5\times3}{9\times3}=\cdots$

이 중 분모가 두 자리 수인 분수는 분모 9의 배수 중 두 자리의 수를 구하면 18, 27, 36, 45, 54, 63, 72, 81, 90, 99로 모두 10개이다.

005 답 (1) 1, 2, 4 (2) 2, $\frac{6}{10}$; 4, $\frac{3}{5}$

(1) 12의 약수: 1, 2, 3, 4, 6, 12
20의 약수: 1, 2, 4, 5, 10, 20
12와 20의 공약수: 1, 2, 4

(2) $\frac{12}{20}=\frac{12\div\boxed{2}}{20\div2}=\frac{\boxed{6}}{\boxed{10}}$

$\frac{12}{20}=\frac{12\div4}{20\div\boxed{4}}=\frac{\boxed{3}}{\boxed{5}}$

006 답 12, 12, 12, $\frac{2}{3}$

```
4 ) 24  36
3 )  6   9
     2   3
```

(최대공약수)$=4\times3=\boxed{12}$

➡ $\frac{24}{36}=\frac{24\div\boxed{12}}{36\div\boxed{12}}=\frac{\boxed{2}}{\boxed{3}}$

007 답 $\frac{16}{28}$, $\frac{8}{14}$, $\frac{4}{7}$

32와 56의 공약수: 1, 2, 4, 8

$\frac{32}{56}=\frac{32\div2}{56\div2}=\frac{16}{28}$, $\frac{32}{56}=\frac{32\div4}{56\div4}=\frac{8}{14}$

$\frac{32}{56}=\frac{32\div8}{56\div8}=\frac{4}{7}$

008 답 (1) $\frac{2}{9}$ (2) $\frac{3}{4}$

(1) 16과 72의 최대공약수: 8

$\frac{16}{72}=\frac{16\div8}{72\div8}=\frac{2}{9}$

(2) 27과 36의 최대공약수: 9

$\frac{27}{36}=\frac{27\div9}{36\div9}=\frac{3}{4}$

009 답 $\frac{47}{57}$

(어떤 분수)$=\frac{7\times6+5}{10\times6-3}=\frac{42+5}{60-3}=\frac{47}{57}$

010 답 풀이 참조

$\left(\frac{2}{3}, \frac{5}{6}\right)$ ➡ $\left(\frac{2\times\boxed{6}}{3\times6}, \frac{5\times\boxed{3}}{6\times\boxed{3}}\right)$ ➡ $\left(\frac{\boxed{12}}{\boxed{18}}, \frac{\boxed{15}}{\boxed{18}}\right)$

011 답 풀이 참조

8과 20의 최소공배수: 40

$\left(\frac{5\times\boxed{5}}{8\times\boxed{5}}, \frac{7\times2}{20\times\boxed{2}}\right)$ ➡ $\left(\frac{\boxed{25}}{\boxed{40}}, \frac{\boxed{14}}{\boxed{40}}\right)$

012 답 ③

12와 18의 최소공배수가 36이므로 36의 배수가 공통분모가 될 수 있다.

③ $72=36\times2$이므로 72는 36의 배수이다.

013 답 $\frac{90}{120}$, $\frac{44}{120}$

$$\left(\frac{3}{4}, \frac{11}{30}\right) \Rightarrow \left(\frac{3\times30}{4\times30}, \frac{11\times4}{30\times4}\right) \Rightarrow \left(\frac{90}{120}, \frac{44}{120}\right)$$

014 답 53

16과 20의 최소공배수: 80

$$\left(\frac{3}{16}, \frac{17}{20}\right)=\left(\frac{3\times5}{16\times5}, \frac{17\times4}{20\times4}\right)=\left(\frac{15}{80}, \frac{68}{80}\right)$$

따라서 두 분수의 분자의 차는 $68-15=53$이다.

015 답 $\frac{5}{8}$

$\left(㉠, \frac{7}{9}\right) \Rightarrow \left(\frac{45}{72}, \frac{56}{72}\right)$에서 공통분모 $72=9\times8$이므로

㉠의 분모는 8이다.

따라서 $㉠=\frac{45\div9}{72\div9}=\frac{5}{8}$이다.

016 답 (1) $1\frac{1}{4}$ (2) $2\frac{1}{5}$

(1) $\frac{7}{8}+\frac{3}{8}=\frac{7+3}{8}=\frac{10}{8}=\frac{5}{4}=1\frac{1}{4}$

(2) $3\frac{7}{15}-1\frac{4}{15}=(3-1)+\left(\frac{7}{15}-\frac{4}{15}\right)$

$=2+\frac{3}{15}=2\frac{3}{15}=2\frac{1}{5}$

017 답 ③

① $2\frac{5}{8}+2\frac{7}{8}=(2+2)+\left(\frac{5}{8}+\frac{7}{8}\right)$

$=4+\frac{12}{8}=4+1\frac{4}{8}=5\frac{4}{8}=5\frac{1}{2}$

② $3\frac{1}{8}+1\frac{3}{8}=(3+1)+\left(\frac{1}{8}+\frac{3}{8}\right)=4+\frac{4}{8}=4\frac{4}{8}=4\frac{1}{2}$

③ $1\frac{7}{8}+3\frac{7}{8}=(1+3)+\left(\frac{7}{8}+\frac{7}{8}\right)=4+\frac{14}{8}$

$=4+1\frac{6}{8}=5\frac{6}{8}=5\frac{3}{4}$

④ $2\frac{1}{8}+3\frac{1}{8}=(2+3)+\left(\frac{1}{8}+\frac{1}{8}\right)=5+\frac{2}{8}=5\frac{2}{8}=5\frac{1}{4}$

⑤ $2\frac{5}{8}+2\frac{3}{8}=(2+2)+\left(\frac{5}{8}+\frac{3}{8}\right)=4+\frac{8}{8}=4+1=5$

018 답 ⑤

$㉠=5\frac{2}{7}-1\frac{5}{7}=4\frac{9}{7}-1\frac{5}{7}=(4-1)+\left(\frac{9}{7}-\frac{5}{7}\right)$

$=3+\frac{4}{7}=3\frac{4}{7}$

$㉡=3\frac{1}{7}-1\frac{6}{7}=2\frac{8}{7}-1\frac{6}{7}=(2-1)+\left(\frac{8}{7}-\frac{6}{7}\right)$

$=1+\frac{2}{7}=1\frac{2}{7}$

따라서 $㉠-㉡=3\frac{4}{7}-1\frac{2}{7}=2\frac{2}{7}$이다.

019 답 $20\frac{2}{5}$ cm

한 변의 길이가 $6\frac{4}{5}$ cm인 정삼각형의 세 변의 길이의 합은

$6\frac{4}{5}+6\frac{4}{5}+6\frac{4}{5}=(6+6+6)+\left(\frac{4}{5}+\frac{4}{5}+\frac{4}{5}\right)$

$=18+\frac{12}{5}=18+2\frac{2}{5}=20\frac{2}{5}$ (cm)이다.

020 답 $\frac{5}{8}$

(어떤 수)$=9\frac{7}{8}-4\frac{5}{8}=(9-4)+\left(\frac{7}{8}-\frac{5}{8}\right)=5+\frac{2}{8}=5\frac{2}{8}$

따라서 바르게 계산한 값은 $5\frac{2}{8}-4\frac{5}{8}=4\frac{10}{8}-4\frac{5}{8}=\frac{5}{8}$이다.

021 답 풀이 참조

(1) $4-\frac{6}{7}=3\frac{\boxed{7}}{7}-\frac{6}{7}$

$=3+\frac{\boxed{7}-6}{7}=3\frac{\boxed{1}}{7}$

(2) $5-2\frac{1}{4}=\frac{\boxed{20}}{4}-\frac{9}{4}$

$=\frac{\boxed{20}-9}{4}=\frac{\boxed{11}}{4}=\boxed{2}\frac{\boxed{3}}{4}$

022 답 $3\frac{3}{11}$, $5\frac{5}{9}$, $2\frac{5}{12}$

$6-2\frac{8}{11}=5\frac{11}{11}-2\frac{8}{11}=(5-2)+\left(\frac{11}{11}-\frac{8}{11}\right)$

$=3+\frac{3}{11}=3\frac{3}{11}$

$6-\frac{4}{9}=5\frac{9}{9}-\frac{4}{9}=5\frac{5}{9}$

$6-3\frac{7}{12}=5\frac{12}{12}-3\frac{7}{12}=(5-3)+\left(\frac{12}{12}-\frac{7}{12}\right)$

$=2+\frac{5}{12}=2\frac{5}{12}$

023 답 ④

① $9-\frac{11}{7}=\frac{63}{7}-\frac{11}{7}=\frac{63-11}{7}=\frac{52}{7}=7\frac{3}{7}$

② $9-4\frac{1}{7}=\frac{63}{7}-\frac{29}{7}=\frac{63-29}{7}=\frac{34}{7}=4\frac{6}{7}$

③ $9-3\frac{6}{7}=\frac{63}{7}-\frac{27}{7}=\frac{63-27}{7}=\frac{36}{7}=5\frac{1}{7}$

④ $9-\frac{6}{7}=\frac{63}{7}-\frac{6}{7}=\frac{63-6}{7}=\frac{57}{7}=8\frac{1}{7}$

⑤ $9-1\frac{1}{7}=\frac{63}{7}-\frac{8}{7}=\frac{55}{7}=7\frac{6}{7}$

따라서 계산한 값이 9에 가장 가까운 식은 ④이다.

024 답 $22\frac{3}{5}$ kg

$25-2\frac{2}{5}=24\frac{5}{5}-2\frac{2}{5}=(24-2)+\left(\frac{5}{5}-\frac{2}{5}\right)$

$=22+\frac{3}{5}=22\frac{3}{5}$ (kg)

025 답 1, 2, 3, 4, 5, 6, 7

$8-2\frac{\square}{8}>5$

$\frac{64}{8}-\frac{16+\square}{8}>\frac{40}{8}$ ➡ $\frac{64-(16+\square)}{8}>\frac{40}{8}$

$64-(16+\square)>40$이므로 $\square<8$이다.

따라서 □ 안에 들어갈 수 있는 수는 1, 2, 3, 4, 5, 6, 7이다.

026 답 풀이 참조

(1) $\frac{9}{10}-\frac{2}{3}=\frac{9\times\boxed{3}}{10\times3}-\frac{2\times\boxed{10}}{3\times\boxed{10}}$

$=\frac{\boxed{27}}{30}-\frac{\boxed{20}}{30}=\boxed{\frac{7}{30}}$

(2) $4\frac{1}{5}+1\frac{2}{7}=(4+1)+\left(\frac{1\times\boxed{7}}{5\times\boxed{7}}+\frac{2\times\boxed{5}}{7\times\boxed{5}}\right)$

$=(4+1)+\left(\frac{\boxed{7}}{35}+\frac{\boxed{10}}{35}\right)=\boxed{5}\frac{\boxed{17}}{35}$

027 답 $1\frac{1}{6}$, $2\frac{1}{3}$

$1\frac{7}{10}-\frac{8}{15}=1\frac{21}{30}-\frac{16}{30}=1\frac{5}{30}=1\frac{1}{6}$

$5\frac{3}{5}-3\frac{4}{15}=5\frac{9}{15}-3\frac{4}{15}=2\frac{5}{15}=2\frac{1}{3}$

028 답 ㄱ, ㄷ, ㄴ

ㄱ. $\frac{3}{5}+\frac{2}{3}=\frac{3\times3}{5\times3}+\frac{2\times5}{3\times5}=\frac{9}{15}+\frac{10}{15}=\frac{19}{15}=1\frac{4}{15}$

ㄴ. $\frac{2}{9}+\frac{11}{6}=\frac{2\times2}{9\times2}+\frac{11\times3}{6\times3}=\frac{4}{18}+\frac{33}{18}=\frac{37}{18}=2\frac{1}{18}$

ㄷ. $\frac{7}{10}+\frac{5}{6}=\frac{7\times3}{10\times3}+\frac{5\times5}{6\times5}=\frac{21}{30}+\frac{25}{30}$

$=\frac{\overset{23}{\cancel{46}}}{\underset{15}{\cancel{30}}}=\frac{23}{15}=1\frac{8}{15}$

➡ ㄱ<ㄷ<ㄴ

029 답 $3\frac{13}{24}$

㉠$=1\frac{3}{8}-\frac{1}{2}=\frac{11}{8}-\frac{1\times4}{2\times4}=\frac{11}{8}-\frac{4}{8}=\frac{7}{8}$

㉠+㉡$=4\frac{5}{12}$, $\frac{7}{8}+$㉡$=4\frac{5}{12}$

➡ ㉡$=4\frac{5}{12}-\frac{7}{8}=4\frac{5\times2}{12\times2}-\frac{7\times3}{8\times3}=4\frac{10}{24}-\frac{21}{24}$

$=3\frac{34}{24}-\frac{21}{24}=3\frac{13}{24}$

030 답 $1\frac{1}{2}$ km

(㉡에서 ㉢까지의 거리)$=\left(5\frac{3}{4}+6\frac{3}{8}\right)-10\frac{5}{8}$

$=\left(5\frac{6}{8}+6\frac{3}{8}\right)-10\frac{5}{8}$

$=11\frac{9}{8}-10\frac{5}{8}$

$=1\frac{4}{8}=1\frac{1}{2}$ (km)

031 답 ③, ⑤

③ $\frac{4}{5}\times3=\frac{4\times3}{5}$

⑤ $\frac{4}{5}\times3=\frac{4}{5}+\frac{4}{5}+\frac{4}{5}$

032 답 (1) $7\frac{1}{3}$ (2) $3\frac{1}{3}$ (3) $19\frac{1}{3}$ (4) $29\frac{1}{2}$

(1) $\frac{11}{27}\times18=\frac{11}{\underset{3}{\cancel{27}}}\times\overset{2}{\cancel{18}}=\frac{22}{3}=7\frac{1}{3}$

(2) $12\times\frac{5}{18}=\overset{2}{\cancel{12}}\times\frac{5}{\underset{3}{\cancel{18}}}=\frac{10}{3}=3\frac{1}{3}$

(3) $16\times1\frac{5}{24}=\overset{2}{\cancel{16}}\times\frac{29}{\underset{3}{\cancel{24}}}=\frac{58}{3}=19\frac{1}{3}$

(4) $4\frac{3}{14}\times 7=\frac{59}{\underset{2}{\cancel{14}}}\times \overset{1}{\cancel{7}}=\frac{59}{2}=29\frac{1}{2}$

033 답 $22\frac{2}{3}$

$8\times 2\frac{5}{6}=\overset{4}{\cancel{8}}\times\frac{17}{\underset{3}{\cancel{6}}}=\frac{68}{3}=22\frac{2}{3}$

034 답 ㉠

㉠ $\overset{2}{\cancel{6}}\times\frac{1}{\underset{1}{\cancel{3}}}=2$ ㉡ $\overset{1}{\cancel{2}}\times\frac{3}{\underset{4}{\cancel{8}}}=\frac{3}{4}$

➡ $2>\frac{3}{4}$ ➡ ㉠>㉡

035 답 ③

$\overset{21}{\cancel{42}}\times\frac{7}{\underset{5}{\cancel{10}}}=\frac{147}{5}=29\frac{2}{5}$ (kg)

036 답 ①

$\frac{3}{5}\times 7=\frac{21}{5}=4\frac{1}{5}$ (L)

037 답 $6\frac{3}{7}$ m^2

(직사각형의 넓이)

$=2\frac{1}{7}\times 3=\frac{15}{7}\times 3$

$=\frac{45}{7}=6\frac{3}{7}$ (m^2)

038 답 $1\frac{1}{2}$ kg

$5\times\frac{3}{10}=\overset{1}{\cancel{5}}\times\frac{3}{\underset{2}{\cancel{10}}}=\frac{3}{2}=1\frac{1}{2}$ (kg)

039 답 15000원

➡ $\overset{5000}{\cancel{20000}}\times\frac{3}{\underset{1}{\cancel{4}}}=15000$(원)

040 답 $5\frac{1}{4}$

$\square\div 2=2\frac{5}{8}$ ➡ $\square=2\frac{5}{8}\times 2=\frac{21}{\underset{4}{\cancel{8}}}\times\overset{1}{\cancel{2}}=\frac{21}{4}=5\frac{1}{4}$

041 답 (1) $\frac{5}{8}$ (2) $3\frac{1}{8}$

(1) $\frac{3}{4}\times\frac{5}{6}=\frac{\overset{1}{\cancel{3}}}{4}\times\frac{5}{\underset{2}{\cancel{6}}}=\frac{5}{8}$

(2) $1\frac{2}{3}\times 1\frac{7}{8}=\frac{5}{\underset{1}{\cancel{3}}}\times\frac{\overset{5}{\cancel{15}}}{8}=\frac{25}{8}=3\frac{1}{8}$

042 답 (위에서부터) $\frac{1}{15}$, $\frac{1}{14}$, $\frac{1}{10}$, $\frac{1}{21}$

$\frac{1}{5}\times\frac{1}{3}=\frac{1}{15}$, $\frac{1}{2}\times\frac{1}{7}=\frac{1}{14}$,

$\frac{1}{5}\times\frac{1}{2}=\frac{1}{10}$, $\frac{1}{3}\times\frac{1}{7}=\frac{1}{21}$

043 답 ②

단위분수는 분모가 클수록 작은 수이다.

① $\frac{1}{2}\times\frac{1}{3}=\frac{1}{6}$ ② $\frac{1}{3}\times\frac{1}{8}=\frac{1}{24}$

③ $\frac{1}{4}\times\frac{1}{4}=\frac{1}{16}$ ④ $\frac{1}{5}\times\frac{1}{3}=\frac{1}{15}$

⑤ $\frac{1}{6}\times\frac{1}{2}=\frac{1}{12}$

➡ $\frac{1}{24}<\frac{1}{16}<\frac{1}{15}<\frac{1}{12}<\frac{1}{6}$

044 답 ㄴ

ㄱ. $1\frac{2}{5}\times 1\frac{2}{3}=\frac{7}{\underset{1}{\cancel{5}}}\times\frac{\overset{1}{\cancel{5}}}{3}=\frac{7}{3}=2\frac{1}{3}$

ㄴ. $2\frac{2}{9}\times 1\frac{9}{16}=\frac{\overset{5}{\cancel{20}}}{9}\times\frac{25}{\underset{4}{\cancel{16}}}=\frac{125}{36}=3\frac{17}{36}$

➡ $2\frac{1}{3}<3\frac{17}{36}$

045 답 $\frac{1}{3}$

㉠ $\frac{2}{5}\times\frac{2}{3}=\frac{4}{15}$

㉡ $\frac{2}{5}\times\frac{5}{8}=\frac{\overset{1}{\cancel{2}}}{\underset{1}{\cancel{5}}}\times\frac{\overset{1}{\cancel{5}}}{\underset{4}{\cancel{8}}}=\frac{1}{4}$

➡ ㉠×㉡×5 $=\frac{\overset{1}{\cancel{4}}}{\underset{3}{\cancel{15}}}\times\frac{1}{\underset{1}{\cancel{4}}}\times\overset{1}{\cancel{5}}=\frac{1}{3}$

046 답 ④

ㄱ. $1\frac{1}{3}\times4\frac{1}{5}=\frac{4}{\cancel{3}_{1}}\times\frac{\cancel{21}^{7}}{5}=\frac{28}{5}=5\frac{3}{5}$

ㄴ. $4\frac{2}{3}\times2\frac{1}{7}=\frac{\cancel{14}^{2}}{\cancel{3}_{1}}\times\frac{\cancel{15}^{5}}{\cancel{7}_{1}}=10$

따라서 $5\frac{3}{5}$과 10 사이에 있는 자연수는 6, 7, 8, 9로 모두 4개이다.

047 답 $24\frac{3}{4}$

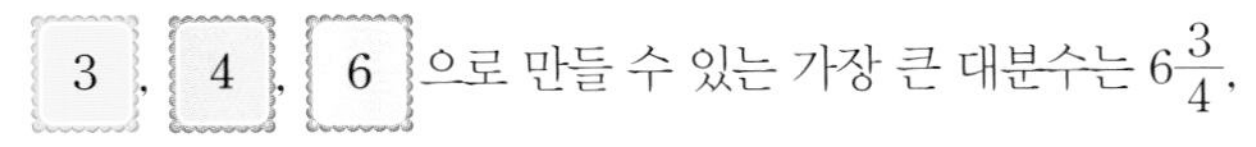
3, 4, 6 으로 만들 수 있는 가장 큰 대분수는 $6\frac{3}{4}$, 가장 작은 대분수는 $3\frac{4}{6}$이다.

➡ $6\frac{3}{4}\times3\frac{4}{6}=\frac{\cancel{27}^{9}}{\cancel{4}_{2}}\times\frac{\cancel{22}^{11}}{\cancel{6}_{2}}=\frac{99}{4}=24\frac{3}{4}$

048 답 ④

한 변의 길이가 $1\frac{1}{2}$ cm인 정사각형 모양 타일 하나의 넓이는 $1\frac{1}{2}\times1\frac{1}{2}=\frac{3}{2}\times\frac{3}{2}=\frac{9}{4}=2\frac{1}{4}$ (cm^2)이다.

타일 16장을 이어 붙였을 때 타일이 붙은 부분의 넓이는

$2\frac{1}{4}\times16=\frac{9}{\cancel{4}_{1}}\times\cancel{16}^{4}=36$ (cm^2)이다.

049 답 $\frac{1}{7}$

$1\div7=1\times\frac{\boxed{1}}{\boxed{7}}$

050 답 풀이 참조

$\frac{3}{10}\div8=\frac{3}{10}\times\frac{1}{8}=\frac{3}{80}$

051 답 (1) $\frac{4}{7}$ (2) $\frac{1}{8}$ (3) 63

(1) $4\div7=4\times\frac{1}{7}=\frac{4}{7}$

(2) $1\frac{1}{4}\div10=\frac{\cancel{5}^{1}}{4}\times\frac{1}{\cancel{10}_{2}}=\frac{1}{8}$

(3) $7\div\frac{1}{9}=7\times9=63$

052 답 $\frac{1}{18}$

(어떤 수)$=\frac{5}{6}\div3=\frac{5}{6}\times\frac{1}{3}=\frac{5}{18}$

➡ $\frac{5}{18}\div5=\frac{\cancel{5}^{1}}{18}\times\frac{1}{\cancel{5}_{1}}=\frac{1}{18}$

053 답 ㄱ, ㄷ, ㄴ

ㄱ. $2\frac{2}{3}\div4=\frac{\cancel{8}^{2}}{3}\times\frac{1}{\cancel{4}_{1}}=\frac{2}{3}$

ㄴ. $6\frac{3}{4}\div12=\frac{\cancel{27}^{9}}{4}\times\frac{1}{\cancel{12}_{4}}=\frac{9}{16}$

ㄷ. $3\frac{1}{8}\div5=\frac{\cancel{25}^{5}}{8}\times\frac{1}{\cancel{5}_{1}}=\frac{5}{8}$

통분하면

ㄱ. $\frac{2}{3}=\frac{2\times16}{3\times16}=\frac{32}{48}$

ㄴ. $\frac{9}{16}=\frac{9\times3}{16\times3}=\frac{27}{48}$

ㄷ. $\frac{5}{8}=\frac{5\times6}{8\times6}=\frac{30}{48}$

➡ ㄱ > ㄷ > ㄴ

054 답 ①

(사용한 부분의 길이)

$=4\frac{4}{9}\div5=\frac{\cancel{40}^{8}}{9}\times\frac{1}{\cancel{5}_{1}}=\frac{8}{9}$ (cm)

055 답 ④

(마름모의 넓이)$=\frac{37}{4}\div2=\frac{37}{4}\times\frac{1}{2}$

$=\frac{37}{8}=4\frac{5}{8}$ (cm^2)

056 답 4, 5

$\frac{5}{6}\times\frac{1}{5}<\frac{1}{\square}<\frac{2}{3}\times\frac{1}{2}$ ➡ $\frac{1}{6}<\frac{1}{\square}<\frac{1}{3}$

$3<\square<6$이므로 $\square$ 안에 들어갈 수 있는 수는 4, 5이다.

057 답 (1) 4 (2) 4, 4 (3) 5, 4

058 답 (1) 3 (2) 3 (3) $1\frac{1}{2}$ (4) $\frac{6}{7}$

(1) $\frac{6}{7}\div\frac{2}{7}=6\div2=3$

(2) $\frac{9}{11}\div\frac{3}{11}=9\div3=3$

(3) $\frac{3}{8}\div\frac{2}{8}=3\div2=\frac{3}{2}=1\frac{1}{2}$

(4) $\frac{3}{13}\div\frac{7}{26}=\frac{3}{\underset{1}{\cancel{13}}}\times\frac{\overset{2}{\cancel{26}}}{7}=\frac{6}{7}$

059 답 $\frac{35}{36}$, $1\frac{19}{36}$

$\frac{5}{9}\div\frac{4}{7}=\frac{5}{9}\times\frac{7}{4}=\frac{35}{36}$

$\frac{35}{36}\div\frac{7}{11}=\frac{\overset{5}{\cancel{35}}}{36}\times\frac{11}{\underset{1}{\cancel{7}}}=\frac{55}{36}=1\frac{19}{36}$

060 답 (△) (   ) (○)

$\frac{2}{3}\div\frac{1}{3}=2\div1=2$

$\frac{3}{7}\div\frac{1}{7}=3\div1=3$

$\frac{5}{9}\div\frac{1}{9}=5\div1=5$

061 답 2 m

(세로)$=\frac{42}{49}\div\frac{21}{49}=\frac{\overset{2}{\cancel{42}}}{\underset{1}{\cancel{49}}}\times\frac{\overset{1}{\cancel{49}}}{\underset{1}{\cancel{21}}}=2\,(\mathrm{m})$

062 답 $1\frac{1}{7}$

$\frac{5}{11}\times$(어떤 수)$=\frac{40}{77}$

➡ (어떤 수)$=\frac{40}{77}\div\frac{5}{11}=\frac{\overset{8}{\cancel{40}}}{\underset{7}{\cancel{77}}}\times\frac{\overset{1}{\cancel{11}}}{\underset{1}{\cancel{5}}}=\frac{8}{7}=1\frac{1}{7}$

063 답 7개

$\frac{7}{18}\div\frac{14}{15}<\frac{\square}{12}<\frac{13}{16}\div\frac{3}{4}$

➡ $\frac{\overset{1}{\cancel{7}}}{\underset{6}{\cancel{18}}}\times\frac{\overset{5}{\cancel{15}}}{\underset{2}{\cancel{14}}}<\frac{\square}{12}<\frac{13}{\underset{4}{\cancel{16}}}\times\frac{\overset{1}{\cancel{4}}}{3}$ ➡ $\frac{5}{12}<\frac{\square}{12}<\frac{13}{12}$

$5<\square<13$이므로 □ 안에 들어갈 자연수는 6, 7, 8, 9, 10, 11, 12이다.

따라서 모두 7개이다.

064 답 5번

$\frac{4}{5}\div\frac{2}{11}=\frac{\overset{2}{\cancel{4}}}{5}\times\frac{11}{\underset{1}{\cancel{2}}}=\frac{22}{5}=4\frac{2}{5}$

따라서 적어도 5번 덜어 내야 한다.

065 답 (1) $10\frac{1}{2}$ (2) $2\frac{1}{6}$ (3) $1\frac{5}{9}$

(1) $6\div\frac{4}{7}=\overset{3}{\cancel{6}}\times\frac{7}{\underset{2}{\cancel{4}}}=\frac{21}{2}=10\frac{1}{2}$

(2) $3\frac{1}{4}\div1\frac{1}{2}=\frac{13}{4}\div\frac{3}{2}=\frac{13}{\underset{2}{\cancel{4}}}\times\frac{\overset{1}{\cancel{2}}}{3}=\frac{13}{6}=2\frac{1}{6}$

(3) $1\frac{1}{3}\div\frac{6}{7}=\frac{\overset{2}{\cancel{4}}}{3}\times\frac{7}{\underset{3}{\cancel{6}}}=\frac{14}{9}=1\frac{5}{9}$

066 답 (1) ㄴ (2) ㄴ

(1) ㄱ. $15\div\frac{5}{6}=\overset{3}{\cancel{15}}\times\frac{6}{\underset{1}{\cancel{5}}}=18$

ㄴ. $2\div\frac{2}{3}=\overset{1}{\cancel{2}}\times\frac{3}{\underset{1}{\cancel{2}}}=3$

➡ $18>3$이므로 ㄱ > ㄴ

(2) ㄱ. $10\div\frac{2}{5}=\overset{5}{\cancel{10}}\times\frac{5}{\underset{1}{\cancel{2}}}=25$

ㄴ. $1\frac{3}{4}\div\frac{7}{9}=\frac{\overset{1}{\cancel{7}}}{4}\times\frac{9}{\underset{1}{\cancel{7}}}=\frac{9}{4}=2\frac{1}{4}$

➡ $25>2\frac{1}{4}$이므로 ㄱ > ㄴ

067 답 풀이 참조

예 분수의 나눗셈에서는 나누는 분수의 분모와 분자를 바꾸어 곱해야 하는데 나누는 수를 그대로 곱했다.

$5\frac{1}{2}\div\frac{9}{10}=\frac{11}{\underset{1}{\cancel{2}}}\times\frac{\overset{5}{\cancel{10}}}{9}=\frac{55}{9}=6\frac{1}{9}$

068 답 풀이 참조

예 대분수를 먼저 가분수로 고친 후 계산해야 하는데 고치지 않고 계산했다.

$1\frac{3}{4}\div\frac{7}{9}=\frac{7}{4}\div\frac{7}{9}=\frac{\overset{1}{\cancel{7}}}{4}\times\frac{9}{\underset{1}{\cancel{7}}}=\frac{9}{4}=2\frac{1}{4}$

069 답 ④, ⑤

① $4\div\frac{2}{3}=4\times\frac{3}{2}=6$

② $8\div\frac{4}{7}=8\times\frac{7}{4}=14$

③ $10\div\frac{3}{5}=10\times\frac{5}{3}=\frac{50}{3}=16\frac{2}{3}$

④ $6\div\frac{2}{5}=6\times\frac{5}{2}=15$

⑤ $9\div\frac{3}{5}=9\times\frac{5}{3}=15$

070 답 $3\frac{3}{7}$ cm

(높이)=(평행사변형의 넓이)÷(밑변)

$=2\frac{2}{5}\div\frac{7}{10}=\frac{12}{5}\times\frac{10}{7}$

$=\frac{24}{7}=3\frac{3}{7}$ (cm)

071 답 $23\frac{5}{7}$ km

(휘발유 1 L로 가는 거리)

$=8\frac{3}{10}\div1\frac{2}{5}=\frac{83}{10}\times\frac{5}{7}=\frac{83}{14}$ (km)

(휘발유 4 L로 가는 거리)

$=\frac{83}{14}\times4=\frac{166}{7}=23\frac{5}{7}$ (km)

072 답 (1) 0.187, 18.7 (2) 24.9, 0.249

(1) 소수를 10배, 100배, 1000배 하면 소수점을 기준으로 수가 왼쪽으로 한 자리, 두 자리, 세 자리 이동한다.

(2) 소수를 $\frac{1}{10}$배, $\frac{1}{100}$배, $\frac{1}{1000}$배 하면 소수점을 기준으로 수가 오른쪽으로 한 자리, 두 자리, 세 자리 이동한다.

073 답 (1) > (2) >

(1) 0.524 ⓐ> 0.389 (5>3)

(2) 11.71 > 11.701 (1>0)

074 답 (1) 100 (2) $\frac{1}{10}$ (3) 15.62 (4) 0.372 (5) 0.694

(1) 54는 0.54의 [100]배이다.

(2) 0.964는 9.64의 [$\frac{1}{10}$]배이다.

(3) 156.2의 $\frac{1}{10}$배는 [15.62]이다.

(4) 37.2의 $\frac{1}{100}$배는 [0.372]이다.

(5) 694의 $\frac{1}{1000}$배는 [0.694]이다.

075 답 100배

㉠이 나타내는 수: 6

㉡이 나타내는 수: 0.06

따라서 ㉠이 나타내는 수는 ㉡이 나타내는 수의 100배이다.

076 답 ③

③ $1\frac{1}{5}=1+\frac{1\times2}{5\times2}=1+\frac{2}{10}=1.2$

077 답 ⑤

① $0.2=\frac{2}{10}=\frac{1}{5}$

② $0.9=\frac{9}{10}$

③ $0.25=\frac{25}{100}=\frac{1}{4}$

④ $1.5=1\frac{5}{10}=1\frac{1}{2}$

④ $2.4=2\frac{4}{10}=2\frac{2}{5}$

078 답 민강이네 집

학교에서 민강이네 집까지의 거리: 1.8 km

학교에서 준명이네 집까지의 거리:

$1\frac{41}{50}=1+\frac{41\times2}{50\times2}=1+\frac{82}{100}=1.82$(km)

따라서 1.8<1.82이므로 학교에서 더 가까운 곳은 민강이네이다.

079 답 1, 2, 3, 4, 5

$\frac{\square}{40}<0.145$

➡ $\frac{\square\times25}{40\times25}<\frac{145}{1000}$ ➡ $\frac{\square\times25}{1000}<\frac{145}{1000}$

➡ $\square\times25<145$

조건을 만족하는 $\square$=1, 2, 3, 4, 5이다.

080 답 (1) 6.38 (2) 0.73 (3) 2.31 (4) 1.92

(1) $\begin{array}{r} \overset{1}{3}.5\ 6 \\ +\ 2.8\ 2 \\ \hline 6.3\ 8 \end{array}$ (2) $\begin{array}{r} \overset{16\ 10}{1.7\ \ } \\ -\ 0.9\ 7 \\ \hline 0.7\ 3 \end{array}$

(3) 1.9+0.41=2.31

(4) 3.42−1.5=1.92

081 답 0.63, 4.31

$\begin{array}{r} 0.\overset{1}{2}\ 8 \\ +\ 0.3\ 5 \\ \hline 0.6\ 3 \end{array}$, $\begin{array}{r} \overset{1}{0}.\overset{1}{6}\ 3 \\ +\ 3.6\ 8 \\ \hline 4.3\ 1 \end{array}$

082 답 2.27

㉠ 0.01이 57개인 수 → 0.57

㉡ 0.01이 170개인 수 → 1.7

따라서 ㉠+㉡=0.57+1.7=2.27이다.

083 답 4.8

㉠=2.34, ㉡=2.46

따라서 ㉠+㉡=2.34+2.46=4.8이다.

084 답 0.35, 0.23

$\begin{array}{r} 0.\overset{7\ 10}{\not{8}\ 4} \\ -\ 0.4\ 9 \\ \hline 0.3\ 5 \end{array}$, $\begin{array}{r} 0.\overset{4\ 10}{\not{5}\ \ } \\ -\ 0.2\ 7 \\ \hline 0.2\ 3 \end{array}$

085 답 13.32 g

7.9+5.42=13.32 (g)

086 답 12

$\begin{array}{r} \boxed{㉠}.\ 8\ \ 9 \\ +\ 4\ .\ 5\ \boxed{㉡} \\ \hline 1\ 2\ .\boxed{㉢} \end{array}$ ➡ $\begin{array}{r} \boxed{7}.\ 8\ \ 9 \\ +\ 4\ .\ 5\ \boxed{1} \\ \hline 1\ 2\ .\boxed{4} \end{array}$

㉠=7, ㉡=1, ㉢=4

따라서 ㉠+㉡+㉢=7+1+4=12이다.

087 답 4.8

㉠ 0.1이 63개인 수는 6.3이다.

㉡ 0.01이 150개인 수는 1.5이다.

따라서 ㉠−㉡=6.3−1.5=4.8이다.

088 답 ④

① 10.29−8.45=1.84

② 8.75−6.94=1.81

③ 7.59−3.68=3.91

④ 7.69−6.42=1.27

⑤ 10.42−7.39=3.03

089 답 2.07

(어떤 수)=8.91−3.42=5.49

➡ 바른 계산: 5.49−3.42=2.07

090 답 ㉠: 9, ㉡: 7, ㉢: 5

$\begin{array}{r} ㉠\ .\ 2\ \ \ \\ -\ 3\ .\ ㉡\ 5 \\ \hline 5\ .\ 4\ ㉢ \end{array}$ ➡ $\begin{array}{r} \boxed{9}.\ 2\ \ \ \\ -\ 3\ .\boxed{7}\ 5 \\ \hline 5\ .\ 4\ \boxed{5} \end{array}$

㉠: 9, ㉡: 7, ㉢: 5

091 답 6.93

4, 9, 2, . 4장의 카드를 한 번씩 모두 사용하여 만들 수 있는 소수 두 자리 수 중에서 가장 큰 소수는 9.42, 가장 작은 소수는 2.49이다.

따라서 두 소수의 차는 9.42−2.49=6.93이다.

092 답 (1) 22.05 (2) 57.2

(1) $\begin{array}{r} 9 \\ \times\ 2.4\ 5 \\ \hline 2\ 2.0\ 5 \end{array}$ (2) $\begin{array}{r} 4.4 \\ \times\ 1\ 3 \\ \hline 1\ 3\ 2 \\ 4\ 4\ \ \\ \hline 5\ 7.2 \end{array}$

093 답 ④

④ 0.49×1000=490

094 답 7 km

3시간 30분$=3\frac{30}{60}$시간

$=3\frac{5}{10}$시간$=3.5$시간

따라서 3시간 30분 동안 갈 수 있는 거리는

$2\times3.5=7$ (km)이다.

095 답 15, 16, 17

$8\times1.77<\square<13\times1.38$

➡ $14.16<\square<17.94$ ($\square$는 자연수)

따라서 $\square$ 안에 들어갈 수 있는 자연수는 15, 16, 17이다.

096 답 (1) 100, 63, 0.063 (2) 152, 10, 6840, 6.84 (3) 13.52 (4) 2.678

(1) $0.09\times0.7=\frac{9}{\boxed{100}}\times\frac{7}{10}$

$=\frac{\boxed{63}}{1000}=\boxed{0.063}$

(2) $1.52\times4.5=\frac{\boxed{152}}{100}\times\frac{45}{\boxed{10}}$

$=\frac{\boxed{6840}}{1000}=\boxed{6.84}$

(3)
```
      5.2
  ×   2.6
  -------
    3 1 2
  1 0 4
  -------
  1 3.5 2
```

(4)
```
    2.0 6
  ×   1.3
  -------
    6 1 8
  2 0 6
  -------
  2.6 7 8
```

097 답 0.605 m^2

(이어 붙인 종이의 가로)$=0.55\times2=1.1$ (m)

(이어 붙인 종이의 넓이)$=1.1\times0.55=0.605$ (m^2)

098 답 26.26 kg

(어머니의 몸무게)$=40.4\times1.25=50.5$ (kg)

(아버지의 몸무게)$=50.5\times1.52=76.76$ (kg)

따라서 아버지 몸무게가 어머니 몸무게보다

$76.76-50.5=26.26$ (kg) 더 무겁다.

099 답 (1) 0.83, 56, 21, 21, 0 (2) 4.06, 32, 48, 48, 0

(1)
```
      [0.83]
   7)5.81
     [5 6]
      ----
       [21]
       [21]
      ----
        [0]
```

(2)
```
      [4.06]
   8)32.48
     [32]
     -----
       [48]
       [48]
     -----
        [0]
```

100 답 (1) 8.05 (2) 6

(1)
```
      8.05
   6)48.30
     48
     ----
       30
       30
     ----
        0
```

(2)
```
          6
   7.5)450
       450
       ---
         0
```

101 답 풀이 참조

$15.9\div3=\frac{159}{10}\div3=\frac{\overset{53}{\cancel{159}}}{10}\times\frac{1}{\underset{1}{\cancel{3}}}=\frac{53}{10}=5.3$

102 답 (○) ( ) ( )

$3.68\div4=0.\underline{9}2$ (○)

$24.6\div12=2.\underline{0}5$ ( )

$42.7\div14=3.\underline{0}5$ ( )

103 답 1.09 cm

(정삼각형의 한 변)$=3.27\div3=1.09$ (cm)

104 답 0.455

㉠$\times3=2.1$ → ㉠$=2.1\div3=0.7$

$14\times$㉡$=9.1$ → ㉡$=9.1\div14=0.65$

➡ ㉠$\times$㉡$=0.7\times0.65=0.455$

105 답 C 자동차

A 자동차: $45.3\div3=15.1$ (km)

B 자동차: $73.5\div5=14.7$ (km)

C 자동차: $64.8\div4=16.2$ (km)

106 답 8.26 m

도로에 21개의 가로수를 같은 간격으로 심었으므로 간격의 수는 20군데이다.

따라서 가로수와 가로수 사이의 거리는

$165.2\div20=8.26$ (m)이다.

107 답 풀이 참조

(1) $19.35\div4.5=\frac{193.5}{10}\div\frac{\boxed{45}}{10}$

$=193.5\div\boxed{45}=\boxed{4.3}$

(2) $19.35\div4.5=\frac{1935}{100}\div\frac{\boxed{450}}{100}$

$=1935\div\boxed{450}=\boxed{4.3}$

108 답 2.9

$16.82\div5.8=\frac{1682}{100}\div\frac{58}{10}=\frac{\overset{29}{\cancel{1682}}}{\underset{10}{\cancel{100}}}\times\frac{\overset{1}{\cancel{10}}}{\underset{1}{\cancel{58}}}=\frac{29}{10}=2.9$

109 답 48

㉠ $36.48\div4.56=8$

㉡ $36.48\div6.08=6$

➡ ㉠ $\times$ ㉡ $=8\times6=48$

110 답 26.14 m

(화단의 가로의 길이)$=38.845\div4.57=8.5$ (m)

(화단의 둘레의 길이)$=(8.5+4.57)\times2$

$=13.07\times2=26.14$ (m)

111 답 풀이 참조

방법 1 $2.4\div\frac{3}{4}=\frac{24}{\boxed{10}}\div\frac{3}{4}=\frac{24}{\boxed{10}}\times\frac{\boxed{4}}{\boxed{3}}$

$=\frac{\boxed{16}}{5}=\boxed{3\frac{1}{5}}$

방법 2 $2.4\div\frac{3}{4}=2.4\div\boxed{0.75}=\boxed{3.2}$

112 답 풀이 참조

방법 1 $12.6\div3\frac{3}{20}=\frac{\boxed{126}}{10}\div\frac{\boxed{63}}{20}$

$=\frac{\boxed{126}}{10}\times\frac{20}{\boxed{63}}=\boxed{4}$

방법 2 $12.6\div3\frac{3}{20}=12.6\div\boxed{3.15}=\boxed{4}$

113 답 ④

① $1.2\div\frac{3}{5}=1.2\div0.6=2$

② $1.25\div\frac{1}{4}=1.25\div0.25=5$

③ $6.75\div1\frac{1}{8}=6.75\div1.125=6$

④ $8.4\div1\frac{1}{5}=8.4\div1.2=7$

⑤ $22.5\div4\frac{1}{2}=22.5\div4.5=5$

114 답 2시간 36분

$3.25\div1\frac{1}{4}=\frac{325}{100}\div\frac{5}{4}=\frac{325}{100}\times\frac{4}{5}=\frac{13}{5}=2\frac{3}{5}$(시간)

$2\frac{3}{5}$시간$=2\frac{36}{60}$시간$=2$시간 36분

115 답 $3\frac{9}{10}$

㉠: $9.75\div2\frac{1}{2}=9.75\div2.5=3.9=3\frac{9}{10}$

116 답 $10.05\ m^2$

$4.5\times2\frac{1}{2}-1.5\times\frac{4}{5}$

$=4.5\times2.5-1.5\times0.8$

$=11.25-1.2=10.05\ (m^2)$

117 답 ㉢, ㉡, ㉠, ㉣

혼합 계산 순서

① 곱셈과 나눗셈을 먼저 계산한다.

( )가 있으면 ( ) 안 부터 계산한다.

② 앞에서부터 차례로 덧셈과 뺄셈을 계산한다.

118 답 (1) 4 (2) $2\frac{7}{30}$

(1) $5\frac{2}{5}\div4.5+1.6\times3\frac{1}{2}-2\frac{4}{5}$

$=5.4\div4.5+1.6\times3.5-2.8$

$=1.2+5.6-2.8=4$

(2) $1\frac{5}{6}+\left(\frac{9}{10}-0.7\right)\times3\div1\frac{1}{2}$

$=1\frac{5}{6}+\left(\frac{9}{10}-\frac{7}{10}\right)\times3\div1\frac{1}{2}$

$=1\frac{5}{6}+\frac{2}{10}\times3\div1\frac{1}{2}=1\frac{5}{6}+\frac{6}{10}\div1\frac{1}{2}$

$$=1\frac{5}{6}+\frac{6}{10}\div\frac{3}{2}=1\frac{5}{6}+\frac{\overset{2}{\cancel{6}}}{\underset{5}{\cancel{10}}}\times\frac{\overset{1}{\cancel{2}}}{\underset{1}{\cancel{3}}}=1\frac{5}{6}+\frac{2}{5}$$

$$=1\frac{25}{30}+\frac{12}{30}=1+\frac{25+12}{30}$$

$$=1+\frac{37}{30}=1+1\frac{7}{30}=2\frac{7}{30}$$

119 답 0.4

$1.25\div\left(\frac{1}{2}+\frac{1}{3}\right)\times1.8$

$=1.25\div\left(\frac{3}{6}+\frac{2}{6}\right)\times1.8$

$=1.25\div\frac{5}{6}\times1.8$

$=\frac{125}{100}\times\frac{6}{5}\times\frac{18}{10}$

$=\frac{27}{10}=2.7$

$1.25\div\frac{1}{2}+\frac{1}{3}\times1.8$

$=1.25\times2+\frac{1}{3}\times\frac{18}{10}$

$=2.5+\frac{6}{10}=2.5+0.6=3.1$

➡ $3.1-2.7=0.4$

120 답 0.25 L 또는 $\frac{1}{4}$ L

$\left(\frac{5}{8}+0.5+\frac{5}{8}\times\frac{1}{5}\right)\div5$

$=\left(\frac{5}{8}+0.5+\frac{1}{8}\right)\div5$

$=(0.625+0.5+0.125)\div5$

$=1.25\div5=0.25\left(=\frac{1}{4}\right)$(L)

121 답 (1) -6 ℃ (2) $+4$층 (3) -5점
(4) -7 km (5) $+10$년 (6) -1500원

122 답 (1) $+3$ (2) -7 (3) -1.5 (4) $+\frac{1}{3}$

양수: 0보다 큰 수로 양의 부호 +가 붙은 수
음수: 0보다 작은 수로 음의 부호 −가 붙은 수

123 답 ③

③ 13 m 하강: -13 m

124 답 풀이 참조

수	양수	음수	자연수	정수	유리수
0.5	○	×	×	×	○
-6	×	○	×	○	○
$+\frac{4}{3}$	○	×	×	×	○
0	×	×	×	○	○

125 답 (1) -1, $-\frac{14}{7}$

(2) -1, $+6$, $\frac{10}{2}$, 0, $-\frac{14}{7}$

(3) $+6$, $\frac{10}{2}$, 3.9

(4) $-\frac{1}{5}$, 3.9

126 답 ㄴ, ㄹ

ㄱ. 0은 정수가 아니다. ➡ 0은 정수이다.
ㄷ. 정수 중에는 유리수가 아닌 수도 있다. ➡ 모든 정수는 유리수이다.

127 답 6

음의 유리수: $-\frac{5}{3}$, $-\frac{15}{3}$, -3.6 ➡ $a=3$

정수: 0, $-\frac{15}{3}$, 17 ➡ $b=3$

$a+b=3+3=6$

128 답 풀이 참조

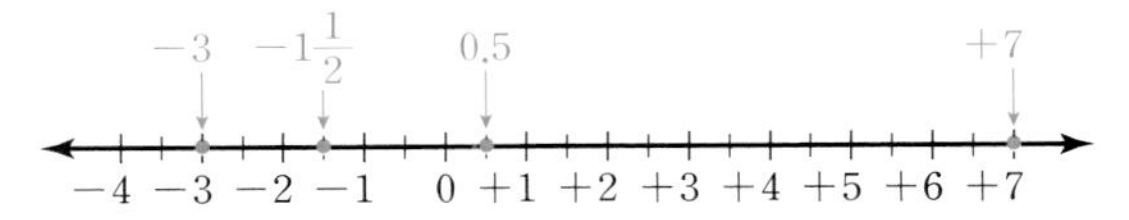

129 답 $-\frac{9}{11}$, $+\frac{9}{11}$

직선 위에 기준이 되는 점 O의 좌우에 일정한 간격으로 오른쪽에 양의 유리수, 왼쪽에 음의 유리수로 대응된다.

즉 원점으로부터의 거리가 $\frac{9}{11}$인 점에 대응하는 수는 왼쪽으로 $-\frac{9}{11}$, 오른쪽으로 $+\frac{9}{11}$이다.

130 답 A: $-1\frac{3}{4}$, B: $-\frac{1}{2}$, C: $1\frac{1}{3}$

131 답 준상

A: -2, B: $-1\frac{1}{2}$, C: 0, D: $+2$, E: $+2\frac{1}{2}$

현민: 자연수는 점 D가 나타내는 수로 1개이다.

준상: 음수는 점 A, B가 나타내는 수로 2개이다.

강민: 점 B가 나타내는 수는 $-1\frac{1}{2}$이다.

서윤: 점 E가 나타내는 수는 $+2\frac{1}{2}$이다.

따라서 바르게 말한 학생은 준상이다.

132 답 ④

-3과 5를 수직선 위에 점으로 나타내면 다음 그림과 같다.

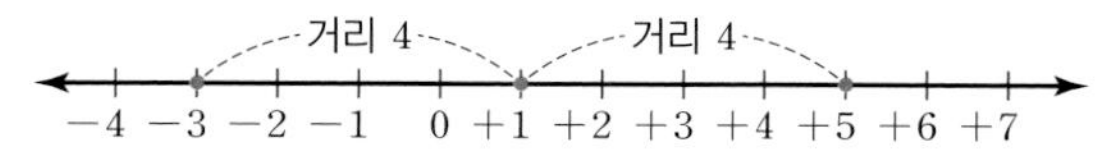

따라서 -3과 5를 나타내는 두 점으로부터 같은 거리에 있는 점이 나타내는 수는 1이다.

133 답 (1) $+5$, -5 (2) 0 (3) $-\frac{2}{3}$ (4) $+6$, -6 (5) 7

절댓값이 $a(a>0)$인 수는 $+a$, $-a$로 2개이다.

(2) 0의 절댓값은 0이다. ➡ $|0|=0$

134 답 -2.5, $1\frac{2}{3}$, 1.5, $-\frac{1}{2}$, $\frac{1}{3}$

각 수의 절댓값을 구하면

-2.5의 절댓값: 2.5

$-\frac{1}{2}$의 절댓값: $\frac{1}{2}$

$\frac{1}{3}$의 절댓값: $\frac{1}{3}$

1.5의 절댓값: 1.5

$1\frac{2}{3}$의 절댓값: $1\frac{2}{3}$

135 답 20

$a=|-5|=5$, $b=+15$

따라서 $a+b=5+15=20$이다.

136 답 $2\frac{1}{3}$

$|a|+|b|=|2|+\left|-\frac{1}{3}\right|=2+\frac{1}{3}=2\frac{1}{3}$

137 답 $+4$, -4

부호가 다른 두 수의 절댓값이 같으므로 두 수를 나타내는 두 점은 원점으로부터 같은 거리에 있다.

두 점 사이의 거리가 8이므로 두 점은 $+4$, -4이다.

138 답 $-\frac{10}{3}$, -2, 0, $\frac{5}{4}$, $+1.5$

$\frac{5}{4}=1.25$, $+1.5$, 0, -2, $-\frac{10}{3}=-3\frac{1}{3}$

- 양수는 음수보다 크다.
- 양수끼리는 절댓값이 큰 수가 크다.
  ➡ $\frac{5}{4}<1.5$
- 음수끼리는 절댓값이 큰 수가 작다.
  ➡ $-2>-\frac{10}{3}$

따라서 $-\frac{10}{3}<-2<0<\frac{5}{4}<+1.5$이다.

139 답 (1) > (2) < (3) > (4) >

(1) 음수는 0보다 작다.

$0\boxed{>}-3$

(2) 음수끼리는 절댓값이 큰 수가 작다.

$\left|-\frac{3}{4}\right|>\left|-\frac{2}{3}\right| \Rightarrow -\frac{3}{4}\boxed{<}-\frac{2}{3}$

(3) 양수는 음수보다 크다.

$2.4\boxed{>}-3.2$

(4) $|-6.4|=6.4$, $|+5|=5$ ➡ $|-6.4|\boxed{>}|+5|$

140 답 (1) $x\le 9$ (2) $x\le -\frac{2}{3}$ (3) $3<x\le 10$ (4) $-2\le x<3$

(1) x는 9 이하이다. ➡ $x\le 9$ (이하이다 = 작거나 같다)

(2) x는 $-\frac{2}{3}$보다 크지 않다. ➡ $x\le -\frac{2}{3}$ (크지 않다 = 이하이다)

(3) x는 3초과 10 이하이다. ➡ $3<x\le 10$ (초과 = 크다, 이하이다 = 작거나 같다)

(4) x는 -2보다 크거나 같고 3보다 작다. ➡ $-2\le x<3$ (크거나 같고 = 이상이다, 작다 = 미만이다)

141 답 (1) $-\frac{3}{2}<a\le 2$ (2) 4개

(2) $-\frac{3}{2}<a\le 2$ ➡ $-1\frac{1}{2}<a\le 2$

따라서 정수 a는 -1, 0, 1, 2이므로 4개이다.

142 답 (1) $+11$ (2) -2 (3) -11.7 (4) $+\frac{27}{10}$

(1) $(+4)+(+7)=+(4+7)=+11$

(2) $(-11)+(+9)=-(11-9)=-2$

(3) $(-6.5)+(-5.2)=-(6.5+5.2)=-11.7$

(4) $\left(+\frac{7}{2}\right)+\left(-\frac{4}{5}\right)=+\left(\frac{35}{10}-\frac{8}{10}\right)=+\frac{27}{10}$

143 답 ⑤

① $(-11)+(-1)=-(11+1)=-12$

② $\left(-\frac{3}{2}\right)+\left(+\frac{2}{3}\right)=-\left(\frac{9}{6}-\frac{4}{6}\right)=-\frac{5}{6}$

③ $(+4.9)+(-4)=+(4.9-4)=+0.9$

④ $(-6.5)+(-3.5)=-(6.5+3.5)=-10$

⑤ $\left(-\frac{1}{5}\right)+\left(+\frac{1}{3}\right)=+\left(\frac{5}{15}-\frac{3}{15}\right)=+\frac{2}{15}$

144 답 (1) $+0.85$ (2) $+1.25$

(1) $\left(-\frac{2}{5}\right)+(+1.25)=(-0.4)+(+1.25)$

$=+(1.25-0.4)=+0.85$

(2) $(+0.55)+\left(+\frac{7}{10}\right)=(+0.55)+(+0.7)$

$=+(0.55+0.7)=+1.25$

145 답 ①

① $(+1)+\left(-\frac{7}{12}\right)=+\left(1-\frac{7}{12}\right)=+\left(\frac{12}{12}-\frac{7}{12}\right)$

$=+\frac{5}{12}$

② $\left(+\frac{1}{4}\right)+\left(-\frac{2}{3}\right)=-\left(\frac{2}{3}-\frac{1}{4}\right)=-\left(\frac{8}{12}-\frac{3}{12}\right)$

$=-\frac{5}{12}$

③ $\left(-\frac{5}{8}\right)+\left(+\frac{5}{24}\right)=-\left(\frac{5}{8}-\frac{5}{24}\right)=-\left(\frac{15}{24}-\frac{5}{24}\right)$

$=-\frac{10}{24}=-\frac{5}{12}$

④ $\left(-\frac{1}{4}\right)+\left(-\frac{1}{6}\right)=-\left(\frac{1}{4}+\frac{1}{6}\right)=-\left(\frac{3}{12}+\frac{2}{12}\right)$

$=-\frac{5}{12}$

⑤ $\left(-\frac{1}{3}\right)+\left(-\frac{1}{12}\right)=-\left(\frac{1}{3}+\frac{1}{12}\right)=-\left(\frac{4}{12}+\frac{1}{12}\right)$

$=-\frac{5}{12}$

146 답 ㉠ 덧셈의 교환법칙 ㉡ 덧셈의 결합법칙

덧셈의 교환법칙: $a+b=b+a$

덧셈의 결합법칙: $(a+b)+c=a+(b+c)$

147 답 풀이 참조

$(+8)+(-4)+(+3)$

$=(\boxed{-4})+(+8)+(+3)$ ← 덧셈의 교환법칙

$=(\boxed{-4})+\{(+8)+(+3)\}$ ← 덧셈의 결합법칙

$=(\boxed{-4})+(\boxed{+11})=\boxed{+7}$

148 답 (1) -5 (2) -113 (3) $+\frac{1}{7}$ (4) $+1$

(1) $(-16)+(-5)+(+16)$

$=(-5)+(-16)+(+16)$

$=(-5)+\{(-16)+(+16)\}$

$=(-5)+0=-5$

(2) $(-91)+(+7)+(-29)$

$=(-91)+(-29)+(+7)$

$=\{(-91)+(-29)\}+(+7)$

$=(-120)+(+7)=-113$

(3) $(-1.5)+\left(-\frac{13}{7}\right)+(+3.5)$

$=(-1.5)+(+3.5)+\left(-\frac{13}{7}\right)$

$=\{(-1.5)+(+3.5)\}+\left(-\frac{13}{7}\right)$

$=(+2)+\left(-\frac{13}{7}\right)=+\left(\frac{14}{7}-\frac{13}{7}\right)=+\frac{1}{7}$

(4) $\left(-\frac{5}{4}\right)+\left(+\frac{9}{5}\right)+\left(-\frac{7}{4}\right)+\left(+\frac{11}{5}\right)$

$=\left(-\frac{5}{4}\right)+\left(-\frac{7}{4}\right)+\left(+\frac{9}{5}\right)+\left(+\frac{11}{5}\right)$

$=\left\{\left(-\frac{5}{4}\right)+\left(-\frac{7}{4}\right)\right\}+\left\{\left(+\frac{9}{5}\right)+\left(+\frac{11}{5}\right)\right\}$

$=\left(-\frac{12}{4}\right)+\left(+\frac{20}{5}\right)=(-3)+(+4)=+1$

149 답 ⑤

$A+B=\left(+\frac{2}{3}\right)+\left(-\frac{2}{5}\right)+\left(-\frac{3}{2}\right)+(+1.4)$

$=\left(+\frac{2}{3}\right)+\left(-\frac{3}{2}\right)+\left(-\frac{2}{5}\right)+(+1.4)$

$=\left\{\left(+\frac{2}{3}\right)+\left(-\frac{3}{2}\right)\right\}+\left\{\left(-\frac{2}{5}\right)+(+1.4)\right\}$

$=-\left(\frac{9}{6}-\frac{4}{6}\right)+\left(\frac{14}{10}-\frac{4}{10}\right)$

$=\left(-\frac{5}{6}\right)+\frac{10}{10}=\left(-\frac{5}{6}\right)+1$

$=+\left(\frac{6}{6}-\frac{5}{6}\right)=+\frac{1}{6}$

150 답 ③

③ $(-3)-(+2)=(-3)+(-2)$

151 답 풀이 참조

(1) $(+12)-(+7)=(+12)+(⊖\boxed{7})$

$=⊕(12-\boxed{7})=⊕\boxed{5}$

(2) $(-8)-(-3)=(-8)+(⊕\boxed{3})$

$=⊖(8-\boxed{3})=⊖\boxed{5}$

152 답 (1) $+2$ (2) $+0.8$

(1) $\left(+\frac{5}{6}\right)-\left(-\frac{7}{6}\right)=\left(+\frac{5}{6}\right)+\left(+\frac{7}{6}\right)$

$=+\left(\frac{5}{6}+\frac{7}{6}\right)$

$=+\frac{12}{6}=+2$

(2) $\left(+\frac{7}{2}\right)-(+2.7)=\left(+\frac{7}{2}\right)+(-2.7)$

$=(+3.5)+(-2.7)$

$=+(3.5-2.7)$

$=+0.8$

153 답 ④

$(+2)-(-7)=(+2)+(+7)=+(2+7)=+9$

① $(-3)-(-6)=(-3)+(+6)=+(6-3)=+3$

② $\left(+\frac{2}{3}\right)-\left(-\frac{22}{3}\right)=\left(+\frac{2}{3}\right)+\left(+\frac{22}{3}\right)$

$=+\left(\frac{2}{3}+\frac{22}{3}\right)=+\frac{24}{3}=+8$

③ $\left(+\frac{5}{2}\right)-\left(+\frac{10}{3}\right)=\left(+\frac{5}{2}\right)+\left(-\frac{10}{3}\right)$

$=-\left(\frac{10}{3}-\frac{5}{2}\right)$

$=-\left(\frac{20}{6}-\frac{15}{6}\right)$

$=-\frac{5}{6}$

④ $(+5.4)-(-3.6)=(+5.4)+(+3.6)$

$=+(5.4+3.6)=+9$

⑤ $(-1.6)-(+7.4)=(-1.6)+(-7.4)$

$=-(1.6+7.4)=-9$

154 답 풀이 참조

(1) $(+4)+(-9)-(-2)$

$=(+4)+(-9)+(⊕\boxed{2})$

$=\{(+4)+(⊕\boxed{2})\}+(-9)$

$=(⊕\boxed{6})+(-9)=⊖\boxed{3}$

(2) $-3+8-10$

$=(-3)+(⊕8)-(⊕\boxed{10})$

$=(-3)+(⊕8)+(⊖\boxed{10})$

$=\{(-3)+(⊖\boxed{10})\}+(⊕8)$

$=(⊖\boxed{13})+(⊕8)=⊖\boxed{5}$

155 답 (1) $-\frac{1}{6}$ (2) $+3$

(1) $\left(+\frac{9}{4}\right)+\left(-\frac{2}{3}\right)-\left(+\frac{7}{4}\right)$

$=\left(+\frac{9}{4}\right)+\left(-\frac{2}{3}\right)+\left(-\frac{7}{4}\right)$

$=\left(+\frac{9}{4}\right)+\left(-\frac{7}{4}\right)+\left(-\frac{2}{3}\right)$

$=\left\{\left(+\frac{9}{4}\right)+\left(-\frac{7}{4}\right)\right\}+\left(-\frac{2}{3}\right)$

$=\left(+\frac{2}{4}\right)+\left(-\frac{2}{3}\right)$

$=-\left(\frac{2}{3}-\frac{2}{4}\right)$

$=-\left(\frac{8}{12}-\frac{6}{12}\right)$

$=-\frac{2}{12}=-\frac{1}{6}$

(2) $(-3.1)-(-4.6)+(+1.5)$

$=(-3.1)+(+4.6)+(+1.5)$

$=\{(-3.1)+(+4.6)\}+(+1.5)$

$=+(4.6-3.1)+(+1.5)$

$=(+1.5)+(+1.5)=+3$

156 답 (1) $+7$ (2) $+\frac{1}{6}$

(1) $5+16-14=(+5)+(+16)+(-14)$

$=(+5)+\{(+16)+(-14)\}$

$=(+5)+(+2)=+7$

(2) $-\frac{7}{6}-\frac{2}{3}+2=\left(-\frac{7}{6}\right)+\left(-\frac{2}{3}\right)+(+2)$

$=\left\{\left(-\frac{7}{6}\right)+\left(-\frac{2}{3}\right)\right\}+(+2)$

$=\left\{\left(-\frac{7}{6}\right)+\left(-\frac{4}{6}\right)\right\}+(+2)$

$=\left(-\frac{11}{6}\right)+(+2)$
$=\left(-\frac{11}{6}\right)+\left(+\frac{12}{6}\right)=+\frac{1}{6}$

157 답 ⑤

$-3-(-17)-9+4$
$=(-3)+(+17)+(-9)+(+4)$
$=(-3)+(-9)+(+17)+(+4)$
$=\{(-3)+(-9)\}+\{(+17)+(+4)\}$
$=(-12)+(+21)=+9$

158 답 $-$, $+$

$(-4)\boxed{-}(-9)\boxed{+}(+4)$
$=(-4)+(+9)+(+4)$
$=(-4)+(+4)+(+9)$
$=\{(-4)+(+4)\}+(+9)$
$=0+(+9)=+9$

159 답 풀이 참조

(1) $(+5)\times(+6)=\oplus(5\times\boxed{6})=\oplus\boxed{30}$
(2) $(-2)\times(-7)=\oplus(2\times\boxed{7})=\oplus\boxed{14}$
(3) $(+6)\times(-8)=\ominus(6\times\boxed{8})=\ominus\boxed{48}$
(4) $(-7)\times(+3)=\ominus(7\times\boxed{3})=\ominus\boxed{21}$

160 답 (1) $+54$ (2) $+28$ (3) -20 (4) 0

(1) $(+6)\times(+9)=+(6\times9)=+54$
(2) $(-4)\times(-7)=+(4\times7)=+28$
(3) $(+5)\times(-4)=-(5\times4)=-20$
(4) $0\times(-8)=-(0\times8)=0$

161 답 풀이 참조

(1) $\left(+\frac{4}{3}\right)\times\left(+\frac{3}{2}\right)=\oplus\left(\frac{4}{3}\times\boxed{\frac{3}{2}}\right)=\oplus\boxed{2}$
(2) $\left(-\frac{7}{9}\right)\times\left(+\frac{3}{14}\right)=\ominus\left(\boxed{\frac{7}{9}}\times\frac{3}{14}\right)=\ominus\boxed{\frac{1}{6}}$
(3) $(-1.4)\times(-5)=\oplus(1.4\times\boxed{5})=\oplus\boxed{7}$

162 답 (1) $+\frac{4}{5}$ (2) $-1\frac{1}{4}$ (3) -10 (4) -0.6

(1) $\left(-\frac{1}{3}\right)\times\left(-\frac{12}{5}\right)=+\left(\frac{1}{3}\times\frac{12}{5}\right)=+\frac{4}{5}$
(2) $(-2)\times\left(+\frac{5}{8}\right)=-\left(2\times\frac{5}{8}\right)=-\frac{5}{4}=-1\frac{1}{4}$
(3) $(-2.5)\times(+4)=-(2.5\times4)=-10$
(4) $\left(+\frac{3}{2}\right)\times(-0.4)=-(1.5\times0.4)=-0.6$

163 답 ④

① $(+8)\times(-6)=-48$
② $(+12)\times0=0$
③ $(+18)\times\left(-\frac{1}{6}\right)=-\left(18\times\frac{1}{6}\right)=-3$
④ $\left(-\frac{3}{4}\right)\times\left(-\frac{20}{9}\right)=+\left(\frac{3}{4}\times\frac{20}{9}\right)=+\frac{5}{3}$
⑤ $(-5)\times(-0.2)=+(5\times0.2)=+1$

164 답 $\frac{15}{2}$

두 수를 뽑아 곱한 값이 가장 크려면 절댓값이 큰 음수 2개를 뽑아야 한다.
$(-3)\times\left(-\frac{5}{2}\right)=+\left(3\times\frac{5}{2}\right)=\frac{15}{2}$

165 답 풀이 참조

$\left(-\frac{5}{8}\right)\times(+3)\times\left(-\frac{16}{15}\right)$
$=(\boxed{+3})\times\left(\boxed{-\frac{5}{8}}\right)\times\left(-\frac{16}{15}\right)$ ← 곱셈의 교환법칙
$=(\boxed{+3})\times\left\{\left(\boxed{-\frac{5}{8}}\right)\times\left(-\frac{16}{15}\right)\right\}$ ← 곱셈의 결합법칙
$=(\boxed{+3})\times\left(\boxed{+\frac{2}{3}}\right)=+2$

166 답 풀이 참조

(1) $(+2)\times(-6)\times(-3)=\oplus(2\times6\times3)=\oplus\boxed{36}$
(2) $\left(-\frac{1}{2}\right)\times\left(-\frac{3}{4}\right)\times(-12)=\ominus\left(\frac{1}{2}\times\frac{3}{4}\times12\right)$
$=\ominus\boxed{\frac{9}{2}}$

167 답 (1) $+72$ (2) -42 (3) -3 (4) $-\frac{2}{3}$ (5) -220

(1) $(+4)\times(-6)\times(-3)=+(4\times6\times3)=+72$
(2) $(-2)\times(-7)\times(-3)=-(2\times7\times3)=-42$
(3) $\left(+\frac{12}{5}\right)\times\left(-\frac{7}{2}\right)\times\left(+\frac{5}{14}\right)$

$=-\left(\frac{12}{5}\times\frac{7}{2}\times\frac{5}{14}\right)$
$=-3$

(4) $\frac{3}{4}\times(-4)\times\frac{2}{9}=-\left(\frac{3}{4}\times4\times\frac{2}{9}\right)=-\frac{2}{3}$

(5) $(-1)\times(+11)\times(-4)\times(-5)$
$=-(1\times11\times4\times5)=-220$

168 답 $-\frac{1}{2}$

$A=\left(+\frac{3}{5}\right)\times\left(-\frac{1}{6}\right)\times\left(-\frac{20}{3}\right)$
$=+\left(\frac{3}{5}\times\frac{1}{6}\times\frac{20}{3}\right)=+\frac{2}{3}$

$B=\left(-\frac{3}{16}\right)\times\left(-\frac{2}{3}\right)\times(-6)$
$=-\left(\frac{3}{16}\times\frac{2}{3}\times6\right)=-\frac{3}{4}$

$A\times B=\left(+\frac{2}{3}\right)\times\left(-\frac{3}{4}\right)=-\left(\frac{2}{3}\times\frac{3}{4}\right)=-\frac{1}{2}$

169 답 (1) -1 (2) -1 (3) $+32$ (4) $+16$ (5) $-\frac{1}{27}$ (6) $-\frac{4}{9}$

(1) $(-1)^7=(-1)\times(-1)\times(-1)\times(-1)\times(-1)\times(-1)\times(-1)$
$=-(1\times1\times1\times1\times1\times1\times1)=-1$

(2) $-1^7=-(1\times1\times1\times1\times1\times1\times1)=-1$

(3) $(+2)^5=(+2)\times(+2)\times(+2)\times(+2)\times(+2)$
$=+(2\times2\times2\times2\times2)=+32$

(4) $(-4)^2=(-4)\times(-4)=+(4\times4)=+16$

(5) $\left(-\frac{1}{3}\right)^3=\left(-\frac{1}{3}\right)\times\left(-\frac{1}{3}\right)\times\left(-\frac{1}{3}\right)$
$=-\left(\frac{1}{3}\times\frac{1}{3}\times\frac{1}{3}\right)=-\frac{1}{27}$

(6) $-\left(-\frac{2}{3}\right)^2=-\left\{\left(-\frac{2}{3}\right)\times\left(-\frac{2}{3}\right)\right\}$
$=-\left(+\frac{4}{9}\right)=-\frac{4}{9}$

170 답 (1) $-\frac{3}{4}$ (2) -2 (3) -4 (4) $+8$

(1) $(-4)\times\left(-\frac{1}{4}\right)^2\times3=(-4)\times\left(+\frac{1}{16}\right)\times(+3)$
$=-\left(4\times\frac{1}{16}\times3\right)=-\frac{3}{4}$

(2) $\left(+\frac{1}{4}\right)\times(-2)^3=\left(+\frac{1}{4}\right)\times(-8)=-\left(\frac{1}{4}\times8\right)=-2$

(3) $-5^2\times\left(-\frac{2}{5}\right)^2=(-25)\times\left(+\frac{4}{25}\right)$
$=-\left(25\times\frac{4}{25}\right)=-4$

(4) $(-3)^3\times\left(-\frac{2}{3}\right)^4\times\left(-\frac{3}{2}\right)$
$=(-27)\times\left(+\frac{16}{81}\right)\times\left(-\frac{3}{2}\right)$
$=+\left(27\times\frac{16}{81}\times\frac{3}{2}\right)=+8$

171 답 -3^2, $(-2)^3$, 0, $-(-2)^3$, $(-3)^2$

0, $(-2)^3=-8$, $-(-2)^3=-(-8)=+8$,
$-3^2=-9$, $(-3)^2=+9$

172 답 ①, ③

② $\left(-\frac{1}{3}\right)^3=-\frac{1}{27}$

④ $-\left(\frac{1}{5}\right)^2=-\frac{1}{25}$

⑤ $-2^6=-64$

173 답 0

$(-1)+(-1)^2+(-1)^3+(-1)^4+\cdots+(-1)^{10}$
$=(-1)+(+1)+(-1)+(+1)+\cdots+(-1)+(+1)$
$=0$

174 답 풀이 참조

(1) $20\times(100+4)=\boxed{20}\times100+20\times\boxed{4}$
$=\boxed{2000}+80$
$=\boxed{2080}$

(2) $24\times\left(-\frac{3}{25}\right)+26\times\left(-\frac{3}{25}\right)$
$=(24+\boxed{26})\times\left(-\frac{3}{25}\right)$
$=\boxed{50}\times\left(-\frac{3}{25}\right)$
$=\boxed{-6}$

175 답 (1) 1575 (2) -900 (3) -1 (4) 36

(1) $15\times(100+5)=15\times100+15\times5=1500+75=1575$

(2) $9\times(-72)+9\times(-28)$
$=9\times\{(-72)+(-28)\}$
$=9\times(-100)$
$=-900$

(3) $(-12)\times\left\{\frac{3}{4}+\left(-\frac{2}{3}\right)\right\}$

$=(-12)\times\left(+\frac{3}{4}\right)+(-12)\times\left(-\frac{2}{3}\right)$

$=(-9)+(+8)=-1$

(4) $\left(-\frac{1}{4}\right)\times 36+\frac{5}{4}\times 36$

$=\left\{\left(-\frac{1}{4}\right)+\left(+\frac{5}{4}\right)\right\}\times 36$

$=1\times 36=36$

176 답 39

$a\times b=13$, $a\times(b+c)=52$일 때,

$a\times(b+c)=52$ ➡ $a\times b+a\times c=52$

➡ $13+a\times c=52$ ➡ $a\times c=52-13=39$

177 답 풀이 참조

(1) $(+15)\div(+5)=\oplus(15\div 5)=\oplus\boxed{3}$

(2) $(-48)\div(-6)=\oplus(48\div 6)=\oplus\boxed{8}$

(3) $(+56)\div(-8)=\ominus(56\div 8)=\ominus\boxed{7}$

(4) $(-18)\div(+2)=\ominus(18\div 2)=\ominus\boxed{9}$

178 답 (1) $+4$ (2) -9 (3) 0 (4) -0.8

(1) $(-16)\div(-4)=+(16\div 4)=+4$

(2) $(-45)\div(+5)=-(45\div 5)=-9$

(3) $0\div(-7)=0$

(4) $(+4.8)\div(-6)=-(4.8\div 6)=-0.8$

179 답 (1) 6 (2) $-\frac{1}{3}$ (3) $\frac{5}{7}$ (4) $-\frac{2}{3}$

(1) $\frac{1}{6}\times\frac{6}{1}=1$이므로 $\frac{1}{6}$의 역수는 6이다.

(2) $-3\times\left(-\frac{1}{3}\right)=1$이므로 -3의 역수는 $-\frac{1}{3}$이다.

(3) $1\frac{2}{5}=\frac{7}{5}$이고 $\frac{7}{5}\times\frac{5}{7}=1$이므로 $1\frac{2}{5}$의 역수는 $\frac{5}{7}$이다.

(4) $1.5=-\frac{3}{2}$이고 $-\frac{3}{2}\times\left(-\frac{2}{3}\right)=1$이므로 -1.5의 역수는 $-\frac{2}{3}$이다.

180 답 (1) -4 (2) $+\frac{1}{4}$ (3) $-\frac{2}{3}$ (4) -3

(1) $(-6)\div\left(+\frac{3}{2}\right)=-\left(6\div\frac{3}{2}\right)=-\left(6\times\frac{2}{3}\right)=-4$

(2) $\left(-\frac{5}{12}\right)\div\left(-\frac{5}{3}\right)$

$=+\left(\frac{5}{12}\div\frac{5}{3}\right)$

$=+\left(\frac{5}{12}\times\frac{3}{5}\right)=+\frac{1}{4}$

(3) $\frac{8}{9}\div\left(-\frac{4}{3}\right)=-\left(\frac{8}{9}\div\frac{4}{3}\right)=-\left(\frac{8}{9}\times\frac{3}{4}\right)=-\frac{2}{3}$

(4) $(-1.2)\div\left(+\frac{2}{5}\right)$

$=-\left(1.2\div\frac{2}{5}\right)=-\left(\frac{12}{10}\div\frac{2}{5}\right)$

$=-\left(\frac{12}{10}\times\frac{5}{2}\right)=-3$

181 답 (1) $+\frac{2}{3}$ (2) -2 (3) $+\frac{1}{8}$ (4) $-\frac{2}{5}$

(1) $(-4)\times\frac{1}{3}\div(-2)$

$=+\left(4\times\frac{1}{3}\times\frac{1}{2}\right)$

$=+\frac{2}{3}$

(2) $\left(+\frac{2}{3}\right)\div\left(-\frac{4}{15}\right)\times\left(+\frac{4}{5}\right)$

$=-\left(\frac{2}{3}\times\frac{15}{4}\times\frac{4}{5}\right)$

$=-2$

(3) $\left(-\frac{3}{4}\right)\div(-15)\times\left(+\frac{5}{2}\right)$

$=+\left(\frac{3}{4}\times\frac{1}{15}\times\frac{5}{2}\right)$

$=+\frac{1}{8}$

(4) $\left(-\frac{3}{4}\right)\div\left(-\frac{5}{4}\right)^2\times\frac{5}{6}$

$=\left(-\frac{3}{4}\right)\div\left(+\frac{25}{16}\right)\times\left(+\frac{5}{6}\right)$

$=\left(-\frac{3}{4}\right)\times\left(+\frac{16}{25}\right)\times\left(+\frac{5}{6}\right)$

$=-\left(\frac{3}{4}\times\frac{16}{25}\times\frac{5}{6}\right)$

$=-\frac{2}{5}$

182 답 ④

$\left(-\frac{11}{16}\right)\times\left(-\frac{2}{5}\right)^2\div\left(-\frac{11}{25}\right)$

$=\left(-\frac{11}{16}\right)\times\left(+\frac{4}{25}\right)\div\left(-\frac{11}{25}\right)$

$=+\left(\frac{11}{16}\times\frac{4}{25}\times\frac{25}{11}\right)$

$=+\frac{1}{4}$

183 답 ④

④ $\left(-\frac{15}{8}\right)\times(-54)\div(+3)^3$

$=\left(-\frac{15}{8}\right)\times(-54)\div(+27)$

$=\left(-\frac{15}{8}\right)\times(-54)\times\left(+\frac{1}{27}\right)$

$=+\left(\frac{15}{8}\times54\times\frac{1}{27}\right)$

$=+\frac{15}{4}$

184 답 $+20$

$A=(-2)^5\times\left(-\frac{1}{6}\right)^2\div\frac{2}{9}$

$=(-32)\times\left(+\frac{1}{36}\right)\times\frac{9}{2}$

$=-\left(32\times\frac{1}{36}\times\frac{9}{2}\right)$

$=-4$

$B=\left(-\frac{3}{2}\right)^2\div\left(-\frac{9}{5}\right)\times\left(-\frac{2}{5}\right)^2$

$=\left(+\frac{9}{4}\right)\times\left(-\frac{5}{9}\right)\times\left(+\frac{4}{25}\right)$

$=-\left(\frac{9}{4}\times\frac{5}{9}\times\frac{4}{25}\right)$

$=-\frac{1}{5}$

$A\div B=(-4)\div\left(-\frac{1}{5}\right)$

$=+(4\times5)=+20$

185 답 풀이 참조

$2\times\left[\frac{1}{2}-\left\{\frac{4}{5}\div\left(-\frac{2}{15}\right)\right\}+1\right]-12$

$=2\times\left[\frac{1}{2}-\left\{\frac{4}{5}\times\left(\boxed{-\frac{15}{2}}\right)\right\}+1\right]-12$

$=2\times\left\{\frac{1}{2}-(\boxed{-6})+1\right\}-12$

$=2\times\boxed{\frac{15}{2}}-12$

$=\boxed{15}-12=\boxed{3}$

186 답 (1) ㉡, ㉢, ㉣, ㉠, ㉤ (2) $\frac{31}{2}$

(1) 계산 순서: ㉡ → ㉢ → ㉣ → ㉠ → ㉤

(2) $(-2)\times\left\{(-2)^3\div\frac{2}{3}+\frac{7}{2}\right\}-\frac{3}{2}$

$=(-2)\times\left\{(-8)\times\frac{3}{2}+\frac{7}{2}\right\}-\frac{3}{2}$

$=(-2)\times\left\{(-12)+\frac{7}{2}\right\}-\frac{3}{2}$

$=(-2)\times\left(-\frac{17}{2}\right)-\frac{3}{2}$

$=(+17)-\frac{3}{2}=\frac{31}{2}$

187 답 (1) $-\frac{9}{2}$ (2) 3 (3) 60

(1) $\left(-\frac{1}{4}\right)^2\times8-4\div\frac{4}{5}$

$=\left(+\frac{1}{16}\right)\times8-4\times\frac{5}{4}$

$=\frac{1}{2}-5=\frac{1}{2}-\frac{10}{2}=-\frac{9}{2}$

(2) $\frac{5}{2}-\left\{(-3)\times\left(-\frac{1}{2}\right)^2+\frac{1}{4}\right\}$

$=\frac{5}{2}-\left\{(-3)\times\left(+\frac{1}{4}\right)+\frac{1}{4}\right\}$

$=\frac{5}{2}-\left\{\left(-\frac{3}{4}\right)+\frac{1}{4}\right\}$

$=\frac{5}{2}-\left(-\frac{2}{4}\right)$

$=\frac{5}{2}+\frac{1}{2}=\frac{6}{2}=3$

(3) $20-\left[\{3+(-7)\}\div\frac{3}{2}-(-2)^2\right]\times6$

$=20-\left\{(-4)\div\frac{3}{2}-(+4)\right\}\times6$

$=20-\left\{(-4)\times\frac{2}{3}-(+4)\right\}\times6$

$=20-\left\{\left(-\frac{8}{3}\right)+(-4)\right\}\times6$

$=20-\left\{-\left(\frac{8}{3}+\frac{12}{3}\right)\right\}\times6$

$=20-\left(-\frac{20}{3}\right)\times6$

$=20-(-40)=20+40=60$

188 답 5개

$A=3-\left[\frac{1}{3}-12\times\left\{\frac{1}{2}-\left(-\frac{1}{2}\right)^2\right\}\right]$

$=3-\left[\frac{1}{3}-12\times\left\{\frac{1}{2}-\left(+\frac{1}{4}\right)\right\}\right]$

$=3-\left[\frac{1}{3}-12\times\left\{\frac{2}{4}+\left(-\frac{1}{4}\right)\right\}\right]$

$=3-\left\{\frac{1}{3}-12\times\left(+\frac{1}{4}\right)\right\}$

$=3-\left\{\frac{1}{3}-\left(12\times\frac{1}{4}\right)\right\}$
$=3-\left(\frac{1}{3}-3\right)$
$=3-\left(\frac{1}{3}-\frac{9}{3}\right)$
$=3-\left(-\frac{8}{3}\right)$
$=3+\frac{8}{3}=\frac{17}{3}$
A보다 작은 모든 자연수는 1, 2, 3, 4, 5이므로 5개이다.

03 문자와 식

001 답 (1) $15+17=32$ 또는 $17+15=32$
(2) $32-17=15$ 또는 $32-15=17$

002 답 식: $\square-37=24$, 답: 61
어떤 수를 □라고 하면 식은 $\square-37=24$이다.
$\square=24+37=61$이므로 답은 61이다.

003 답 식: $46+\square=62$, 답: 16명
더 들어온 학생을 □명이라고 하면 식은 $46+\square=62$이다.
$\square=62-46=16$이므로 답은 16명이다.

004 답 (1) $\square\times8=96$, 12 (2) $\frac{3}{2}$
(1) $\square\times8=96$이므로 $\square=96\div8=12$이다.
(2) 어떤 자연수가 12이므로 $12\div8=\frac{12}{8}=\frac{3}{2}$이다.

005 답 (1) $\frac{1}{2}\times\frac{12}{5}\times\square=\frac{9}{4}$ (2) $\frac{15}{8}$
(1) (삼각형의 넓이)$=\frac{1}{2}\times\frac{12}{5}\times\square=\frac{9}{4}$
(2) $\square=\frac{9}{4}\div\frac{1}{2}\div\frac{12}{5}=\frac{9}{4}\times2\times\frac{5}{12}=\frac{15}{8}$이다.
따라서 높이는 $\frac{15}{8}$ cm이다.

006 답 $15000-1000\times a$
(거스름돈)=(지불 금액)−(물건 가격)이므로
$(15000-1000\times a)$원이다.

007 답 ⑤
① $x\ \%=\frac{x}{100}$이므로 학생 수 a명의 30 %는 $(0.3\times a)$명이다.
② 어떤 수 x에 10을 더해 5를 곱한 수는 $(x+10)\times5$이다.
③ (거리)=(속력)×(시간)이므로 시속 x km로 자동차가 y시간 간 거리는 xy km이다.
④ 한 모서리의 길이가 x cm인 정육면체의 겉넓이는

$(6\times x^2)$ cm²이다.

008 답 ③

2권에 a원인 노트 2권의 가격은 a원이고 6자루에 b원인 연필 1자루의 가격은 $\frac{b}{6}$원이므로 총 가격은 $\left(a+\frac{b}{6}\right)$원이다.

009 답 $\left\{\frac{1}{2}\times(a+b)\times h\right\}$ cm²

(사다리꼴의 넓이)

$=\frac{1}{2}\times$ {(윗변의 길이)+(아랫변의 길이)} × (높이)이므로

$\left\{\frac{1}{2}\times(a+b)\times h\right\}$ cm²이다.

010 답 (1) $-4a$ (2) $27xy$ (3) $-0.1x^2y$ (4) $8(a-b)-2c$

(1) $a\times(-4)=-4a$

(2) $y\times3\times9\times x=27xy$

(3) $x\times(-0.1)\times y\times x=-0.1x^2y$

(4) $(a-b)\times8-c\times2=8(a-b)-2c$

011 답 ④

$a\div(-3b)-5\div x=-\frac{a}{3b}-\frac{5}{x}$

이므로 나눗셈 기호를 생략하여 바르게 나타낸 것은 ④이다.

012 답 ③

③ $(-a)\div(b\div c)=(-a)\div\frac{b}{c}=(-a)\times\frac{c}{b}=-\frac{ac}{b}$

이므로 옳지 않은 것은 ③이다.

013 답 $\left(\frac{4}{x}+\frac{3}{y}\right)$ 시간

(시간)$=\frac{(\text{거리})}{(\text{속력})}$이므로 처음 시속 x km로 4 km를 달린 시간은 $\frac{4}{x}$시간이고 시속 y km로 3 km로 달린 시간은 $\frac{3}{y}$ 시간이다.

따라서 총 걸린 시간은 $\left(\frac{4}{x}+\frac{3}{y}\right)$시간이다.

014 답 (1) 7 (2) $\frac{3}{10}$

(1) $a=2$, $b=-3$일 때, $2a-b$에 대한 식의 값은

$2a-b=2\times2-(-3)=4+3=7$이다.

(2) $p=4$, $q=-5$일 때, $\frac{2}{p}+\frac{1}{q}$에 대한 식의 값은

$\frac{2}{p}+\frac{1}{q}=\frac{2}{4}+\frac{1}{(-5)}=\frac{10}{20}-\frac{4}{20}=\frac{6}{20}=\frac{3}{10}$이다.

015 답 ③

① $-x=-(-2)=2$

② $5x+12=5\times(-2)+12=-10+12=2$

③ $x^2-6=(-2)^2-6=4-6=-2$

④ $-x^2+6=-(-2)^2+6=-4+6=2$

⑤ $\frac{4}{x}+4=\frac{4}{(-2)}+4=-2+4=2$

이므로 식의 값이 나머지 넷과 다른 하나는 ③이다.

016 답 $\frac{19}{3}$

$a=-2$, $b=-3$, $c=4$이므로

$a-b+2c=(-2)-\left(-\frac{1}{3}\right)+2\times4$

$=-2+\frac{1}{3}+8=\frac{1}{3}+6$

$=\frac{1+18}{3}=\frac{19}{3}$

017 답 ①

$\frac{5}{9}(50-32)=\frac{5}{9}\times18=10$ (℃)이므로 옳은 것은 ①이다.

018 답 (1) ah cm² (2) 12 cm²

(1) (평행사변형의 넓이)=(밑변의 길이)×(높이)이므로 ah cm²이다.

(2) $a=6$, $h=2$일 때 ah에 대한 식의 값은 $6\times2=12$이므로 평행사변형의 넓이는 12 cm²이다.

019 답 (1) $5x$, $-y$, 7 (2) 5 (3) -1 (4) 7

020 답 ①, ⑤

단항식은 ① $-7y$, ⑤ $4x^2y$이므로 ①, ⑤이다.

021 답 ④

① $x-3y$의 항은 x, $-3y$이므로 2개이다.

② $2x+5y-4$는 항이 3개이므로 단항식이 아니다.

③ $3x+9$의 상수항은 9이다.
⑤ $2x+3y-6$에서 문자의 계수는 2와 3이므로 두 수의 합은 5이다.
따라서 옳은 것은 ④이다.

022 답 ㄱ, ㄴ, ㄷ, ㅂ
일차식은 ㄱ. $2x-3$, ㄴ. $-\frac{x}{2}+4$, ㄷ. $3+a$, ㅂ. $-0.2x+0.2$이다.

023 답 (1) $-6x$ (2) $-15a$ (3) $\frac{2}{5}y$
(1) $2\times(-3x)=-6x$
(2) $(-18a)\times\frac{5}{6}=-15a$
(3) $\left(-\frac{10}{3}y\right)\times\left(-\frac{3}{25}\right)=\frac{2}{5}y$

024 답 $-2y^2$
$3xy^3\times(-6x^2y)\div(9x^3y^2)=-18x^3y^4\times\frac{1}{9x^3y^2}=-2y^2$

025 답 -4
$(3x-2)\times(-4)=3x\times(-4)+(-2)\times(-4)$
$=-12x+8$
이므로 x의 계수는 -12, 상수항은 8이다.
$\therefore (-12)+8=-4$

026 답 ④
$-3(2x+1)=-6x-3$
① $(3x-6)\div(-2)=-\frac{3}{2}x+3$
② $(2x-1)\times3=6x-3$
③ $3(1-2x)=3-6x$
④ $\left(-x-\frac{1}{2}\right)\div\frac{1}{6}=\left(-x-\frac{1}{2}\right)\times6=-6x-3$
⑤ $(-2x+1)\div\frac{1}{6}=(-2x+1)\times6=-12x+6$

027 답 20
$24-9\left(\frac{4}{3}x-\frac{8}{9}\right)=24-12x+8=-12x+32$
따라서 $a=-12$, $b=32$이므로
$a+b=-12+32=20$이다.

028 답 $36a+30$
$\frac{1}{2}\times\frac{5}{3}\times\square=30a+25$
$\frac{5}{6}\times\square=30a+25$
$\square=(30a+25)\div\frac{5}{6}$
$=(30a+25)\times\frac{6}{5}$
$=36a+30$

029 답 ⑤
① x, x^2: 차수가 다르다.
② a, $2b$: 문자가 다르다.
③ -2, $-2y$: 문자와 차수가 모두 다르다.
④ $\frac{2}{x}$, x: 차수가 다르다.
따라서 동류항끼리 바르게 짝지어진 것은 ⑤이다.

030 답 ③, ⑤
③ $a\div\frac{1}{3}=a\times3=3a$
⑤ $a+a+a=3a$
따라서 $3a$와 같은 것은 ③, ⑤이다.

031 답 (1) $4x$ (2) $-6y$ (3) $\frac{2}{3}a$ (4) $\frac{11}{6}b$
(1) $-3x+7x=(-3+7)x=4x$
(2) $-5y-y=(-5-1)y=-6y$
(3) $a-\frac{1}{3}a=\left(1-\frac{1}{3}\right)\times a=\frac{2}{3}a$
(4) $\frac{7}{3}b-\frac{1}{2}b=\left(\frac{7}{3}-\frac{1}{2}\right)b=\left(\frac{14}{6}-\frac{3}{6}\right)b=\frac{11}{6}b$

032 답 ②
② $4+7x$에서 4와 $7x$는 동류항이 아니다.

033 답 (1) $2x+5$ (2) $3a-3$ (3) $-2x+8$ (4) $-6b+6$ (5) $8y+\frac{1}{6}$ (6) $2x+3$
(1) $7x-3-5x+8=(7-5)x-3+8=2x+5$
(2) $4a+4-7-a=(4-1)a+4-7=3a-3$
(3) $-x+9-x-1=(-1-1)x+9-1=-2x+8$
(4) $5b+9-11b-3=(5-11)b+9-3=-6b+6$

(5) $6y-\frac{1}{3}+2y+\frac{1}{2}=(6+2)y-\frac{1}{3}+\frac{1}{2}=8y+\frac{1}{6}$

(6) $13x-4-11x+7=(13-11)x-4+7=2x+3$

034 답 (1) $2x-7y$ (2) $-a-5$ (3) $-2x-4$ (4) $7b-3$

(1) $5x+2y-3x-9y$
$=(5x-3x)+(2y-9y)$
$=2x-7y$

(2) $(-3a-6)+(2a+1)$
$=(-3a+2a)+(-6+1)$
$=-a-5$

(3) $\frac{1}{3}(12x-6)-2(3x+1)$
$=4x-2-6x-2$
$=(4x-6x)-2-2$
$=-2x-4$

(4) $2(2b-3)+3(b+1)$
$=4b-6+3b+3$
$=(4b+3b)-6+3$
$=7b-3$

035 답 4

$\frac{1}{2}(4x+6)-\frac{1}{3}(-9x+12)$
$=2x+3+3x-4$
$=(2x+3x)+3-4$
$=5x-1$

따라서 x의 계수는 5, 상수항은 -1이다.

$\therefore 5+(-1)=4$

036 답 ②

(어떤 다항식)$=(4x+5)-(-3x+2)$
$=4x+5+3x-2$
$=(4x+3x)+(5-2)$
$=7x+3$

따라서 어떤 다항식은 ②이다.

037 답 12

$10x-3y-4x+6y-(2x-5y)$
$=10x-3y-4x+6y-2x+5y$
$=(10x-4x-2x)+(-3y+6y+5y)$
$=4x+8y$

이므로 $A=4$, $B=8$이다.

따라서 $A+B=4+8=12$이다.

038 답 $-x+3$

대각선에 놓인 세 다항식의 합은
$(x-7)+(2x-1)+(3x+5)$
$=(x+2x+3x)+(-7-1+5)$
$=6x-3$

가로, 세로, 대각선에 놓인 세 다항식의 합이 모두 같으므로
$(3x+5)+㉠+(-2x-3)=6x-3$

따라서 $㉠=6x-3-(x+2)=5x-5$

또 $A+(2x-1)+(5x-5)=6x-3$이므로
$A=6x-3-(7x-6)=-x+3$

039 답 $8y+12$

(색칠한 삼각형의 넓이)
$=12\{y+(y+2)\}-\frac{1}{2}\times12\times y-\frac{1}{2}\times4\times(y+2)$
$\qquad -\frac{1}{2}\times8\times\{y+(y+2)\}$
$=12(2y+2)-6y-2(y+2)-4(2y+2)$
$=24y+24-6y-2y-4-8y-8$
$=(24y-6y-2y-8y)+(24-4-8)$
$=8y+12$

040 답 ②

$2x-5+\frac{1}{2}(4x-6)-3$
$=2x-5+2x-3-3$
$=4x-11$

041 답 ④

$3x-2[x+2\{-x+2(x-1)\}]$
$=3x-2\{x+2(-x+2x-2)\}$
$=3x-2\{x+2(x-2)\}$
$=3x-2(x+2x-4)$
$=3x-2(3x-4)$
$=3x-6x+8$
$=-3x+8$

$\therefore a+b=(-3)+8=5$

따라서 ④이다.

042 답 $\frac{5}{6}x+\frac{7}{3}$

$\frac{3x+4}{2}-\frac{2x-1}{3}$의 분모를 2와 3의 최소공배수 6으로 통분하면

$$\frac{3x+4}{2}-\frac{2x-1}{3}=\frac{3(3x+4)-2(2x-1)}{6}$$
$$=\frac{9x+12-4x+2}{6}$$
$$=\frac{5x+14}{6}=\frac{5}{6}x+\frac{7}{3}$$

043 답 ⑤

좌변을 분모의 최소공배수 12로 통분하면

(좌변)

$$=\frac{3(x-2)-4(x-4)-18}{12}$$
$$=\frac{3x-6-4x+16-18}{12}$$
$$=\frac{-x-8}{12}$$
$$=-\frac{1}{12}x-\frac{2}{3}$$
$$\therefore a-b=-\frac{1}{12}-\left(-\frac{2}{3}\right)$$
$$=\frac{-1+8}{12}=\frac{7}{12}$$

044 답 $-\frac{x}{3}-\frac{4}{3}$

어떤 식을 □라 하면

$$\square+\frac{x+1}{2}=\frac{2x-1}{3}$$
$$\square=\frac{2x-1}{3}-\frac{x+1}{2}=\frac{2(2x-1)-3(x+1)}{6}$$
$$=\frac{4x-2-3x-3}{6}=\frac{x-5}{6}$$

따라서 바르게 계산하면

$$\square-\frac{x+1}{2}=\frac{x-5}{6}-\frac{x+1}{2}$$
$$=\frac{x-5-3(x+1)}{6}$$
$$=\frac{x-5-3x-3}{6}$$
$$=\frac{-2x-8}{6}=-\frac{x}{3}-\frac{4}{3}$$

045 답 -32

$$\frac{1}{3}(2x-9)-\frac{3}{4}\{3x-2-5(-x+2)\}$$
$$=\frac{2}{3}x-3-\frac{3}{4}(3x-2+5x-10)$$
$$=\frac{2}{3}x-3-\frac{3}{4}(8x-12)$$
$$=\frac{2}{3}x-3-6x+9$$
$$=-\frac{16}{3}x+6$$

따라서 일차항의 계수는 $-\frac{16}{3}$, 상수항은 6이므로

곱은 $\left(-\frac{16}{3}\right)\times 6=-32$이다.

04 일차방정식

001 답 (1) 48, 48; ○ (2) 35, 42; ×

(1) 외항의 곱 $8\times6=48$과 내항의 곱 $3\times16=48$이 같으므로 비례식이다.

(2) 외항의 곱 $7\times5=35$과 내항의 곱 $2\times21=42$이 같지 않으므로 비례식이 아니다.

002 답 135

$x\times y=9\times15$, $xy=135$

003 답 (1) 16 (2) 3

(1) $5\times\square=4\times20$, $\square=\frac{80}{5}=16$

(2) $\frac{1}{3}\times\square=\frac{1}{2}\times2$, $\square=1\times3=3$

004 답 8 cm

세로의 길이를 □ cm라고 하면

$3:2=12:\square$, $3\times\square=2\times12$, $\square=24\div3=8$

005 답 16바퀴

톱니바퀴 B가 □바퀴 돈다고 하면

$7:4=28:\square$, $7\times\square=4\times28$, $\square=112\div7=16$

006 답 54개

밀가루 240 g으로 똑같은 모양의 쿠키를 □개 만들 수 있다고 하면

$40:9=240:\square$, $40\times\square=9\times240$, $\square=2160\div40=54$

007 답 풀이 참조

$(\text{비율})=\frac{(\text{비교하는 양})}{(\text{기준량})}$이다.

비	비교하는 양	기준량	비율(분수)
13 : 25	13	25	$\frac{13}{25}$
7과 12의 비	7	12	$\frac{7}{12}$

008 답 $\frac{5}{8}$, 0.625

샌드위치 수에 대한 우유 수의 비는 $5:8$이므로 비율은 $\frac{5}{8}=0.625$이다.

009 답 ㉯ 자동차

(㉮ 자동차의 속력)$=178\div2=89$ (km/시)

(㉯ 자동차의 속력)$=358\div4=89.5$ (km/시)

따라서 ㉯ 자동차의 속력이 더 빠르다.

010 답 연호

(연호의 타율)$=\frac{24}{40}=\frac{3}{5}$

(재윤의 타율)$=\frac{11}{20}$

$\frac{3}{5}\left(=\frac{12}{20}\right)>\frac{11}{20}$이므로 연호의 타율이 더 높다.

011 답 A 가게

A 가게의 할인율: 35 %

B 가게의 할인율: $\frac{8}{25}\times100=32$ (%)

따라서 A 가게의 할인율이 더 높다.

012 답 검은색 자동차

(흰색 자동차의 연비)$=480\div40=12$

(검은색 자동차의 연비)$=350\div25=14$

따라서 연비가 더 높은 자동차는 검은색 자동차이다.

013 답 (1) ○ (2) × (3) × (4) ○ (5) ○ (6) ○

(1) 부등식을 사용하고 등호를 사용하지 않으면 등식이 아니다. 따라서 ○표는 (1), (4), (5), (6)이고 ×표는 (2), (3)이다.

014 답 풀이 참조

(1) 좌변: $5+7$, 우변: 12

(2) 좌변: $5x-2$, 우변: 9

(3) 좌변: $7x$, 우변: $x-18$

(4) 좌변: $3x-2$, 우변: $x-10$

(5) 좌변: $4x+7$, 우변: 11

(6) 좌변: $2(x+1)+3$, 우변: $5x$

015 답 (1) $x-7=-3$ (2) $2(x-3)=10$
(3) $2+3x=x-1$

016 답 ④

④ $7x+5=100$

017 답 풀이 참조

x의 값	좌변	우변	참/거짓
0	$3\times0-1=-1$	5	거짓
1	$3\times1-1=2$	5	거짓
2	$3\times2-1=5$	5	참
3	$3\times3-1=8$	5	거짓

$x=2$일 때만 참이므로 방정식이다.

018 답 ㄴ, ㄹ, ㅂ

ㄱ, ㅁ은 방정식이다.
ㄷ은 부등식이다.
따라서 항등식은 ㄴ, ㄹ, ㅂ이다.

019 답 ③

① 좌변을 정리하면 $3x-x=2x$이므로 항등식이다.
② 좌변을 정리하면 $2(x-3)=2x-6$이므로 항등식이다.
④ 우변을 정리하면 $5x+5-2x=3x+5$이므로 항등식이다.
⑤ 우변을 정리하면 $(x+1)+(3x+2)=4x+3$이므로 항등식이다.
따라서 항등식이 아닌 것은 ③이다.

020 답 8

좌변: $a(x+1)+2=ax+a+2$, 우변: $3x+b$
x에 대한 항등식이므로 $a=3$, $a+2=b$, 즉
$a=3$, $b=3+2=5$이다.
따라서 $a+b=3+5=8$이다.

021 답 ①

$ax+6=5x-2b$가 x에 대한 항등식이므로 $a=5$,
$6=-2b$이다.
따라서 $a=5$, $b=-3$이므로
$ab=5\times(-3)=-15$이다.

022 답 풀이 참조

(1)

x의 값	좌변의 값	우변의 값	참/거짓
0	$0+2=2$	3	거짓
1	$1+2=3$	3	참
2	$2+2=4$	3	거짓

➡ $x=1$

(2)

x의 값	좌변의 값	우변의 값	참/거짓
-1	$3\times(-1)+1=-2$	$2\times(-1)=-2$	참
0	$3\times0+1=1$	$2\times0=0$	거짓
1	$3\times1+1=4$	$2\times1=2$	거짓

➡ $x=-1$

023 답 (1) ○ (2) ×

(1) (좌변)$=5\times2-1=9$, (우변)$=9$
따라서 2가 방정식의 해이다.
(2) (좌변)$=-3\times(-2)-4=2$,
(우변)$=2(-2+1)=-2$
따라서 -2가 방정식의 해가 아니다.

024 답 ④

④ $-3x-5=4$에 $x=3$을 대입하면
(좌변)$=-3\times3-5=-9-5=-14$, (우변)$=4$이므로 거짓이다.

025 답 ⑤

① $3\times3=3+6$
② $5\times\frac{1}{5}+1=2$
③ $-1-1=4\times(-1)+2$
④ $\frac{1}{3}\times(-12)=8-12=-4$
⑤ $5\times2\neq4(2+1)+2$
따라서 주어진 방정식의 해가 아닌 것은 ⑤이다.

026 답 (1) 5 (2) 7 (3) 9 (4) 2

(1) 등식의 양변에 같은 수를 더하여도 등식은 성립하므로 5이다.
(2) 등식의 양변에서 같은 수를 빼어도 등식은 성립하므로 7이다.

(3) 등식의 양변에 같은 수를 곱하여도 등식은 성립하므로 9이다.
(4) 등식의 양변을 0이 아닌 같은 수로 나누어도 등식은 성립하므로 2이다.

027 답 (가) ㄱ (나) ㄹ

(가): $3x-4=8$의 양변에 4를 더하여 $3x-4+4=8+4$, $3x=12$이다. 따라서 (가)에 사용한 등식의 성질은 '등식의 양변에 같은 수를 더하여도 등식이 성립한다.'이므로 ㄱ이다.
(나): $3x=12$의 양변을 3으로 나누면 $x=4$이다.
따라서 (나)에 사용한 등식의 성질은 '등식의 양변을 0이 아닌 같은 수를 나누어도 등식은 성립한다.'이므로 ㄹ이다.

028 답 (1) × (2) × (3) ×

(1) $a+4=b-4$의 양변에서 4를 빼면 $a=b-8$이므로 ×이다.
(2) $\frac{a}{2}=\frac{b}{3}$의 양변에 6을 곱하면 $3a=2b$이므로 ×이다.
(3) $2\times0=3\times0$이지만 $2\neq3$이다. $ac=bc$이면 $a=b$일 수도 있고 $a\neq b$일 수도 있으므로 ×이다.

029 답 ①, ⑤

① $8a=4b$의 양변을 4로 나누면 $2a=b$이다.
② $\frac{a}{6}=\frac{b}{12}$의 양변에 12를 곱하면 $2a=b$이다.
③ $3a=b$의 양변에 3을 더하면 $3a+3=b+3$이다.
이때 $3a+3=3(a+1)$이므로 $3(a+1)\neq b+1$이다.
④ $\frac{a}{5}=b$의 양변에 25를 곱하면 $5a=25b$이다.
⑤ $3-2a=3-2b$의 양변에서 3을 빼면 $-2a=-2b$이다.
$-2a=-2b$의 양변을 -2로 나누면 $a=b$이다.
따라서 옳은 것은 ①, ⑤이다.

030 답 ⑤

① $2a=b$의 양변을 2로 나누면 $a=\frac{b}{2}$이다.
② $2a=b$의 양변을 2로 나눈 식 $a=\frac{b}{2}$의 양변에서 3을 빼면 $a-3=\frac{b}{2}-3$이다.
③ $2a=b$의 양변에 -4를 곱하면 $-8a=-4a$이고 이 식의 양변에 1을 더하면 $-8a+1=-4b+1$이다.
④ $2a=b$의 양변에 3을 곱하면 $6a=3b$이고 이 식의 양변에 2를 더하면 $6a+2=3b+2$이다.
⑤ $2a=b$의 양변에서 1을 빼면 $2a-1=b-1$이다.
$2(a-1)=2a-2$이므로 $2a=b$일 때, $2(a-1)\neq b-1$이다.

031 답 (1) $+$ (2) $-$ (3) $-$, $+$

(1) 좌변의 -2를 이항하면 $+2$이다.
(2) 우변의 $2x$를 이항하면 $-2x$이다.
(3) 우변의 x를 이항하면 $-x$이고, 좌변의 -3을 이항하면 $+3$이다.

032 답 ②

등식의 양변에 같은 수를 더하여도 등식은 성립하므로
$7x-3=10$의 양변에 3을 더한다.
$7x-3=10 \rightarrow 7x-3+3=10+3 \rightarrow 7x=13$
따라서 양변에 3을 더하는 것과 같은 의미이다.

033 답 ④

④ $-2x+5=-1-4x$를 이항하면 $-2x+4x=-1-5$이다.

034 답 ③

ㄱ. $3x-2=1 \Rightarrow 3x-3=0$: 일차방정식
ㄴ. $3x-x=2x$: 항등식
ㄷ. $2x+3=-2x-3 \Rightarrow 4x+6=0$: 일차방정식
ㄹ. $x^2-1=3x-1 \Rightarrow x^2-3x=0$: 이차방정식
ㅁ. $x^2+2x=x^2-6 \Rightarrow 2x+6=0$: 일차방정식
ㅂ. $4x+7$: 일차식
따라서 일차방정식은 ㄱ, ㄷ, ㅁ이므로 3개이다.

035 답 ④

① $2(-x+3)=-2x+6$: 항등식
② $3x+2-x=2x+2 \Rightarrow 2x+2=2x+2$: 항등식
③ $5x+x=6x \Rightarrow 6x=6x$: 항등식
④ $x^2-5=x^2-3x \Rightarrow 3x-5=0$: 일차방정식
⑤ $x-x^2=x-4 \Rightarrow -x^2+4=0$: 이차방정식
따라서 ④이다.

036 답 풀이 참조

(1) $5x-7=3$
$5x=3+\boxed{7}$ ← $\boxed{-7}$을 이항하면
$5x=\boxed{10}$
$\therefore x=\boxed{2}$ ← 양변을 $\boxed{5}$로 나누면

(2) $9-2x=6x-7$
$-2x-\boxed{6}x=-7-\boxed{9}$ ← $\boxed{9}$, $6x$를 각각 이항하면
$\boxed{-8}x=\boxed{-16}$
$\therefore x=\boxed{2}$ ← 양변을 $\boxed{-8}$로 나누면

037 답 (1) $x=6$ (2) $x=1$ (3) $x=4$ (4) $x=1$

(1) $2x-27=-9-x$, $2x+x=-9+27$
$3x=18$이므로 $x=6$이다.

(2) $15x-3=8x+4$, $15x-8x=4+3$
$7x=7$이므로 $x=1$이다.

(3) $4(x-2)=9x-28$의 괄호를 풀면
$4x-8=9x-28$, $4x-9x=-28+8$
$-5x=-20$이므로 $x=4$

(4) $5(3-x)=11-x$의 괄호를 풀면
$15-5x=11-x$, $-5x+x=11-15$
$-4x=-4$이므로 $x=1$

038 답 ⑤

$3(2x-3)=x+6$의 괄호를 풀면 $6x-9=x+6$
이항하면 $6x-x=6+9$
$5x=15$ $\therefore x=3$

039 답 ④

① $2x-3=x$, $x=3$
② $4x=18-2x$, $6x=18$, $x=3$
③ $4x-2=10$, $4x=12$, $x=3$
④ $7+5x=1+3x$, $2x=-6$, $x=-3$
⑤ $5(x-1)-3x=1$, $5x-5-3x=1$, $2x=6$, $x=3$

040 답 ③

비례식에서 $2\times5(x+2)=5(x+7)$이므로
$2(x+2)=x+7$이다.
$2x+4=x+7$, $2x-x=7-4$, $x=3$

041 답 풀이 참조

(1) $1-0.4x=0.1x-0.5$
$10-4x=x-5$ ← 양변에 $\boxed{10}$을 곱하면
$-4x-x=-5-\boxed{10}$ ← $\boxed{10}$, x를 이항하면
$-5x=\boxed{-15}$
$\therefore x=\boxed{3}$

(2) $\dfrac{3x}{2}=\dfrac{x-5}{3}$
$\boxed{9}x=2(x-5)$ ← 양변에 $\boxed{6}$을 곱하면
$\boxed{9}x=2x-\boxed{10}$ ← 괄호를 풀면
$\boxed{7}x=-\boxed{10}$ ← $\boxed{2x}$를 이항하면
$\therefore x=\boxed{-\dfrac{10}{7}}$

042 답 (1) $x=3$ (2) $x=-10$ (3) $x=6$ (4) $x=\dfrac{8}{3}$

(1) $0.3x+0.9=1.8$의 양변에 10을 곱하면
$3x+9=18$
9를 이항하면 $3x=9$
양변을 3으로 나누면 $x=3$

(2) $0.05x-0.1=0.2x+1.4$의 양변에 100을 곱하면
$5x-10=20x+140$
$20x$, -10을 이항하면 $5x-20x=140+10$
$-15x=150$
양변을 -15로 나누면 $x=-10$

(3) $\dfrac{1}{3}x+\dfrac{1}{2}=\dfrac{5}{2}$의 양변에 6을 곱하면 $2x+3=15$
3을 이항하면 $2x=12$, 양변을 2로 나누면 $x=6$

(4) $\dfrac{2}{3}x-\dfrac{1}{3}=\dfrac{x+6}{6}$의 양변에 6을 곱하면 $4x-2=x+6$
-2와 x를 이항하면 $4x-x=6+2$, $3x=8$, $x=\dfrac{8}{3}$

043 답 ⑤

$\dfrac{x+5}{8}=\dfrac{x}{6}-1$의 양변에 8과 6의 최소공배수 24를 곱하면
$3(x+5)=4x-24$, 괄호를 풀면 $3x+15=4x-24$, 15와 $4x$를 이항하면 $3x-4x=-24-15$, $-x=-39$
양변을 -1로 나누면 $x=39$

044 답 $x=3$

$3-\dfrac{x+2}{4}=x$의 양변에 4를 곱하면

$12-(x+2)=4x$, $12-x-2=4x$, $-x-4x=-10$
$-5x=-10$, $x=2$

$3-\frac{x+2}{4}=x$의 해가 $x=a$이므로 $a=2$이다.

$2(x+a)-3=7$에 $a=2$를 대입하면 $2(x+2)-3=7$
$2x+4-3=7$, $2x=6$, $x=3$

045 답 $x=6$

$0.2(x-1)=\frac{x-2}{4}$의 소수를 분수로 나타내면

$\frac{2(x-1)}{10}=\frac{x-2}{4}$, $\frac{x-1}{5}=\frac{x-2}{4}$
5와 4의 최소공배수 20을 양변에 곱하면
$4(x-1)=5(x-2)$
괄호를 풀면 $4x-4=5x-10$
-4와 $5x$를 이항하면 $4x-5x=-10+4$, $-x=-6$
양변을 -1로 나누면 $x=6$

046 답 (1) $3x=x-9$, $-\frac{9}{2}$
(2) $10-x=x+14$, -2

(1) 방정식: $3x=x-9$
이항하면 $2x=-9$
양변을 2로 나누면 $x=-\frac{9}{2}$

(2) 방정식: $10-x=x+14$
이항하면 $-2x=4$
양변을 -2로 나누면 $x=-2$

047 답 사탕: 3개, 과자: 7개

사탕의 개수를 x라고 하면 과자의 개수는 $10-x$이다.
$300x+700\times(10-x)=5800$이므로 식을 100으로 나눈 후 괄호를 풀면 $3x+70-7x=58$, $-4x=-12$
양변을 -4로 나누면 $x=3$이다.
주어진 식에 $x=3$을 대입하면
$300\times3+700(10-3)=5800$이므로
문제의 뜻에 맞는다.
따라서 사탕을 3개, 과자는 7개 샀다.

048 답 7명, 53전

사람 수를 x명이라고 하면 물건값은 각각 $8x-3$, $7x+4$이므로 $8x-3=7x+4$, $8x-7x=4+3$, $x=7$
$8\times7-3=53$, $7\times7+4=53$이므로 문제의 뜻에 맞는다.
따라서 사람 수는 7명이고, 물건값은 $8\times7-3=53$(전)이다.

049 답 $\frac{133}{8}$

아하를 x라고 하면 $x+\frac{1}{7}x=19$, $\frac{8}{7}x=19$, $x=\frac{133}{8}$

아하가 $\frac{133}{8}$이므로

$\frac{133}{8}+\frac{1}{7}\times\frac{133}{8}=\frac{133}{8}+\frac{19}{8}=\frac{152}{8}=19$이다.
즉, 문제의 뜻에 맞는다.

050 답 84세

디오판토스가 사망한 나이를 x세라고 하면

$\frac{1}{6}x+\frac{1}{12}x+\frac{1}{7}x+5+\frac{1}{2}x+4=x$에서 $x=84$이다.
디오판토스가 84세까지 살았으므로

$\frac{1}{6}\times84+\frac{1}{12}\times84+\frac{1}{7}\times84+5+\frac{1}{2}\times84+4=84$이므로
구한 해가 문제의 뜻에 맞는다.

051 답 15세

언니의 나이: x세, 동생의 나이: $(x-3)$세
두 나이의 합이 27세이므로 $x+(x-3)=27$,
괄호를 풀면 $2x-3=27$
이항하면 $2x=30$
양변을 2로 나누면 $x=15$이다.
따라서 언니의 나이는 15세이다.

052 답 ④

x년 후라고 하면 $2(15+x)=42+x$이다.
괄호를 풀면 $30+2x=42+x$
이항하면 $x=12$
따라서 ④이다.

053 답 12 cm

아랫변의 길이를 x cm라고 하자.
사다리꼴의 넓이 구하는 공식을 이용하면

$\frac{1}{2}\times(3+x)\times4=30$
양변을 2로 나누면 $3+x=15$, $x=12$이다.

$x=12$를 대입하면 $\frac{1}{2}\times(3+12)\times4=30$이므로 문제의 뜻에 맞는다.

054 답 ⑤

가로의 길이를 x cm라고 하면 세로의 길이는 $\frac{x}{3}$ cm이다.
직사각형의 둘레의 길이가 88 cm이므로
$2\left(x+\frac{x}{3}\right)=88$, $\frac{4}{3}x=44$, $x=33$이다.
$x=33$을 대입하면 $2\left(33+\frac{33}{3}\right)=88$이므로 문제의 뜻에 맞는다.

055 답 (1) $5x+12$, $7x-4$
(2) $5x+12=7x-4$
(3) 8명, 52개

(3) $-2x=-16$, $x=8$
$5\times8+12=7\times8-4=52$이므로 학생 수는 8명이고 볼펜의 개수는 52개다.

056 답 $x+2$, 16, 16, 18, 34

방정식은 $x+(x+2)=34$, $2x=32$, $x=16$이므로 두 짝수는 16, 18이다. 두 수의 합을 구하면 $16+18=34$이므로 문제의 뜻에 맞다.
따라서 □ 안을 순서대로 쓰면 $x+2$, 16, 16, 18, 34이다.

057 답 23, 24, 25

연속하는 세 자연수 중에서 가장 작은 수를 x라고 하면
$x+(x+1)+(x+2)=72$
$3x=69$ $\therefore x=23$
$23+24+25=72$이므로 문제의 뜻에 맞는다.
따라서 세 자연수는 23, 24, 25이다.

058 답 57

가운데 홀수를 x라고 하면
연속하는 세 홀수는 $x-2$, x, $x+2$이므로
$(x-2)+x+(x+2)=177$, $3x=177$
$\therefore x=59$
$57+59+61=177$이므로 문제의 뜻에 맞는다.
세 홀수는 57, 59, 61이므로 가장 작은 수는 57이다.

059 답 26

십의 자리의 숫자를 x라고 하면
$60+x=(10x+6)+36$
$-9x=-18$ $\therefore x=2$
$62=26+36$이므로 문제의 뜻에 맞는다.
따라서 구하는 자연수는 26이다.

060 답 45

십의 자리의 숫자를 x라고 하면 $10x+5=5(x+5)$이다.
양변을 5로 나누면 $2x+1=x+5$, $x=4$이다.
$4\times10+5=5\times(4+5)$이므로 문제에 뜻에 맞다.
따라서 이 자연수는 45이다.

061 답 97

일의 자리의 숫자를 x라고 하면 십의 자리의 숫자는 $16-x$이고 (십의 자리의 숫자)=(일의 자리의 숫자)+2이므로
$16-x=x+2$, $-x-x=2-16$
$-2x=-14$ $\therefore x=7$
일의 자리 숫자는 7, 십의 자리 숫자는 $16-7=9$이고 이는 십의 자리의 숫자가 일의 자리의 숫자보다 2만큼 크다는 문제의 뜻에 맞는다. 따라서 구하는 자연수는 97이다.

062 답 풀이 참조

(1)

	갈 때	올 때
속력	시속 6 km	시속 4 km
거리	x km	x km
시간	$\frac{x}{6}$ 시간	$\frac{x}{4}$ 시간

(2) $\frac{x}{6}+\frac{x}{4}=\frac{5}{2}$
(3) 6, 6
(4) 6, 1, 6, 3, 1, 3, 5

063 답 4 km

시속 10 km로 간 거리를 x km라고 하면
시속 6 km로 간 거리는 $(6-x)$km이므로
$\frac{6-x}{6}+\frac{x}{10}=\frac{44}{60}$
양변에 60을 곱하면
$10(6-x)+6x=44$
$60-10x+6x=44$
$-4x=-16$
$\therefore x=4$
$\frac{6-4}{6}+\frac{4}{10}=\frac{44}{60}$이므로 문제의 뜻에 맞는다.

064 답 ⑤

올라간 거리를 x km라고 하면
내려온 거리는 $(16-x)$ km이므로

$\frac{x}{2}+\frac{16-x}{3}=7\frac{20}{60}$, $3x+2(16-x)=44$

$3x+32-2x=44$　　$\therefore x=12$

$\frac{12}{2}+\frac{16-12}{3}=7\frac{20}{60}$이므로 문제의 뜻에 맞는다.

따라서 올라간 거리는 12 km이다.

05 좌표평면과 그래프

001 답 (1) 14건　(2) 4월

(1) 교통사고 발생 건수가 가장 많은 달은 3월로 32건이고, 교통사고 발생 건수가 가장 적은 달은 1월로 18건이므로 $32-18=14$(건)이다.

(2) 그래프의 선분이 오른쪽 아래로 내려가는 곳은 3월과 4월 사이이다.
따라서 교통사고 발생 건수가 전달에 비해 줄어든 달은 4월이다.

002 답 풀이 참조

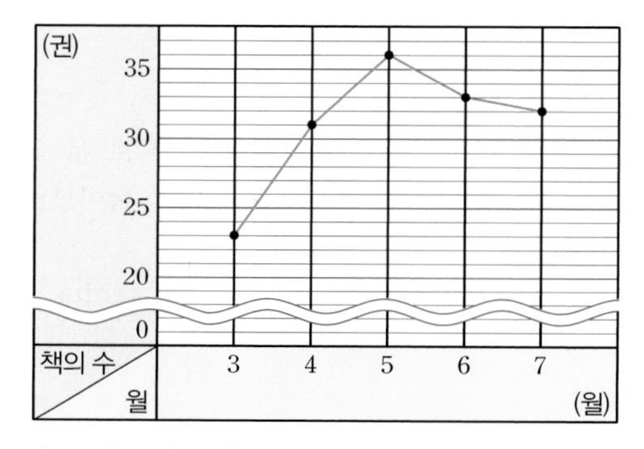

필요 없는 부분인 0과 20 사이에 물결선을 그린다.

003 답 ㄴ

ㄱ. 그래프의 선분이 가장 많이 기울어진 곳은 낮 12시와 오후 1시 사이이므로 이때 온도 변화가 가장 크다.

ㄷ. 오전 11시의 교실의 온도는 18.8 °C, 오후 2시의 교실의 온도는 19.6 °C이므로 두 온도의 차는
$19.6-18.8=0.8$ (°C)이다.

따라서 ㄴ이다.

004 답 (1) 2개　(2) 5월과 6월 사이

(1) 세로 눈금은 10개를 5칸으로 똑같이 나누었으므로 세로 눈금 한 칸의 크기는 2개이다.

(2) 선분의 기울기가 오른쪽 위로 가장 많이 기울어진 것은 5월과 6월 사이이다.

005 답 (1) 4 °C　(2) 땅

(1) 오후 2시에 땅의 온도는 18 °C이고 수영장 물의 온도는

14 °C이므로 온도의 차는 $18-14=4$ (°C)이다.
(2) 땅: $18-7=11$ (°C), 수영장 물: $14-8=6$ (°C)
따라서 온도의 변화가 더 큰 것은 땅이다.

006 답 180 m
세로 눈금 한 칸의 크기는 10 m이다. 자전거를 타고 10초마다 30 m씩 움직였으므로 1분(=60초) 동안 움직인 거리는 $150+30=180$ (m)일 것이라고 예상할 수 있다.

007 답 2, 2
$28\div2=14$, $24\div2=12$, ⋯이므로
$x\div2=y$, $y\times2=x$이다.

008 답 (1) 28, 29, 30, 31 (2) $y=x+14$
(1) (이모의 나이)=(유진이의 나이)+14
(2) 이모의 나이는 항상 유진이의 나이보다 14세 많으므로 $y=x+14$이다.

009 답 (1) 18, 24, 30 (2) $y=6x$
(1) 육각형 1개에는 변이 6개 있다.
(2) 변의 수는 육각형이 한 개씩 늘어날 때마다 6개씩 더 늘어나므로 $y=6x$이다.

010 답 3, 6, 9, 12, 15; $y=3x$

놀이 기구의 수 x(대)	1	2	3	4	5
탈 수 있는 사람 수 y(명)	3	6	9	12	15

놀이 기구의 수가 한 개씩 늘어날 때마다 사람은 3명씩 더 탈 수 있으므로 $y=3x$이다.

011 답 (1) 9, 12, 15 (2) $y=3x$
(1) 토끼풀 한 개에는 잎이 3장씩 있으므로 토끼풀이 한 개 늘어날 때마다 잎은 3장씩 늘어난다.
(2) 잎의 수는 토끼풀이 한 개씩 늘어날 때마다 3장씩 더 늘어나므로 $y=3x$이다.

012 답 (1) 4, 5, 6 (2) $y=x+1$
(2) 색 테이프 도막의 수는 자른 횟수보다 항상 1개가 많으므로 $y=x+1$이다.

013 답 12, 13, 14; $y=x-2004$
(연도)−2004=(지우의 나이)이므로
$y=x-2004$이다.

014 답 31개
정사각형의 수와 성냥개비의 수 사이의 대응 관계를 표로 나타내면 다음과 같다.

정사각형의 수(개)	1	2	3	4	⋯
성냥개비의 수(개)	4	7	10	13	⋯

첫 번째를 제외하고 정사각형이 한 개 늘어날 때마다 성냥개비는 3개씩 늘어난다. 정사각형의 수와 성냥개비의 수 사이의 대응 관계를 식으로 나타내면
3×(정사각형의 수)+1=(성냥개비의 수)이다.
따라서 정사각형이 10개일 때 성냥개비는
$3\times10+1=31$(개)이다.

015 답 ①
식탁의 수와 의자의 수 사이의 대응 관계를 표로 나타내면 다음과 같다.

식탁의 수(개)	1	2	3	4	⋯
의자의 수(개)	8	12	16	20	⋯

첫 번째를 제외하고 식탁이 한 개 늘어날 때마다 의자는 4개씩 늘어난다. 식탁의 수와 의자의 수 사이의 대응 관계를 식으로 나타내면 4×(식탁의 수)+4=(의자의 수)이다. 따라서 식탁 7개를 한 줄로 이어 놓으면 의자는 모두 $4\times7+4=32$(개) 필요하다.

016 답 3
점 A의 좌표는 −3이므로 A(−3)이다. 즉, $a=-3$
점 B의 좌표는 1이므로 B(1)이다. 즉, $b=1$
점 C의 좌표는 5이므로 C(5)이다. 즉, $c=5$
따라서 $(-3)+1+5=3$이다.

017 답 ③
A(−7), B(−4), D(3), E(8)이므로 ③이다.

018 답 $P(-5)$, $Q\left(-\frac{5}{2}\right)$, $R\left(\frac{7}{2}\right)$
점 P의 좌표가 a일 때 기호로 $P(a)$로 나타내므로
$P(-5)$, $Q\left(-\frac{5}{2}\right)$, $R\left(\frac{7}{2}\right)$이다.

019 답 풀이 참조

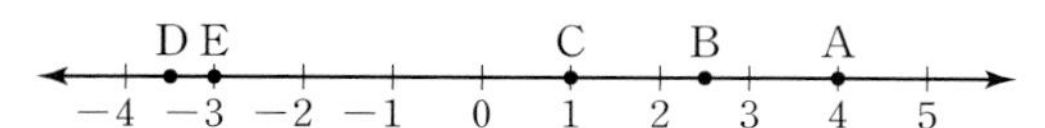

020 답 $A(-160)$, $E(264)$

서울역은 점 O에서 왼쪽으로 160만큼 떨어져 있으므로 좌표는 $A(-160)$이다.
부산역은 점 O에서 오른쪽으로 $424-160=264$만큼 떨어져 있으므로 좌표는 $E(264)$이다.

021 답 ⑤

$E(2, 4)$이므로 옳지 않은 것은 ⑤이다.

022 답 ③

x축 위의 점이므로 y좌표는 0이다.
따라서 ③ $(-5, 0)$이다.

023 답 ②

y축 위에 있는 점은 x좌표가 0이다.
따라서 ② $(0, -3)$이다.

024 답 ②, ④

② $B(5, 0)$

④ $D\left(-1, \frac{1}{3}\right)$

025 답 ②

② 점 $(-4, 5)$은 제2사분면 위의 점이다.

026 답 풀이 참조

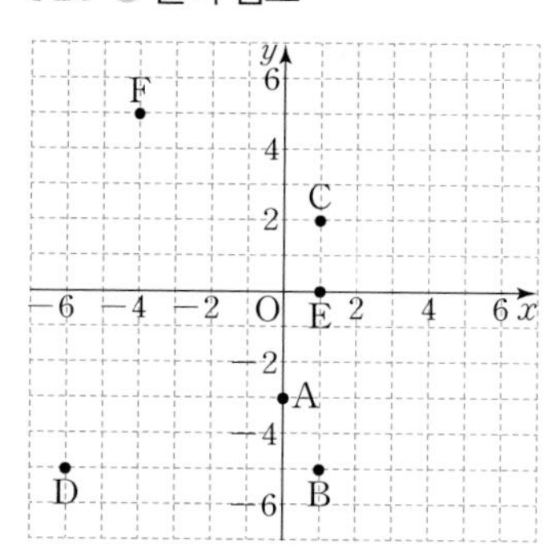

(1) $A(0, -3)$: y축 위에 있으므로 어느 사분면 위에도 속하지 않는다.
(2) $B(1, -5)$: 제4사분면
(3) $C(1, 2)$: 제1사분면
(4) $D(-6, -5)$: 제3사분면
(5) $E(1, 0)$: x축 위에 있으므로 어느 사분면 위에도 속하지 않는다.
(6) $F(-4, 5)$: 제2사분면

027 답 (1) (가) (2) (나) (3) (마) (4) (라) (5) (다)

028 답 제2사분면

$A(-a, b)$가 제1사분면 위의 점이므로 $-a>0$, $b>0$이다.
$\therefore a<0$, $b>0$
따라서 $a-b<0$, $b>0$이므로 제2사분면이다.

029 답 (1) 변수 (2) 그래프

030 답

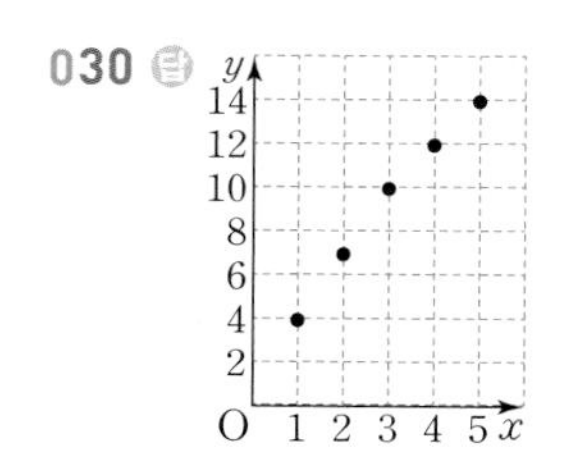

031 답 ㄴ

8분 동안 일정한 양의 물을 넣었으므로 시간에 따라 일정하게 높아진 후 2분 동안 물의 높이가 일정하다. 그 후 4분 동안 일정한 양의 물을 뺐으므로 시간에 따라 일정하게 낮아진다. 따라서 알맞은 그래프는 ㄴ이다.

032 답 ⑤

처음에는 판매량이 일정하게 증가하다가 점차 판매량이 조금씩 증가하므로 ⑤이다.

033 답 (1) (나) (2) (다) (3) (가)

(1) 속력이 올랐다 내렸다 변하므로 (나)이다.
(2) 음료수를 일정하게 모두 마셨으므로 (다)이다.
(3) 일정한 속력으로 물을 채우므로 (가)이다.

034 답 ③

① $x=4$일 때 $y=40$이다.
② 처음 6초 동안 달린 거리는 60 m이다.
④ 6초에서 12초 사이에 달린 거리는 20 m이다.

⑤ 12초 이후 가장 빠르게 이동하였다.
따라서 옳은 것은 ③이다.

035 답 (1) 5분 (2) 20분

(1) 민호가 친구 집에 머문 시각은 집에서 100m 떨어진 곳에서 5분 동안 머물렀다.
(2) 도서관에서 출발한 시간이 40분이고 집에 도착한 시간이 60분이므로 집으로 돌아오는 데 20분이 걸렸다.

036 답 (1) 1200, 2400, 3600, 4800 (2) $y=1200x$

(2) y가 x에 정비례하므로 $y=ax$에 $x=1$, $y=1200$을 대입하면 $1200=a\times1$, $a=1200$이므로 $y=1200x$이다.

037 답 ④

x의 값이 2배, 3배, 4배, …가 될 때 y의 값도 2배, 3배, 4배, …로 변하는 관계는 정비례이므로
$y=ax$ $(a\neq0)$ 또는 $\frac{y}{x}=a$ (일정)이다.
따라서 ④ $y=x-1$은 정비례 관계가 아니다.

038 답 ①

y가 x에 정비례하므로 $y=ax$에 $x=-2$, $y=6$을 대입하면
$6=a\times(-2)$, $a=-3$이므로 $y=-3x$이다.
따라서 $x=5$일 때 y의 값을 구하면
$y=-3\times5=-15$

039 답 ②

① $y=60x$ ② $y=2x+1$
③ $y=10x$ ④ $y=5x$
⑤ $y=3x$
따라서 y가 x에 정비례하지 않는 것은 ②이다.

040 답 ③

③ 제1, 3사분면을 지난다.

041 답 ②

x의 값이 -2, -1, 0, 1, 2일 때 함수 $y=x$의 그래프는 좌표평면 위에 $(-2, -2)$, $(-1, -1)$, $(0, 0)$, $(1, 1)$, $(2, 2)$의 5개의 점으로 이루어진다.

042 답 ④

④ 그래프 위의 점 $(-1, 2)$를 $y=-2x$에 대입하면
$2=-2\times(-1)$이다.
따라서 $y=-2x$의 그래프는 ④이다.

043 답 ④

④ 점 $\left(-\frac{2}{7}, 2\right)$를 지난다. 옳지 않은 것은 ④이다.

044 답 ①

①의 그래프 위의 점 $(3, 2)$를 $y=\frac{2}{3}x$에 대입하면
$2=\frac{2}{3}\times3$이 성립한다.
따라서 $y=\frac{2}{3}x$의 그래프는 ①이다.

045 답 5

$y=\frac{3}{5}x$에 $x=a$, $y=3$을 대입하면 $3=\frac{3}{5}\times a$, $a=5$이다.

046 답 $y=-\frac{1}{4}x$

원점을 지나는 직선이므로 $y=ax$에 $x=2$, $y=-\frac{1}{2}$을 대입하면 $-\frac{1}{2}=a\times2$, $a=-\frac{1}{4}$이다.
따라서 $y=-\frac{1}{4}x$이다.

047 답 ㄴ, ㄷ

그래프가 원점을 지나는 직선이므로 $y=ax(a\neq0)$로 놓고
$y=ax$에 $x=-2$, $y=3$을 대입하면 $3=-2a$
$\therefore a=-\frac{3}{2}$
따라서 함수의 식은 $y=-\frac{3}{2}x$이다.
$y=-\frac{3}{2}x$에 $x=4$를 대입하면 $y=-\frac{3}{2}\times4=-6$이다.

048 답 ①

l: $y=ax$에서 $a>1$이어야 한다.

049 답 ④

④ $\frac{y}{x}=-1$은 y가 x에 정비례한다.

050 답 ②, ③

① $x+y=10$ ② $y=\frac{200}{x}$

③ $y=\frac{20}{x}$ ④ $y=500x$

⑤ $y=200-x$

따라서 y가 x에 반비례하는 것은 ②, ③이다.

051 답 2, 5, 5, 2, 10

함수 $y=\frac{a}{x}$의 그래프가 $(2,\ 5)$를 지나므로

$y=\frac{a}{x}$에 $x=\boxed{2}$, $y=\boxed{5}$를 대입하면

$\boxed{5}=\frac{a}{\boxed{2}}$이므로 $a=\boxed{\ 10\ }$이다.

052 답 ④

y가 x에 반비례하므로

$y=\frac{a}{x}$에 $x=2$, $y=-9$를 대입하면

$-9=\frac{a}{2}$, $a=-18$

$\therefore y=-\frac{18}{x}$

관계식에 $x=-6$을 대입하면 $y=-\frac{18}{-6}=3$

따라서 y의 값은 ④ 3이다.

053 답 풀이 참조

x	-6	-4	-3	-2	-1	1	2	3	4	6
y	-2	-3	-4	-6	-12	12	6	4	3	2

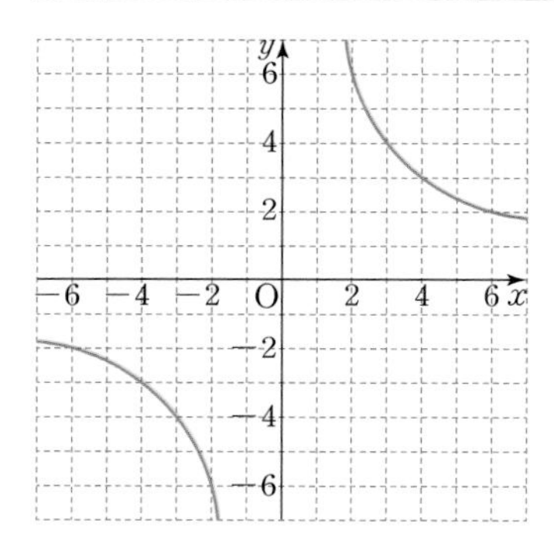

054 답 ④

점 $(2,\ -3)$을 지나고 원점을 지나지 않는 한 쌍의 곡선이므로 구하는 그래프는 ④이다.

055 답 -2

$y=\frac{a}{x}$에 $x=4$, $y=1$을 대입하면 $a=4$

$y=\frac{4}{x}$에 $x=-8$, $y=b$를 대입하면 $b=\frac{4}{-8}=-\frac{1}{2}$

따라서 $ab=4\times\left(-\frac{1}{2}\right)=-2$이다.

056 답 ④

좌표축과 만나지 않는 한 쌍의 곡선이므로 옳지 않은 것은 ④이다.

057 답 ④

$y=\frac{a}{x}$의 꼴이고, x의 값이 커지면 y의 값도 커지므로 $a<0$이다.

점 $(2,\ -4)$를 지나므로 $-4=\frac{a}{2}$

$\therefore\ a=-8$

따라서 구하는 식은 ④ $y=-\frac{8}{x}$이다.

058 답 6

$y=\frac{a}{x}x$의 그래프가 점 $(2,\ 3)$을 지나므로

$3=\frac{a}{2}$

따라서 $a=6$이다.

059 답 8개

$(-8,\ -1)$, $(-4,\ -2)$, $(-2,\ -4)$, $(-1,\ -8)$, $(1,\ 8)$, $(2,\ 4)$, $(4,\ 2)$, $(8,\ 1)$로 모두 8개이다.

060 답 ④

그래프가 한 쌍의 곡선이므로 $y=\frac{a}{x}$라 하자.

점 $(3,\ 4)$를 지나므로 $4=\frac{a}{3}$ $\quad\therefore\ a=12$

$\therefore\ y=\frac{12}{x}$

$y=\frac{12}{x}$에 $x=-8$, $y=-\frac{3}{2}$을 대입하면 $-\frac{3}{2}=\frac{12}{-8}$이므로 점 $\left(-8,\ -\frac{3}{2}\right)$은 그래프 $y=\frac{12}{x}$ 위에 있다.

061 답 14

점 P(a, b)는 $y=\frac{14}{x}$의 그래프 위의 점이므로 $b=\frac{14}{a}$

$\therefore ab=14$

점 A의 x좌표는 a, 점 B의 y좌표는 b이므로

(사각형 OAPB의 넓이)$=ab=14$이다.

062 답 6

점 A(a, b)가 $y=\frac{9}{x}$의 그래프 위의 점이므로

$x=a$, $y=b$를 대입하면 $b=\frac{9}{a}$ $\qquad \therefore ab=9$

또 점 A(a, b)가 $y=x$의 그래프 위의 점이므로

$x=a$, $y=b$를 대입하면 $b=a$ $\qquad \therefore a=b=3$

따라서 $a+b=3+3=6$이다.

Memo